S0-AFG-434

객주

객주

客主 제2부 京商

김주영 장편소설

6

문이당

차 례 / 객주 제2부 경상(京商)

차 례 / 객주 제2부 경상(京商)

제4권

제5권

발군(拔群)

1

죽동궁(竹洞宮)에 아침이 밝았다.

민비(閔妃)의 친정 조카인 민영익(閔泳翊)이 거처하는 죽동궁은 관인방(寬仁坊) 대사골〔大寺洞〕 안침 깊숙이 자리 잡고 있었다. 죽동궁의 원래 이름은 죽도궁(竹刀宮)이었다. 순조의 첫째 부마(駙馬)였던 동녕위(東寧尉) 김현근(金賢根)의 집터였다. 김현근이 실성기가 있어 가속들이 그를 제지하기 위하여 대칼〔竹刀〕을 만들어 두었는데 항간에서 이를 빗대어 죽도궁이라 불렀으므로 죽동궁으로 고쳐 부르게 되었다. 민영익은 전의감골〔典洞〕에도 집이 있었으나 민승호(閔升鎬)의 양자 된 이후로 죽동궁으로 거처를 옮기었다. 종가의 철물전다리를 왼편으로 꺾어 들어 마전내를 사이하고 건너편은 탑골이요, 이쪽은 대사골이었다. 죽동궁은 대사골 안침 회나뭇골〔檜木洞〕 못미처에 자리 잡고 있었다. 회나뭇골에서 좀 더 오르면 견평방(堅平坊) 청석골(青石洞 : 青城洞)에 이르렀다. 민비의 본곁인 죽동궁을 두고 항간에서는 3백 칸이 넘는다 하였다. 남향의 솟을대문 앞에는 노둣돌만 해도 여럿이었다. 대문 안에서 보면 양편으로 하인청(下人廳)과 행랑방들이 좌우로 벌리었고 대문과 마주 난 바깥중문에 들어서면 자빗간,* 마구간, 고방 들이 촘촘하게 박혀 있었다. 사랑중문은 서편으로 꺾이었고, 안중문은 맞은편 층계 위에 드높게 매달려서 대문 밖에서 안중문이 곧장 들여다보이게 되어 있었다.

안중문간을 지나 썩 들어서면 열두 칸 대청이 남향으로 훨씬 넓게 놓여 있고 안방은 동쪽이고 건넌방은 서쪽이며 건넌방 모퉁이에 사랑에서 드나드는 일각문이 삐걱였다. 안뒤는 훨씬 넓어서 서편으로 사랑채가 버티었고 동편으로 별당채가 있었다. 별당채는 안방 뒤 광채와 비슷하니 서향으로 놓이었다. 별당채만 보아도 시정의 여염집이 당하지 못하고 안방이 네 칸, 마루가 여섯 칸, 건넌방이 두 칸인데, 앞에서 보면 대문과 바깥중문을 지나 안중문을 건너서 안뒤에 앉은 별당까지는 숨 가쁜 사람은 한 번 쉬어 갈 만한 상거였다. 그러나 안방이나 사랑채에서 설렁을 치면 하인청 하인들과 행랑방 낭속*들이 예 소리를 본때 있게 길게 빼며 쏟아져 나왔다. 아랫도리에 돌고 있는 하속들도 수십 명이 되었다. 침모 중에도 관복을 짓는 관디침모가 따로 있고 살림 두량을 맡아 쥔 차집 아래 원반빗아치와 곁반빗아치가 여럿이고 원동자치에 곁동자치가 또한 여럿이었다. 다듬이꾼에, 표모*에, 베 짜는 할미에, 솜 다루는 계집까지 따로 두었다. 안심부름만 맡아 하는 안별감이 따로 있고 사랑에는 세간 청지기가 있고 헐숙청에는 접객 청지기가 또한 있었다. 큰상노는 물론이요, 머리꽁지에 흰 올 아기댕기 드린 작은상노들이 쉴 새 없이 주청방에 드나들었다. 행랑에는 내외 갖춘 종노들과 행랑것들이 있고 하인청에는 경마잡이

* 자빗간 : 가마, 남여, 승교 따위의 탈것을 넣어 두는 곳.
* 낭속 : 사내종과 계집종을 아울러 이르던 말.
* 표모 : 빨래하는 나이 든 여자.

구종(驅從)*들과 교군 뒤나 말 뒤를 따르는 별배(別陪)*들이 있었다.

민영익은 원래 민태호(閔台鎬)의 소생이었으나 민겸호(閔謙鎬), 민두호(閔斗鎬), 민관호(閔觀鎬)의 소생들을 물리치고 민승호의 후사(後嗣)를 잇게 되니, 이는 민영익이 숙성하고 영혜(英慧)한* 것을 민비가 진작에 눈여겨보아 두었기 때문이었다.

민영익은 이른바 8학사(學士)로 일컫는 이중칠(李重七), 조동희(趙同熙), 홍영식(洪英植), 김홍균(金興均), 홍순형(洪淳馨), 심상훈(沈相薰), 김옥균(金玉均), 어윤중(魚允中) 같은 사람들과 교유하였다. 민영익 연치 불과 열아홉인데도 2월에 광주부 유수로 있더니 윤3월에는 승지(承旨)로 승직(陞職)되었다가 8월 스무이튿날이 되어 정범조(鄭範朝)를 폐하고 도승지(都承旨)로 제수되었다. 도승지는 승정원(承政院)의 여섯 승지 중에서 으뜸 되는 정삼품 당상관으로서 왕이 내리는 교서나 신하들이 왕께 올리는 장계와 상소문을 관장하는 이방(吏房)의 책무였다. 도승지는 또한 홍문관(弘文館), 예문관(藝文館)의 직제학(直提學)과 상서원정(尙瑞院正)을 으레 겸임토록 되어 있었다. 승정원에는 조병세(趙秉世), 김윤식(金允植), 조병직(趙秉稷), 박정양(朴定陽)과 같은 덕망과 문견을 겸비한 승지들이 도사리고 있었지만 도승지 민영익의 위압에 눌리었으니, 이는 민비의 친정 조카 된 덕분을 입은 것이었다.

아직은 예궐하기도 이른 때라 행기하러 사랑채 누마루 끝으로 나갔던 민영익이 듣자 하니, 때 아닌 식전 나절에 헐숙청 안뜰이 상것들의 받고채는 말소리로 자못 소연(騷然)하였다.* 도대체 죽동궁 헐

---

* 구종 : 벼슬아치를 모시고 다니던 하인.
* 별배 : 벼슬아치의 집에서 사사로이 부리던 하인.
* 영혜하다 : 영민하고 지혜롭다.
* 소연하다 : 떠들썩하다.

숙청에 뛰어들어 소란을 피울 자가 있을 수 없거늘 이 무슨 야단인가 싶어 설렁을 쳐서 헐숙청 청지기를 불렀다. 젊은 청지기가 엎어질 듯 계하(階下)*에 와서 부복하면서,

「대감마님, 소매 없는 옷에 패랭이 차림인 웬 난전붙이 하나가 꼭 두새벽부터 찾아와서 대감마님을 배알(拜謁)코자 합니다요.」

청지기 말이 꽤나 엉뚱한지라,

「난전붙이라니? 자주 출입하던 위인이냐?」

「아닙지요. 함경도 북청 태생이라 하옵는데 생면부지한 위인입니다. 궐놈이 언죽번죽 고집을 부리면서 대감마님 뵙지 않고는 등을 돌릴 수 없다고 오복조르듯* 버티는데, 별반거조를 보이겠다고 으름장을 놓았는데도 도통 들어먹지를 않습니다요.」

「무엄한 자가 아니냐? 너희들은 그깟 난전붙이 한 놈 배송 낼 재간도 없더란 말이냐? 그 주제에 하루 세 끼 밥은 어떻게 축여 내느냐?」

「궐놈이 워낙 힘이 장사인 데다가 또한 후배로 따라온 짐방들도 여럿인뎁쇼.」

「후배로 따라와? 그렇다면 그놈들은 시정의 무뢰배들이 아니냐?」

「입성들이 꽤나 꾀죄죄하고 촌생장*들 같아 보이나 장안의 왈짜 같아 보이지는 않았습니다요.」

「어쨌거나 말귀가 어두운 놈들이라면 귀를 뚫어서 쫓아내어라.」

각골 하인들 본새로 예 소리 길게 하고 돌아서려던 청지기놈이 무슨 미련이 남았던지,

「그런데 대감마님, 후배들이 지고 있는 부담짝들로 보아선 뭔가

---

* 계하 : 섬돌이나 층계의 아래.
* 오복조르듯 : 심하게 조르는 모양.
* 촌생장 : 시골에서 나고 자람, 또는 그런 사람.

딴 배포가 있는 듯합니다. 서사를 내보내었으나 부득부득 대감마님만을 승안(承顔)*하자고 기어드는 거조가 피치 못할 사정이 있는 듯합니다요.」

「부담짝이 뭐라더냐?」

「그것 역시 대감마님을 뵙고 난 뒤라야 말씀드리겠다는 것입니다요.」

성명도 없는 난전붙이가 감히 죽동궁 앞에 와서 함훤수작(喊喧酬酌)*을 할 적에는 필시 사연이 있을 것이었다. 모가지 두 개 달린 짐승이 아니라면 하나 달린 모가지가 아까운 줄 모를 리도 없었다. 민영익은 한동안 아침이슬을 머금고 짙푸르게 피어 있는 정원의 단풍나무 잎사귀를 바라보고 섰다가 궐자를 불러들이라 일렀다. 분부 내린 지 얼마 있지 않아서 한 사내가 방으로 들어섰다. 연치로 보아 스물대여섯이나 되었을까. 키가 6척을 넘긴 위에 골격 또한 장대하고 물꼬를 뽑아낸 듯한 두 다리가 가히 장한이었다.

「앉거라.」

궐한이 무릎을 꺾고 앉는데 앉은키가 민영익의 선 키만 하였다. 체수 우람한 외양과 뚝심으로 보아서는 감히 민영익을 압도하고도 남았다.

「네 주지(住址)가 어디냐?」

「시생 북청 태생으로 이가 성 가진 용익이라 합니다.」

「그래? 네가 위의(威儀)를 갖추지 못한 건 차치하고라도 감히 뉘 앞이라고 쇤네라 하지 않고 시생이라 하여 사대부의 흉내를 하며 또한 문밖에서 소란을 피우느냐?」

「다만, 입버릇 때문입니다. 소란을 피운 것은 문밖이 아니라 문안

---

* 승안 : 처음으로 만나 뵘.
* 함훤수작 : 큰 소리로 외치며 떠들썩하게 서로 주고받는 수작.

이었습지요.」

「너 여기가 어디며, 무엄한 네놈을 아직은 바라보고만 있는 내가 누군 줄 아느냐?」

「이곳은 여항의 사람들이 죽동궁이라 부르옵고 시생의 앞에 계시는 분은 지난달에 승정원 도승지로 제수 받으신 민영익 대감인 줄 알고 있습니다.」

「그래도 내 앞에서 쇤네라 하지 않고 시생이라 할 것이냐?」

「장돌림들은 서로를 시생이라 부르니 시생이라 할밖에 없습니다. 또한 집 떠난 지가 십 년이 되어 동가식서가숙하면서 버릇되었으니 지금 당장 고쳐 부르기가 지난입니다.」

「네놈의 굳은 혀를 부드럽게 고칠 수 있는 방도가 내게 있다는 것을 어리무던한 네놈인들 모를 리 없겠다?」

「알고 있습니다. 그러나 별반거조를 보이시기 전에 담장을 넘어 튀었다 하면 시생은 반나절이 못 되어 이백 리 바깥으로 줄행랑을 쳐서 고비원주(高飛遠走)*하겠으니 시생의 혀를 보전할 방도가 있는 셈입니다.」

민영익은 어려서부터 영특하였고 글씨와 그림에 능하였다. 그러나 그에게 또 다른 일면이 있었다. 때로는 경박한 무리들과 어울려 다니면서 감히 희학질하기도 주저하지 않았으니 시끄럽고 어지러워 그 행사가 일정하지 않았다. 어떤 때에는 득도한 선비와 비견될 만한 행동을 하였지만 어떤 땐 어린아이 같았다. 일개 난전꾼이 불쑥 뛰어들어와서 방자하게 구는 꼴이 같잖되, 또한 호령 앞에 굽히지 않는 상것의 뚝심을 내심으로는 호기 있게 여기고 있었다. 게다가 축지(縮地)*를 한다고 땅땅 벼르고 있는 꼴이 재미있기도 하였다.

---

* 고비원주 : 높이 날고 멀리 달린다는 뜻.
* 축지 : 도술로 지맥(地脈)을 축소하여 먼 거리를 가깝게 하는 일.

「너 당초부터 내 집을 겨냥해서 왔더냐?」

「시생이 단천에서 발행할 당시부터 죽동궁을 겨냥했습지요.」

「네 생화는 무엇이냐?」

「십 년 전에 집을 떠나 팔도를 떠돌다 연전에 단천에 이르고 난 뒤는 금점꾼으로 행세합니다.」

「금점꾼? 내 이때껏 금점꾼은 처음 만난다. 금점꾼이라면 잠채꾼이 아니냐?」

「그렇습니다.」

「이런 놈이 있나? 그럼 네놈이 내게 인정전을 바쳐 벼슬을 사겠다는 것이냐?」

약차하면 치도곤이라도 안길 조짐인데, 이용익은 예사로,

「시생과 같은 무지렁이가 감히 첨도(忝叨)*를 바라겠습니까. 언감생심 추호도 그런 심기를 품어 본 일은 없습니다.」

이용익의 대답에 핀잔준 것이 마음에 걸리는지 민영익이 뒤를 풀어서,

「너의 척간이나 항렬에도 출사한 위인들이 없었느냐?」

「예.」

「그럼, 너는 장사치로만 입신을 하겠단 말인가?」

「그렇습니다.」

「별종이로구나. 사람이 세상에 태어나서 양명을 꾀하자면 출사밖에는 다른 길이 없거늘, 넌 어찌해서 상로배로만 늙겠다는 것이냐? 필시 딴 배포가 있겠다?」

민영익의 말은 고집덩이를 녹이려 드는 엄포 같기도 하였고 요개(撓改)*한 대답이 나오기를 은근히 바라는 듯한 말투 같기도 하여

---

* 첨도 : 자격이 부족한 사람이 분에 넘치는 벼슬을 받음.
* 요개 : 휘어서 고침.

도통 종잡을 수 없는데, 천만의 말씀이 이용익의 입에서 튀어나왔다.

「세상에 벼슬이란 것보다 허망한 것이 어디 있습니까. 사람이 세상에 태어나서 풀포기나 이슬을 끼니 대신으로 하지 못하고 깃과 털로써도 육신을 가릴 수가 없습니다. 그럴진대 자연 입고 먹는 일에 종사하자는 것은 섭리를 따르는 것입니다. 위로는 조선(祖先)과 부모를 공양하고 아래로는 권속들을 먹이고 따르는 자들을 길러야 하겠으니 재리(財利)를 경영하여 식산(殖産)을 꾀하지 않을 수 없습니다. 외람되나마 공자의 말씀에도 부(富)하게 된 다음에야 가르친다 하지 않았습니까. 옷을 헐벗고 밥을 빌어먹어 가면서는 선조의 제사를 받들지도 못하고 부모를 공양하는 일도 지난이며 배고픈 아이들에게 윤리를 가르쳐 보았자 공론(空論)에 그치기 십상입니다. 별이 들쭉날쭉하는 지붕 아래에서 도덕과 인의(仁義)만을 좇고 있겠습니까. 대저 궁반(窮班)*이란 사람들이 어구(御溝)*에 입을 대고 앉았다가 반연을 꾀하여 가문의 양명을 서두르고 실용(實用)은 상것들이나 하는 일인 줄 알고 있습니다. 그러나 매양 꾸리기 어려운 가사를 이어 나가자니 그 지체와 명망을 팔아서 남몰래 간악한 짓을 하면서 겉으로는 해동공자로 자처하는 선비들이 많지 않습니까. 세상에는 사궁(四窮)*이 있다 하였습니다. 그것이 어쩔 수 없는 일이나 폐단은 아닙니다. 그러나 궁반들이 있으니 이는 폐단이 되고 있지 않습니까. 그러므로 반명을 한다는 사람이나 상것들이나 간에 먼저 의식의 근원을 튼튼히 한 다음에 비로소 예의범절의 단서를 닦게 하여야 풍속이 바로잡히지 않겠

---

* 궁반 : 가난한 양반.
* 어구 : 대궐 안에서 흘러나오는 개천.
* 사궁 : 네 가지의 궁한 처지라는 뜻으로, 늙은 홀아비와 늙은 홀어미, 부모 없는 어린이, 자식 없는 늙은이를 통틀어 이르는 말.

습니까. 대저 푸른 소나무를 벗하고 흰구름을 희롱하며 돌을 베고 누워서 흐르는 물로 양치하며 아침 안개 속에서 풍월을 읊조리고 달 아래 물을 긷는다는 것이 명목이야 어찌 아름답지 않겠습니까. 그러나 이것은 온 세상 사람들이 요족한 태평성세의 백성이 되었을 때 일이 아닙니까. 그러나 오늘에 이르러 되국과 아라사와 왜국이 저들의 물화로 우리 백성들의 눈을 어지럽히고 있는 판국에 선비의 도리만 찾고 있을 수는 없습니다. 만약 이것으로써 살아가는 도리와 본(律)으로 삼는다면 머지않아 나라는 암담한 지경에 이를 것입니다. 가화(家和)를 누리자면 물론이요, 죽은 자를 보내는 데도 재물이 소용되지 않습니까.」

「상리를 꾀하면 나라의 재정이 요족하리란 것은 나도 알고 있고 조정의 중신들도 그만한 이치쯤이야 모르겠느냐.」

「그런데 재물은 하늘에서 내리거나 공다지로 얻는 것은 아니지 않습니까. 그것은 곧 실용으로써 얻을 수밖에 없습니다. 실용의 도리는 곧 상거래나 땅에 저절로 묻혀 있는 것을 캐내는 것에 있다고 봅니다. 기름진 곳에서 곡물을 사다가 척박한 곳에 팔고 척박한 곳의 잡화를 기름진 곳으로 옮기면 경향의 생화가 평균(平均)을 이루어 굶주리는 자가 없게 되지 않겠습니까. 조정의 재용도 마찬가지입니다. 굶주린 백성에게 혹세(酷稅)*를 물리기보다는 땅에 묻힌 보물을 캐내어 내수사(內需司)와 내자시(內資寺)의 궁중 소용 물화 조달에 쓴다 하시면 백성들의 원성도 줄고 궁중의 재용도 살이 찔 것입니다. 시생과 같은 상것이 터득하고 있는 이치를 조정의 중신들이 모르고 있겠습니까. 그러나 알고 있으되 그 지체와 체모에 욕될 것을 염려하여 몸소 거행하지 못하는 것이 선비와

---

* 혹세 : 가혹한 세금.

벼슬아치들의 오욕(汚辱)*입니다. 겉으로는 필운대(弼雲臺)의 살구꽃, 북둔(北屯)의 복사꽃, 흥인문 밖 동교(東郊)의 버들, 천연정(天然亭)의 연꽃, 탕춘대(蕩春臺)의 수석(水石)을 산책하면서 풍월을 벗하는 체하나, 속으로는 객주(客主)와 공장(工匠)들의 집을 기웃거렸다가 적당한 구실을 붙여 재물을 빼앗지 않습니까. 이러다간 결국 상인은 재물을 숨기고 농투성이들은 그 거둔 것을 속이게 될 것입니다. 결국은 조정의 재용도 바닥이 날 터이지요.」

해가 서너 발이나 올라 입궐 치행(治行)이 늦은 아침이었는데도 쥐 죽은 듯이 귀를 기울이고 있던 민영익이,

「너 언문은 뜯어볼 줄 아느냐?」

「언문은 달달 외는 판이나 진서글에는 천자 뒤풀이나 흥얼댈 정도입니다.」

「문견이 그렇게 미숙한 위인이 어디 가서 상도리는 깨달아 알고 있는가?」

「시생이 삼남 행로에서 조성준이란 행수 한 분과 작반한 적이 있사온데, 그분에게서 들은 풍월입지요.」

「그 위인도 너와 같은 난전붙이였더냐?」

「시생이 알기로는 한때는 송파 쇠전에서 손꼽히는 쇠살쭈였다고 들었습니다.」

「상것의 안목치고는 제법 물리가 트인 위인이었던가 보군. 나를 찾게 된 것도 그 위인의 말전주를 위함이었느냐?」

「대감을 찾아뵈온 것은 순전히 시생의 요량에서입니다. 시생이 단천에 이르러 잠채꾼들이 버리고 간 덕대갱*에서 노숙한 것이 빌미가 되어 난데없이 많은 금을 캐내었습니다. 천행으로 코쇠*를 발견

* 오욕 : 명예를 더럽히고 욕되게 함.
* 덕대갱 : 덕대가 맡아 광물을 캐는 구덩이.

했기 때문이지요. 그 금을 궁가에 바치려 가지고 온 것입니다.」
「네가 나를 찾아온 연유가 항용 벼슬 사러 온 것이 아니라면서? 구름재〔雲峴宮〕에서 조정을 좌지우지할 때라면 그 맹랑한 공명첩이라도 안길 것이나 지금은 그렇지 못하다.」
「반계곡경(盤溪曲徑)*으로 벼슬 얻고자 함이 아닙니다. 시생이 캐낸 금은 시생의 것이 아니지 않습니까. 이는 나라의 땅에 있던 것을 다만 시생의 손을 빌려 캐낸 것에 불과합니다. 금의 소종래를 따지자면 나라님의 것이지 시생의 것이 아니지 않습니까.」
「가경(嘉慶)*이로다.」
「시생이 이 땅에서 섭생을 도모하고 있는 것만으로도 나라님의 덕화로 알고 있는 터에 하물며 나라님의 재화를 넘볼 수는 없습니다. 시생이 대감을 배알코자 한 것은 나라님을 가장 가까이서 보필하고 계시기 때문입지요. 이것으로 벼슬을 얻자는 것도 아니요, 또한 출비(出費)*를 얻자는 것도 아닙니다. 다만, 시생의 충정일 따름입니다.」
「넌 적이 간사한 무리가 아니면 어리보기 장사치일세. 나도 시전의 도행수란 사람이나 삼개의 객주란 위인들을 먼빛으로 몇 번 본 일이 있고 배우개며 칠패에는 난전붙이들이 서로 엉키어 상거래를 하고 있다는 것을 알고 있지만, 제 손으로 얻은 보화를 몽땅 조정에 바치려 한다는 상로배는 오늘 처음 만난다. 이런 참에 내 어찌 너의 진심을 헤아릴 수 있겠느냐.」
「여항의 상것들에게는 제 진심을 보이려 하거나 정절의 불변을 보

---

* 코쇠 : 산기슭의 끝에 있는 사금층(砂金層).
* 반계곡경 : 일을 순서대로 정당하게 하지 않고 그릇된 수단을 써서 억지로 함.
* 가경 : 즐겁고 경사스러움.
* 출비 : 비용을 냄.

이려 할 제, 서로 혈맥을 끊어 피를 섞거나 연비 입묵*으로 맹세하는 풍속이 있습지요.」

「그럼 내 앞에서 입묵으로 맹세를 보이겠단 말이냐?」

「연비 입묵으로 시생의 충절을 증거하겠습니다.」

이용익이 다짜고짜로 연상 아래에 놓인 묵상(墨床)을 끌어당겨 먹을 갈기 시작하였다. 방 안엔 잠시 침묵이 흘렀고 묵지(墨池)*를 오가는 이용익의 소맷자락을 타고 느끼한 묵향(墨香)이 진하게 퍼지고 있었다. 먹이 다 갈아지는가 하였더니 이용익은 괴춤에서 쌈지를 꺼내 바늘실을 꺼내 먹을 적시고 팔뚝을 걷어붙였다. 먹실로 살갗을 깊숙이 꿰어 '忠' 자를 묵즙(墨汁)으로 새겨 넣는데, 눈시울 한 번 움찔하지 않았다. 이용익이 하는 거동을 가만히 지켜보던 민영익이 장지를 열고 누마루 아래 부복하고 있는 청지기를 불렀다.

「냉채(冷菜) 곁들인 다담이나 한 상 내오라 하여라.」

이용익을 헐숙청으로 내려 보내 행랑의 서사가 도맡아 대접해 보낼 수도 있었으나 홀대해서 내쫓을 인사가 아니었다. 첫째, 수만 민에 버금가는 금괴(金塊)를 궁가에 바치되 벼슬을 탐해서가 아닌 충절 때문이란 것이 만고에 없던 놀라운 일이었다. 두 번째는 먹은 심지가 그렇다 할지라도 감히 죽동궁을 찾아올 수 있었던 강단이 시정배들의 배짱과는 근본부터 다른 것이었다. 세 번째는 준족과 장력을 함께 가졌다는 그 장대한 허우대가 쓸 만하였고, 글줄은 읽지 못하였다 하되 그 언변이 가히 상것의 동류가 아니었기 때문이었다. 네 번째는 내수사와 내자시의 곳간이 비어 있은 지 오래되었기에 호조와 선혜청의 세렴들을 빌려다 쓰는 궁가의 궁색한 처지를 이용익 같은 일개 명색 없는 잠채꾼이 미루어 짐작하고 있다는 그 안목이 또

---

* 입묵 : 먹물로 살 속에 글씨나 그림을 새겨 넣음.
* 묵지 : 벼루의 물을 담아 두는 오목하게 들어간 부분.

한 놀라웠다. 내수사는 궁중 소용의 미곡, 포목, 잡화 조달을 위한 곳이고, 내자시는 궁중 소용의 술, 간장, 국수, 기름, 꿀, 채소, 과일과 내연(內宴)과 직조(織造)를 맡아보는 아문이긴 하였지만, 명색뿐이었지 곳간은 비어 있은 지 오래되었다. 그참에 이르러 땅에서 불쑥 솟아난 듯한 위인 하나가 만금의 금괴를 바치겠다는데, 지체 높은 민영익인들 감히 막보기로 대접할 수야 없었다.

이용익이 냉채 한 그릇을 비우는 동안 행랑채에서는 짐방들이 방자고기* 곁들인 아침상을 대접받았다. 민영익이 넌지시 묻기를,

「여길 나서면 어디로 갈 것인가?」

「시생은 서울에 연비도 없으니 오래 묵새기고 있을 거처도 마땅치 않습니다. 곧장 단천으로 내려갈 작정입니다.」

「여기서 소간이 따로 있다는 건가?」

「예.」

「무슨 소간인가?」

「서울로 올라올 적에 적폐를 당한 일이 있어 그 일을 아퀴 짓고 가려 합니다.」

「외방에서 당한 적폐를 서울 성안에서 아퀴를 짓는다는 것인가?」

「그렇습니다.」

「그렇다면 내게 품고(稟告)*한다면 조력이 될 터인데?」

「결자해지(結者解之)로 시생이 해결을 보아야지요.」

「단천엔 아직 채취할 금이 남아 있다는 것인가?」

「지혈을 찾아 덕대갱을 파보아야지요.」

「금이 생긴다면 또다시 나를 찾아올 작정인가?」

「새삼 하문이십니까. 나라님의 재물이 시생의 수중에서 식산의 수

* 방자고기 : 다른 양념은 하지 않고 소금만 뿌려서 구운 짐승의 고기.
* 품고 : 웃어른이나 상사에게 여쭘.

단으로 소용이 된다 하면 공번되지* 못하지 않습니까.」

두 번 다시 물어보아도 이용익의 대답은 요지부동이었다. 세상에 이런 무지막지한 위인이 있는가 싶었다. 그러나 그런 심지가 박일수록 막보기로만 대할 수 없는 위인이란 생각이 들었다.

「자네 지혈을 보는 소견이 남다른 모양이군. 자네 선조에 국풍(國風)으로 범절 하던 분이 계셨던가?」

이에 이용익이 풀썩 웃더니,

「더 여쭐 말씀도 없으니, 시생은 이만 하직 인사 여쭙겠습니다.」

「단천으로 내려가기 전에 다시 들러 줄 수 있겠나?」

「열흘 뒤에 다시 뵙도록 하겠습니다.」

「잊지 말게.」

민영익이 더 이상 만류하고 자시고 할 겨를도 없이 이용익은 벌떡 일어나서 지대 아래로 내려갔다. 닳고 닳아서 뒤축이 겨우 붙어 있는 미투리 한 켤레가 댓돌 아래 놓여 있었다. 연비 먹인 한쪽 팔이 무직하니 아파 왔으나 내색 않고 이용익은 곧장 행랑채로 휘적거리며 걸어 나갔다.

민영익은 그날 하루를 입궐하지 않고 꼬박 죽동궁에서 보냈다. 그날 한낮이 짐짓해서 선들바람이 일 즈음 서사를 내보내서 김보현을 불러들였다. 민영익의 내자는 김씨(金氏)로 김영철(金永哲)의 딸이었고, 김영철은 김보현(金輔鉉)의 아들이었다. 김보현은 8월 초에 경기 관찰사로 제수되었다. 일찍이 민영익이 지나는 길에 말에서 내려 김보현의 집에 들른 일이 있었다. 김보현이 손수 담뱃대를 권하며, 귀인을 맞이하여 어찌 관계나 연령에 구애를 받을 수 있겠습니까 하고 맞담배질을 권하였다. 김보현이 경기 관찰사의 자리에 있다 한

* 공번되다 : 행동이나 일 처리가 사사롭거나 한쪽으로 치우치지 않고 공평하다.

들 감히 민영익의 말에 왼고개를 칠 인물이 아니었다. 김보현을 내보낸 뒤 다시 흥선군의 장자(長子)인 이재면(李載冕)을 또한 불러들이었다. 이튿날 아침에는 민겸호를 찾아갔다. 민겸호가 통창(通敞)한* 사랑방으로 그를 안돈시키었다. 사가(私家)의 촌수로 따진다면 숙질간이지만 민비의 총애가 돈독한 민영익에게 민겸호는 함부로 해라로 내붙이지 않고 깍듯한 하오로 대접하였다.

6월에 이조 판서로 제수되었다 하지만 민영익이 항용 민비의 무릎 앞을 떠나지 않고 때로는 불경스럽게 굴 때도 없지 않은지라, 민겸호는 내심으로는 민영익의 범절을 달갑지 않게 생각하고 있었다.

민영익이 좌정을 하자마자,

「어제 아침 불각시에 한 난전붙이 하나가 죽동궁으로 찾아왔었습니다.」

「난전붙이라? 정녕 난데없는 놈이군. 혹시 그놈들에게 오둠지진상*이라도 당했단 것이오?」

민겸호가 반은 빈정거리는 투로 그렇게 수작을 붙였으나 민영익이 정색한 얼굴을 되들고 야무진 말투로,

「함경도 북청 태생이라 하였습니다. 태생을 보아하니 천례임이 틀림없으나 치세(治世)의 켯속을 제 나름대로는 헤아릴 줄 아는 듯하였습니다. 임의롭고 자재(自在)*스럽게 살 수 있는 세상이란, 가색(稼穡)*을 다스리는 일도 위중하지만 팔도의 장시에서 간상배(奸商輩)*와 왈짜들을 몰아내고 상도(商道)를 바로잡는 일이 더욱

* 통창하다 : 시원스럽게 넓고 환하다.
* 오둠지진상 : 상투나 멱살 따위를 잡고 번쩍 들어 올리는 짓.
* 자재 : 속박이나 장애가 없이 마음대로임.
* 가색 : 곡식 농사.
* 간상배 : 간사한 방법으로 부당한 이익을 보려는 장사치의 무리.

위중하다는 것입니다. 보부상을 가장한 무뢰배며 간상배들이 들끓어 장시가 날로 황폐해져 가고 있다는 것입니다.」

「팔도의 향시에서 무뢰배들이 들끓어 때로는 화적이 되었다가 때로는 왈짜로 변신하여 도통 갈피 잡을 놈들이 없다는 것은 나도 근간 들어 알고 있소.」

「구름재 영감이 섭정시에는 장자인 이재면을 시켜 팔도의 보부상들을 한 끈에 감아쥐고 저들을 권세에 이용한 점을 생각하고 계십니까?」

「명찰(明察)이오. 그놈들이 하잘것없는 천례들임은 틀림없으나, 의리 하나는 태산으로 알고 죽음은 홍모(鴻毛)*처럼 가볍게 여긴다는 저들의 풍속이 있다는 것을 왜 모르겠소. 그놈들이 그것으로 뭉친다 하면 무세한 양반들의 궁리는 이에 따르지 못한다 하였소.」

「팔도에 널린 난전꾼들은 충성된 자가 부지기수라 하였습니다. 홍와조산(興訛造訕)*을 일삼는 유생들이나, 걸핏하면 환자(還子) 타령에 화적에 가담하고 민란에 가담하는 농투성이들보다, 이들을 규합하여 잡아 두는 일이 나라에 큰 힘이 될 것입니다. 하찮은 서리청의 이속들이나 요(料)나 축내고 여항에 작폐나 저지르고 다니는 원문(轅門)*의 군총들보다 힘이 나을 것이니 감히 소홀히 해서는 안 될 부류들인 줄 압니다.」

「이 일을 누구와 숙의하면 좋겠소?」

「우선 호조 판서 김병시(金炳始), 한성부 판윤 홍재현(洪在鉉)과 이재면 등을 불러 닦달하시지요.」

---

* 홍모 : 매우 가벼운 사물을 이르는 말.
* 홍와조산 : 있는 말, 없는 말을 지어내어 남을 비방함.
* 원문 : 군영(軍營)이나 영문(營門)을 이르던 말.

아직 배냇물도 덜 말랐을 민영익이 하는 말이 제법 그럴싸하였다. 병자년 호란(胡亂) 때 남한산성으로 피란한 인조(仁祖)가 곡경을 치를 적에 보부상 마기량(馬冀亮)이 있었고, 홍경래의 난 때엔 의주(義州)의 부상(負商)인 허항(許沆)이 적병(賊兵)을 파하였으며, 병인년의 양요 대첩(洋擾大捷) 때에는 왕민열(王敏悅)·강인학(姜仁學) 같은 부상들이 상병(商兵)을 규합하여 크게 용맹을 떨쳤으며, 또한 흥선 대원군이 팔도의 6백여 서원을 철폐할 때에도 서원의 작폐를 낱낱이 암행 발고한 사람들이 바로 수하에 거두고 있던 보부상단들이었음을 알고 있던 사람들은 많았다. 두 사람은 문득 모골이 송연해지는 것을 깨달았다.

팔풍받이*나 진배없는 권세의 자리를 지키고 있으면서 보부청(褓負廳)의 청무(廳務)를 이재면에게만 맡기고 있다는 것은 고양이에게 기름 종지 지켜 달라는 것이나 다를 바 없었다. 이재면이 민씨 일족에게 푸대접을 받지 않고 정사에 참여하고 있기는 하나 그가 흥선 대원군의 장자라는 것은 비켜날 곳이 없는 사실이었다. 민겸호의 안색을 살피고 있던 민영익이 그때 개연한 어조로 말하였다.

「청무를 이재면에게 그대로 맡겨 두는 일이 지금은 별 탈이 없을 것으로 생각이 되나 궁궐의 일을 단 하루도 놓치지 않고 지켜보고 있는 구름재의 대원위가 보부상들을 충동질하여 세력을 만들지 않는다고는 장담할 수 없습니다. 보부상들에겐 장한이 많고 또한 건각*들이어서 뭉쳤다 헤어지기를 저희들 마음대로라 어리무던한 군뢰배들보다는 민첩하고 또한 임기응변에도 능하다는 것도 아셔야 합니다.」

민겸호는 동안이 많이 뜬다 싶게 대꾸를 않고 장죽만 물고 앉아

*팔풍받이 : 팔방(八方)에서 불어오는 바람을 다 받는 곳.
*건각 : 튼튼하여 잘 걷거나 잘 뛰는 다리.

있었다. 민영익이 이런 막중한 국사를 입궐하여 직접 주상께 품달(稟達)해서 윤허(允許)를 얻지 않고 먼저 자기에게 와서 수의(收議)* 하고 있는 것인지 그 속셈을 더듬어 가고 있었다. 그가 상감의 총신(寵臣)이라 하나 친소(親疏)*로 따진다 하면 민겸호도 역시 그만한 총애는 받고 있는 터였다. 민영익이 연치 어린 것을 스스로 깨닫고 조정의 막중사를 자기에게 먼저 수의하자는 것이 언뜻 보면 일가 간으로서 범절을 차리고 눈에 벗어나지 않으려는 태도로 보이기도 하였다. 그러나 한 번 더 그 속내를 더듬어 볼 제, 이제 정사의 일선에 나서야겠다는 포부의 피력이며 은근한 과시이기도 하다는 것이었다. 민영익의 연치래야 이제 겨우 스무 살이었다. 민겸호는 그제야 민비가 척신(戚臣)들의 만류와 소청을 끝끝내 뿌리치고 민영익을 취한 안목에 놀랐다. 민영익의 벼슬이 도승지에 이르렀다 하나 그것은 다만 주상의 총애를 받는 척신이 받아야 할 대접인 줄 알고 탐탁지 않았더라도 타박은 하지 않고 지내 온 터였다. 그러나 조정의 재용이 거의 바닥이 나가는 지금에 이르러 보부청의 일을 바로잡아 증세(增稅)를 꾀하자는 소견은 탁월한 것이었다. 그제야 민겸호가 무거운 입을 열었다.

「상인배들의 기강을 잡자 하면 그 위인들 중에 몇은 벼슬에 취해야 할 것이오.」

「죽동궁으로 찾아온 위인을 쓴다 하면 인물들을 찾아낼 수 있을 듯합니다.」

「이 일을 어디다 맡기면 좋겠소?」

「우선 경기 감영에다 맡기어 넌지시 내막을 살피는 일변 총기 있는 자들을 발탁하여 군문(軍門)에다 귀속시키는 것도 좋겠지요.」

* 수의 : 의견을 종합함.

* 친소 : 친함과 친하지 아니함.

「군문에다?」

「얼마의 삭료를 내려야 할 터이지요. 그러나 삭료가 축나는 대신 그들이 거두는 구문이며 수세의 기강이 바로잡힌다면 그 몇 배의 재용이 불어날 것은 뻔한 이치가 아닙니까. 경외(京外)에 사상 도고들이 성행한 뒤로는 시전의 국액이 줄어들고 있습니다. 경외의 난전을 혁파하자는 의견들이 분분하여 조정에서 엄칙을 내려도 난전은 날로 성행하고 있습니다. 이는 백성들의 생화가 난전과 불가분의 인연을 맺고 있다는 뜻입니다. 차제에 난전의 성행을 탓할 것이 아니라 오히려 이들을 부추겨 기강만을 바로잡는다 하면 구름재 대원위의 손발을 마저 자르고 조정의 재용이 불어나는 일거양득을 꾀할 수 있을 것입니다.」

「그렇다 하더라도 육의전붙이들에게서 등을 돌릴 수는 없소.」

「물론입니다.」

「찾아왔다는 그 난전붙이는 어떤 위인이었소? 인물이 그런대로 쓸 만합디까?」

「궐자도 원래는 난전붙이인데 단천에서 금을 얻었다는 것입니다. 금어치로 따져 기만 민에 가까운 금을 주상께 바친다 하고 저의 처소에 내려 주고 총총히 가버렸습니다.」

「아뿔싸, 그 위인을 잡아 두지 않구서 놓아 보냈구려…….」

「얼마간은 성내에서 머문다 하였습니다.」

「그 위인에게 구실이나 주어 보지요.」

「그럴 마음이 없지 않았습니다만, 좀 더 두고 지켜볼 요량입니다. 그래서 발이 빠른 청지기놈을 시켜 위인의 행적을 밟아 보도록 조처해 두었습니다.」

2

이용익은 짐방들이며 난장꾼들을 영솔하여 죽동궁을 나설 때부터 낯선 청지기놈이 그들을 몰래 뒤밟고 있다는 것을 눈치 채고 있었다. 그러나 모른 체하였다. 단천에서 캐낸 사금짐을 몽땅 민영익에게 갖다 바친 그의 가슴은 허전하였다. 덕대갱에서 생사고락을 같이 했던 금점꾼들에게 준 삯 외에 그에게 남아 있는 것이라고는 십수 냥에 불과한 꿰밋돈과 뒤축이 겨우 붙어 있는 미투리 한 켤레와 땀에 절고 전 통바지와 긴 저고리 한 벌이 고작이었다. 그 당장 생화가 아득하지 않을 수 없었고 섭생을 이어 가는 고달픔이 무엇인지 모를 리 없었다. 그 사금을 서울로 가져오지 않고 원산포에서 점상꾼들에게 행매해 버렸다면 만금을 손에 쥐었을 것이다. 넓은 전장(田莊)*과 번듯한 가택을 마련하여 일가를 이루고 여생을 보낼 만한 재물로도 만 민의 금은 과도한 재물이었다. 그러나 그것이 또한 가질 수 있는 욕망의 전부라면 허망한 일이었다.

죽동궁을 나선 이용익은 동패들과 같이 다방골 색주가를 찾아갔다. 색주가 주변에는 상홧〔賞花〕집*도 여럿이어서 잡념을 떨고 객고를 풀고 농탕치기에는 그만한 곳이 없다고 생각했기 때문이다. 동패들에게 논다니 하나씩을 안기고 난 후 그들과 하직할 판이었다. 계집에 주리고 육고기에 허기진 놈들이 바로 금점꾼들이란 걸 이용익은 누구보다 잘 알고 있었다. 다방골 초입에 이르자 곁에서 따르던 난장꾼 하나가 힘담 없는 말투로 불쑥 내뱉기를,

「성님, 이거 건자 하니 색주가가 아닙니까?」

「왜? 내키지가 않느냐?」

---

*전장 : 소유하고 있는 논과 밭.

*상홧집 : 상화방(賞花坊). 창기를 두고 손님을 받던 기생집.

「육허기 든 놈이 내키지 않기야 하겠습니까마는, 계집 끼고 술추렴을 벌인들…….」
「내가 다시 단천으로 내려갈 것만은 분명하네. 그러나 날짜를 약조할 수는 없네. 너무 섭섭해할 것 없이 여기서 하직들 하세나.」
「그럼 우린 끈 떨어진 조롱박 신세가 아닙니까?」
「우리에게 정근이 남아 있다 한들 평생을 두고 서로 기댈 것인가. 자네들이야 가솔들이 있고 도조 낸 따비밭이라도 있으니 등을 기댈 초옥이라도 있지 않은가. 나야 이엉 덮고 덕석 깔린 곳막이 내 집이니 슬픈 각시 가나오나 마찬가지가 아닌가. 인연이 있으면 다시 만나겠지.」
「그땐 구실이라도 한자리 따가지고 오십시오.」
「벼슬이 내게 가합한가?」
「출사도 못하실 일에 왜 만금 재산을 몽땅 거덜을 내시는지 정말 알 수 없는 사람이 성님이군요.」
「글쎄, 나도 모르겠는걸.」
이용익이 그렇게 얼버무리자 대꾸하던 동패가 슬쩍 턱짓으로 뒤를 가리키며,
「아까부터 우리 뒤를 밟고 있는 저 낯선 복색 한 자를 내쫓아 버릴까요?」
「공연히 악지를 부릴 거 없네. 가만두고 보세나.」
상화방에는 개떡쪽 같은 큰머리를 얹고 납독이 오른 낯짝이 푸르뎅뎅한 계집도 있고, 해끔한 얼굴을 되반들거리며 도화진 두 볼에 어린양을 떠올리며 추파를 던지는 계집도 있었고, 옷맵시를 내고 조빼는 꼴이나 몸 가지는 범절이 항시의 막창들 같지는 않고 허울 쓴 것도 그만하면 면추라 할 만한 계집도 여럿이었다. 대낮에 살꽃을 사겠다고 거침없이 상화방으로 들이닥치는 위인들이 흔치 않았던

터라, 계집들이며 술아비가 처음엔 실성한 놈들인가 하여 방색을 하다가 이용익이 괴춤을 헐고 전대를 내어 흔들어 보이자 그제야 썩은 자반비웃에 쇠파리 꾀듯 대희하여 일행을 봉노로 잡아들이는 것이었다. 한여름이라 치마 밑이 바로 통속곳이어서 손을 디밀면 곧바로 호박진 엉덩이가 손바닥에 와 닿았다. 한 계집이 허겁스레 속곳으로 손이 들어오는 한 난장꾼의 손을 뿌리치며,

「찬물도 순서가 있는 법, 우선 통성명이나 하신 연후에 행실을 내든지 하십시오.」

「찬물이 아래위가 있지 뜨거운 물에 무슨 놈의 순서가 있나?」

「참, 별종일세.」

「별종이면 그 맛도 별미것다?」

「에그, 서둘긴. 칠칠치도 못한 양물 뚝 따서 고추장에 버무려 먹어버릴라.」

「에쿠, 이년, 깨물고 싶도록 냠냠하구나.」

상화방 하나를 통차지하고 대낮부터 술추렴이 시작되었고 난배가 되면서 모두가 억병으로 취하였다. 모두에게 계집을 안겨서 사추리에 맺힌 응어리들을 원도 한도 없이 풀어 나가는 중에 해가 뉘엿뉘엿 지기 시작하였고, 그 틈을 타서 이용익은 독작을 하고 앉았다가 상화방을 나섰다. 이제 그의 수중엔 땡전 한 닢도 남아 있지 않았다. 당장 내일 아침 끼니가 걱정이나 그렇게 홀가분할 수가 없었다. 다방골을 나선 용익은 종가 시전머리로 나와 곧은길로 탑골로 잡아들었고, 발을 멈춘 집은 조 소사의 집이었다. 통자를 넣고 한참 지체하려니 월이가 대문을 빠끔 열고 낯선 행객의 거동을 살피는데,

「이 댁이 시전의 신 행수님 댁이지요?」

깍듯한 하오에 월이가 잠시 머뭇거리다가,

「그렇습니다만, 해 질 녘에 어인 일이십니까?」

「단천에서 온 이가 성 가진 사람이 찾아왔다고 연통하십시오.」

월이가 다시 빗장을 내리고 마당을 가로질러 마루로 올라서는 모습이 대문 틈새로 바라보였다. 월이는 금방 되돌아 나왔다. 건넌방으로 들어가니 초췌한 안색의 신석주가 고꾸라질 듯 안석에 기대앉았고 머리에 기름 냄새가 나고 두 볼에 도화살이 완연한 한 계집이 방 한가운데 소슬히 앉아 있었다. 이용익이 방으로 들어서자, 궐녀는 반몸을 비틀어 비켜 앉으면서 재빨리 용익의 외양을 할기시* 보는 것이었다.

도화진 두 볼이며 살짝 밀고 낭자한 몸가축에 오뚝한 콧날만 보아도 여염에서 지아비나 섬기며 살아가는 계집같이는 보이지 않았고 옆에 놓인 검정 장옷에 끝동이 따로 없으니 삼패 기생이 아니면 무녀라는 건 금방 알 수 있었다. 시전의 대행수인 신석주가 천례의 계집과 마주 앉아 있는지라 얼른 좌정을 못하고 버성기고 있는데, 젓국 먹은 고양이 상호를 하고 앉았던 신석주가 앞자리를 지소하며,

「어서 오게. 왜 이리 늦었는가?」

「부지(負持)꾼*들을 호궤해서 돌려보내고 오는 길입니다.」

「죽동궁엔 다녀왔겠지…….」

「예.」

「여기 앉은 이 사람은 노들나루 풍류방에 출입하는 만신이라네. 가근방에선 명자한 숙무일세. 내가 화를 참고 앉아 있을 수만 없어서 이 사람을 불렀다네.」

「괘가 나왔습니까?」

「동북방에 나무목 자 성 가진 사람이라니, 어느 놈을 붙잡고 자복(自服)을 시킨단 말인가?」

---

* 할기시 : 은근히 한번 할겨 보는 모양.
* 부지꾼 : '짐꾼'의 사투리.

이용익이나 매월이나 말구멍이 막혀 이렇다 할 대꾸를 못하고 있는데 신석주가,

「우리가 증거할 수 있는 것이란 적당들의 수괴 노릇 한 위인이 저희들끼리로는 나으리라 불리었다는 것뿐인데, 그렇다면 그놈이 반열에 끼이는 놈이 아닌가? 그러나 조선 팔도에 널린 나으리만 하여도 천세가 나는 판인데, 어느 놈을 잡아 엎친단 말인가?」

그때 소슬히 앉았던 매월이가 불쑥 참견하기를,

「적당들이 부담을 취탈할 적에는 밀매품인 것을 진작부터 알았다는 것입니다. 금부나 평시서에서 군졸과 낭속을 풀어 정범을 잡아들이고 물화를 도로 찾는다 하여도 사문(査問)*이 끝나면 속공(屬公)*이 될 물화라는 것을 십분 짐작한 것이지요. 대주 어른 쪽에 패가 있다는 것을 알고 저지른 짓입니다.」

매월이의 말이 채 땅에 떨어지기도 전에 신석주가 핏대를 곤두세우고 담 작은 사람은 초풍을 할 만큼 큰 소리로,

「부지하세월할 것 없네. 전방에 있는 겸인놈들이며 짐방들을 모조리 조발하는 한이 있더라도 양단간에 끝장을 보아야 하겠네. 다행히 물화를 고스란히 찾는다 하면 속공은 면할 도리가 있지 않겠는가?」

처음엔 벼락 치는 소리로 언성을 높이더니 뒤에 가서는 말끝에 힘담이 없었다. 이용익이 안위한답시고,

「행수님께서 요로(要路)의 재상들께 청쭙고 납뢰(納賂)*를 하신다면 속공이야 모면할 수 있겠지요.」

---

* 사문 : 조사하여 캐물음.
* 속공 : 임자가 없는 물건이나 금제품(禁制品), 장물 따위를 관부(官府)의 소유로 넘기던 일.
* 납뢰 : 뇌물을 바침.

매월이가 얼굴은 들지 않고 귀를 기울여 이용익의 대꾸를 듣고 앉았다가,

「봉적한 물화가 금새로 따진다면 수만 민이 아닙니까. 더욱이나 그 수괴 되는 놈이 반명을 한다는 놈이면 기필 염량이 빠르고 술수에도 능할 것이고 약삭빠르기가 참새 목에다 굴레라도 씌울 수 있는 놈일 것입니다요. 세작(細作)을 놓아 이쪽의 판세를 낱낱이 살폈다가 정체가 탄로 나고 피착(被捉)*이 될 양이라, 못 먹는 밥상에 재 뿌리자는 심사로 제 발로 아문을 찾아가서 속공을 시켜버린다면, 그놈들이야 본전이지만 두벌 봉욕을 당하는 것은 대주 어른뿐이지 않습니까.」

신석주가 듣자 하니 배알이 뒤틀리는지라 참으려 하다가,

「자넨 어찌 그놈들과 입이라도 맞추었나?」

그 말에 매월이가 문득 양볼에 웃음을 흘리었다.

「취탈을 본 물화가 금어치로 쳐서 일이백 전입니까? 한 고을의 장정들을 달포나 호궤하고도 남을 만한 것입니다. 쇤네도 원천강 하치않고 소견 또한 우매한 계집입니다만, 쇤네가 만약 그만한 재물을 취탈한 당사자라면 추쇄가 눅어질 때까지 세작을 풀어 이쪽의 거동을 살피겠습니다. 물화를 되찾으면 속공을 모면할 길이 있다고는 하지만 그때가 되면 벌써 도중이나 시전에 소문이 뜨르르하고 아문의 하속배들에게까지도 소문이 파다하게 퍼지겠지요. 뇌물 챙긴 대감이 속으로는 대주께 물화를 풀어 주고 싶더라도 추고(推考)*나 낙사(落仕)*가 두려워 좀처럼 속공을 풀지는 못할 것입니다. 뇌물 또한 그렇습니다. 그만한 물화라면 양분을 하자고 대

* 피착 : 남에게 붙잡힘. 피체(被逮).
* 추고 : 벼슬아치의 죄과를 추문하여 고찰함.
* 낙사 : 벼슬자리에서 떨어짐. 낙직(落職).

들 게 뻔합니다. 용전* 재상들이란 게 명색이 사람이지 굶은 새벽 호랑이들이 아닙니까. 호랑이는 어흥 소리나 하고 잡아먹지요.」

매월이가 사근(事根)*이 이만저만하다고 아뢰자, 모주 먹은 돼지 벼르듯* 벼르던 신석주도 대꾸가 없었다. 본데없는 하천의 말이긴 하나 듣자 하니 말의 앞뒤가 근리(近理)*한지라 고개를 끄덕이고 앉았다가,

「하면, 자네 궁리는 무엇인지 토파해 보게나.」

「겸인들을 풀어서 머리악을 쓰며* 설친다 한들 근포될 적당이 아닙니다. 겸인들이 그놈들을 추쇄한답시고 날뛰고 입방아를 찧는다면 그놈들은 아주 가뭇없이 숨어 버릴 것이 아닙니까. 원산포로 내려갔던 짐방과 차인 행수, 단천에서 올라왔던 금점꾼들이며 모두를, 이번 봉적한 사단에 대한 일에는 입도 뻥긋 못하도록 닦달하셔야지요. 연후에 그놈들의 행지를 은밀히 수탐해야 하겠지요.」

「자네, 누굴 안채우고 있는 건가? 자넨 가근방에선 호가 난 숙무에 판수라면서 적당들의 행지를 찾지도 못한다 하구선 또한 일을 은밀히 하라니, 그렇게 되면 시각만 천추(遷推)될 뿐이 아닌가? 자네와 내가 서로 내왕이 잦고 연비가 있기에 망정이지 생판 모르는 사람이 들으면 우리 가문이 망하도록 방자하고 있는 사람 같지 않은가?」

「농이시더라도 그런 말씀은 마십시오. 쇤네에게 무슨 억하심정이 있겠으며 또한 오장이 뒤집혀 실성한 계집도 아니온데, 감히 낭패

---

* 용전 : 어전(御前). 임금의 앞.
* 사근 : 일의 근본, 또는 사건의 근원. 사본(事本).
* 모주 먹은 돼지 벼르듯 : 좋지 않게 여기는 대상에 대하여 혼자 성을 내고 게정스럽게 몹시 벼르는 모양을 비유적으로 이르는 말.
* 근리 : 이치에 거의 맞음.
* 머리악을 쓰다 : 기를 쓰다.

볼 말을 간대로 지껄이겠습니까요.」

「은밀히 하자면 내가 알고 자네가 알고 여기 온 이 행수만 알고 수탐을 하자는 것인가? 나는 진갑 늙은이로 기동이 남 같지 않고, 자네 또한 궂청의 일 외에는 도통 숙맥일 것이며, 이 행수는 근기(近畿) 지경 물정이나 지리에 밝지 못하니 이렇게 시룽거리다가* 어느 겨를에 수만 금의 왜국 비단과 앵속을 되찾을 수 있단 말인가. 이것은 공연한 엄포만 놓고 있는 꼴이 아닌가?」

말투정은 그렇게 하였지만 매월이의 궁리대로 좇을 수밖에 없었다. 적패를 당한 물화를 찾자 하니 관아의 기찰도 걱정되고 또한 도중에 조명이 나면 도행수 자리가 위태로웠고, 재물을 포기하자니 그 욕심이 또한 용서치 않았다. 도대체 어떤 놈이기에 그 물화가 밀매품이란 것을 미리 탐지한 것일까. 우연으로 보기 어려운 것이, 이용익의 물화는 손도 대지 않았다는 데 있었다. 분명 도중의 내막을 알 만한 위인의 소행인데 도통 맥을 잡을 재간이 없었다.

그동안 말없이 앉아 있던 이용익이,

「시생이 근기 지경 물정에 어둡다고는 하나 동패 한 사람 중에는 객점에 혼자 남았다가 애꾸가 된 사람이 있습니다. 그 동패가 목도한 것도 있을 것이고 하니, 그 동무님이 기동하게 되는 길로 가서 만나 보겠습니다. 서울서 마냥 바장이지 않고 이 일을 아퀴 짓고 단천으로 내려갈 작정입니다.」

신석주가 아직도 미련을 못 버렸는지,

「원산포로 내려갔던 차인들 중에서 믿을 만한 몇 놈을 조발한대도 별 탈은 없지 않겠는가?」

「매골(埋骨)* 방자를 하지 않은 이상, 이분과 같이라면 불원간 적

* 시룽거리다 : 경솔하고 방정맞게 까불며 자꾸 지껄이다.
* 매골 : 뼈를 땅에 묻음.

당들의 행지를 알아낼 것입니다. 한 열흘간만 말미를 주십시오.」

이용익은 무녀와 한통속이 되어 적당을 수탐한다는 일이 마음 한구석 꺼림칙한 바도 없지 않았다. 그러나 신석주와는 연비가 두터운 듯하고 언동이 그다지 천박하지 않고 교태도 쓸 만한 데가 있었기에, 이용익은 적패당한 물화를 되찾는 일에 체통을 생각하고 사리를 따질 겨를도 없었다.

「지금 당장이야 무슨 꾀를 부린다 한들 행수님 귀에 들리겠습니까. 말이나 귀양 보낼 뿐이지요. 열흘간만 수유(受由)하시면 그놈들을 잡아 올리겠습니다.」

이용익의 말도 실답지 못한 장담만은 아닐 것 같아 신석주는 반승낙을 하고 말았다. 그 틈을 타서 매월이는 행랑으로 내려갔다. 장옷 속에 간직하고 갔던 첩약을 월이에게 건네었다.

「내가 사는 곳이 마침 약고개라 아씨마님께서 안태(安胎)하실 탕제 몇 첩을 구처하였습니다. 벽재(僻材)*라 하니 반드시 효험을 볼 것입니다.」

월이가 약첩을 건네받으면서,

「이런 데까지 걱정하지 않아도 되는 것인데요. 이 집에 보약이 없을까요.」

「호강에 싸인 분인데 탕제인들 귀하겠습니까마는, 이 또한 내 지성이지요. 배태를 하였을 때에는 복용을 금하는 약재가 많답니다. 부자(附子), 계피(桂皮), 대극(大戟: 버들), 우슬(牛膝), 도인(桃仁), 건칠(乾漆), 홍화(紅花), 오공(蜈蚣: 지네), 우황(牛黃), 사향(麝香), 흑축(黑丑), 의이인(薏苡仁), 수은(水銀) 들은 복용해선 아니 된답니다. 약 수발이란 게 보통 지성으로 되는 게 아니지요. 보약도 복용을 잘

* 벽재 : 매우 드물게 쓰이는 약재.

못하면 남의달을 잡게 된답니다. 더욱이나 초산이지 않습니까.」

「그토록 아씨마님을 걱정하시니 수발한다는 제가 부끄럽습니다.」

「쯧쯧, 육탈한 얼굴이 청짓독같이* 되었구려. 그러다간 몸져눕게 되겠소. 먼젓번에 내가 와서 한 말은 곰곰 새겨 보았소?」

「아씨마님 해산이나 본 뒤에 다시 생각해 볼 일입니다. 내가 비록 대물림 씨종이라 하나 허울 쓴 것이 인두겁이니 배태한 아씨마님을 두고 장달음을 놓을 수는 없습니다.」

「지금 당장 이 집을 하직하란 것은 아닙니다. 하님의 사정이 보기에 답답하고 딱해서 드리는 말이오. 길가에 핀 풀꽃도 제 먹을 이슬이 있지 않습니까. 천천히 두고 생각하시지요.」

월이를 토닥거리고 몸채 건넌방으로 올라가니 신석주가 물었다.

「어딜 갔다 오는가?」

「예, 쇤네가 약고개에서 아씨마님 안태하실 방문약 몇 첩을 구처하였기에 마침 반빗간 하님에게 달여 드릴 것을 당부하고 오는 길입니다.」

신석주는 고개만 끄덕일 뿐 공치사 한마디가 없었다. 태교를 한답시고 문밖엔 잡인의 거접(居接)을 엄금하고 내실에는 그와 드난하는 월이만 출입할 뿐 공자가 환생해 왔다 해도 투족(投足)*할 수 없을 지경이었다. 그때 생각난 듯이 신석주가 매월이에게 물었다.

「지난밤 꿈에 난초 몇 포기를 얻었다네. 자네, 해몽을 좀 해주게.」

고패를 떨어뜨리고 앉았던 매월이가 그 한마디에 화들짝 놀라 고개를 들고,

「대주 어른, 그것은 태몽입니다.」

「해와 달이 방으로 들어오든가 해와 달이 서로 합치는 꿈을 꾸면

---

* 청짓독같이 : 매우 검푸른 물건이나 사람을 일컬을 때 쓰는 말.
* 투족 : 발을 내디딤.

아들이요, 호랑이가 사람을 물거나 조(粟)를 얻거나 비녀를 얻거나 곰을 만나면 또한 아들일세. 보리를 얻거나 앵도나 연꽃을 얻으면 계집아이고, 가락지를 얻거나 뱀을 보면 또한 계집아이란 건 알고 있네만, 난초가 태몽이라니 금시초문이 아닌가?」

매월이가 입가에 배시시 웃음을 흘리며 수작하기를,

「계주(季主)께서 귀인을 낳으실 징조입니다.」

「자네가 받자를 하는 대로만 된다 하면 나쁠 것이 없네만…….」

「아닙니다. 귀인을 낳으실 태몽은 또한 따로 꾸는 법입니다. 달이 품에 안기거나 학이 품에 안기면 귀인을 낳는다 하였지요. 또한 안해가 비단옷을 입는 꿈을 꾸면 귀인을 낳고 또 용과 성(星)과 난(蘭)은 태몽 중에서도 귀인을 낳을 징조로 칩니다. 포은(圃隱)의 어미가 난초분을 안고 있는 꿈을 꾸고 낳은 이가 정몽주(鄭夢周)입니다. 그래서 그 이름을 몽란(夢蘭)이라 하였습니다. 또한 그 어깨에 북두칠성 형상의 검은 점이 있어서 비범한 아이란 것을 어릴 적부터 알았다지 않습니까. 그 후 포은이 아홉 살 때에 그 어미가 흑룡(黑龍)이 정원에 있는 배나무로 올라가는 꿈을 꾸고 깜짝 놀라 밖에 나가 보았더니 포은이 배나무에 올라가고 있었다는 것입니다. 그래서 이름을 다시 몽룡(夢龍)이라 했다가 관명(冠名)을 몽주라 했습지요. 주사야몽(晝思夜夢)*이란 말이 있지 않습니까. 그러기에 파락호는 공술 마시는 꿈을 꾸고, 건달은 꿈에서도 버드나무 그늘과 꽃밭에서 놀며, 농사꾼은 밭이랑을 떠나지 않는다 하였습니다. 사악한 위인이 귀인을 생산한 적이 없고, 남을 해치고 앙숙 만들기 좋아하는 가문에 덕망이 있는 후사가 생겨나지 못하는 법입니다.」

* 주사야몽 : 낮에 생각한 것이 밤에 꿈으로 나타남.

「자네 말이 그럴듯하이.」

「대주께서 적지 않은 재물을 잃고 난 지금, 사세가 큰 풍파를 내지 않을 수는 없게 되었다 하나, 태어날 아기를 위해서 사람을 잡아 엎치거나 해코지하는 상서롭지 못한 일은 모피하시는 것이 좋습니다.」

「고얀…… 자네가 은연중 내 손발을 묶어 일을 매조지기는커녕 고깃값도 못하게 닦달하려 드는군.」

「이러다간 쇤네가 대주 어른께 의절을 당하겠습니다. 쇤네가 정작 대주 어른 손발을 묶는다 하면, 그럼 두고만 보시겠습니까?」

경계를 가름하는 이치가 동에 닿고, 시비 분간을 따져 올리는 소견이 또한 그럴듯하였다. 신석주가 입을 닥치고 앉았는 사이 매월이가 옆에 앉은 이용익에게 슬쩍 퉁겼다.

「봉적한 물화 속에 아편이 들어 있다 하면 적굴놈들이 가뭇없이 숨었다 하나 약고개에 와서 약주릅이나 매주(買主)들을 물색할지도 모르지요. 오늘은 편리하신 대로 성내에서 사처 잡고 쉬신 뒤에 내일 날 새는 대로 쇤네의 처소로 찾아오시도록 하시지요. 아무래도 서울 물정에는 어두우실 테니 쇤네의 조력을 얻어 약고개 사정을 수배하여 범증을 좇는 것이 좋을 듯싶습니다.」

공중 쏘아 알과녁 맞히기란* 만에 한둘 있을까 말까 한 일, 건공대매로 부산하게 설칠 것 없이 약고개나 구리개 쪽으로 가서 약주릅들의 거동을 살피는 것이 당장은 최상의 방도란 생각이 들었다.

「내 몰골 사납고 수통스러운* 꼴이 나고 안 나고는 순전히 자네에게 달렸으니, 그리 알게.」

---

* 공중 쏘아 알과녁 맞힌다 : 별로 애쓰지 않고 한 일이 제대로 잘 이루어지게 됨을 이름.
* 수통스럽다 : 부끄럽고 분한 데가 있다.

3

은근히 뒤를 누르고 드는 신석주를 하직하고 이용익은 표연히 고샅을 벗어났다. 마침 털메기에 북상투 바람의 매죄료장수* 하나가 웃통에는 삼베등거리 하나만 걸치고 뱃구레는 그대로 드러낸 채, 매죄료 매죄료 하고 외치면서 지나갈 뿐 죽동궁에서부터 뒤따르던 염탐꾼은 보이지 않았다.

그때, 뒤에서 발소리가 들렸다. 치맛자락 스치는 소리도 같이 들리니 사내는 아니었다. 문득 코끝에 머릿기름 냄새가 스치는가 하였더니, 그가 하직하고 나설 적에는 신석주 건넌방에 그대로 앉아 있던 무녀 매월이였다.

「사처를 어디로 잡으시려 하십니까?」

초면은 아니라 하나 노면한 사내에게 묵을 처소를 묻는다는 것은 여염집 여자로선 생의도 못 낼 일이었다.

「숭례문 밖으로 나간다 하면 협착한 대로 봉노 있는 숫막에 들겠지요.」

「약고개가 여기서 상거가 초간하지는 않습니다만, 문밖만 나서면 시오 리 남짓합니다. 쇤네의 처소 어름에도 임시 거접할 숫막들이야 즐비하니 달리 주변하실 일이 없으시다면 내친김에 약고개까지 가버리시지요.」

이용익이야 시오 리를 더 걸으나 백 리를 더 걸으나 해로울 게 없었다. 금점꾼들 사이에선 겨드랑이에 용비늘이 돋았다는 평판이 뜨르르한 입장에 그깟 길 시오 리를 더 간다 하여 무슨 낭패 볼 일이 있을까. 마침 달이 뜰 보름 녘이고 객회도 쓸쓸하니 매월이의 소청

* 매죄료장수: 매통이나 맷돌의 닳은 이를 정으로 쪼아서 날카롭게 만드는 일을 업으로 하는 사람.

을 매몰스럽게 뿌리치고 싶지 않았다. 처음 만난 남녀가 곁을 나란히 하고 걸을 수는 없는 법, 자연 매월이가 두어 발 뒤처져서 따랐다.

그들은 곧장 향교골〔校洞〕을 지나 평시서(平市署) 앞의 종가(鐘街)로 나섰다. 맞은편에 백목전(白木廛)골이 건너다보였다. 오른편으로는 바리전골〔鉢里洞〕과 갓전골〔笠洞〕, 소금전골〔鹽洞〕이 바라보이고 왼편으로는 벙거짓골〔帽谷洞〕과 명주전골〔紬洞〕이 바라보였다. 그들은 길을 가로질러 신전뒷골〔鞋廛後洞〕로 들어갔다.

마침 일색이 다하여 저녁 거미가 내리는 무렵이라 중바닥*의 여염집에서는 저녁연기가 솟아오르기 시작하였고 길목에는 남기가 뿌옇게 서리기 시작하였다. 매캐한 연기 냄새가 코에 스미고 청노새를 몰고 가는 경마꾼들의 발걸음이 부산하매 이용익은 씁쓸한 객회가 가슴을 적시었다.

「선다님?」

장찻골다리〔長通橋〕와 소광통교〔小廣橋〕를 건널 때까지 말이 없던 매월이가 오랜 침묵을 깨뜨리고 그렇게 물었다.

「왜 그러시오?」

「올해 연세가 어찌 되십니까?」

「햇것 사내보고 연세라니요? 올해 스물다섯입니다. 왜 육효라도 뽑아 보시려오?」

「쇤네를 하치않은 매복자(賣卜者)로만 보지 마십시오.」

대답의 근저가 어디에 있는지 말귀가 터지지 않아 용익은 대꾸하지 않았다.

「아직 미성이십니까?」

「그렇소.」

---

* 중바닥: 종가(鐘街) 정선방(貞善坊)의 좌포청에서 견평방(堅平坊)의 의금부 사이에 살고 있던 중인(中人)들 지역인 중촌(中村)을 낮추어 이르던 말.

「저렇게 준수하신 낭재(郎材)가 나이 스물이 넘도록 가합한 배필이 없어서 미장가이실까.」

「준수하다니요. 내 견양이 원래 하관이 홀쭉하고 인중이 짧아서 모두들 갈데없는 광대 팔자라고들 합니다.」

「그건 모함 잡는 소리입니다.」

굳이 대답을 들으려는 말 같지도 않아 용익은 또한 대꾸를 않았다. 수교(水橋)를 지나 선혜청 한터에 이르렀다. 해 질 녘이 넘었는데도 창거리에는 인마가 들끓었다. 마침 머리꽁지에 댕기 드린 엿장수가 엿목판을 멘 채 뒷짐을 지고 아실랑거리고 마주 걸어오다가 한 발을 들어 발장구를 치면서 엿단쇠를 내질렀다.

「떡 사시오, 떡. 큰애기 궁둥이만 한 달떡이 왔소. 진주 촉석루 기둥만 한 호초 양념한 밤엿이오. 먼 길 행보에 초벌 요기로 좋은 가래엿이오. 우는 아이 달래는 달래엿 사려.」

선혜청 도봉소(都捧所)에서 마침 1년에 네 번 있는 녹미(祿米)*를 방출하는 날인 모양이었다. 노자배(奴子輩)들과 구실아치에, 군관들의 여편네들이 시게 자루를 머리에 이고 사방으로 흩어지고 있었고, 이제서야 녹표(祿標)를 쳐들고 허겁지겁 달려오는 여편네들도 보였다. 창거리 저자에는 덕석 치고 차일 깐 술국집들도 보였는데 마고청이나 받아먹고 제 깐으로는 속살이 찌는 창빗〔倉色〕들이 뻰질들락거렸다. 거기에는 또한 간상배들이 창빗들과 배를 맞추고 몽리를 챙기니 이른바 환상요리(還上料理)라 하여 창빗들의 차지인 마고청을 사들이거나 녹표를 사들여 창빗들과 내통하여 이문을 챙기는 잠상배들도 있었고, 창거리에 아주 시게전을 벌여 놓고 녹미를 헐가로 사들여 이문을 챙기는 말감고들도 많았다. 돈이 더 급한 여편네들이

* 녹미 : 녹봉으로 주던 쌀.

관승(官升)으로 받은 녹미를 시게전에서 쓰는 시승(市升)으로 되질해 보면 반실이 되기 일쑤이고 액미와 겨를 불어 내면 또 한 됫박이 줄었다. 자연 준가(準價)를 받아 낼 수 없으니 분통을 터뜨리고, 술국집에서 논다니들 치맛자락을 붙잡고 농탕을 치고 있는 창빗들이나 말감고들을 붙잡고 하소연이었다. 하소연이 먹혀들지 않으면 설분*이나 하겠답시고 소매를 낚아채고 포달을 떠는가 하면 낙장거리에 갖은 욕설을 퍼붓기도 하였다. 그렇지만 창빗들은 당초부터 패자(牌子)*를 괴춤에 찌르고 다니면서 냅뜨는 노자배나 여편네들이 있으면 앙가슴을 내질러 자빠뜨리거나 잡아다가 혹독한 관욕(官辱)*을 안기는 것이었다. 마침 술 취한 아낙네 하나가 휘장집에서 기어 나오는 창빗 한 놈의 윗옷자락을 낚아채며 포달을 떨었다.

「우리 서방 구실 산다 하여 관구자부(官久自富)* 되자 하고 시집왔더니, 시집온 지 이태 만에 가산이란 허섭스레기요, 짚세기 앞총은 헝겊총이요, 나막신 뒤축은 거멀못 치레일세. 존절(撙節)*할 것도 없는 집구석 썩은 바자 구멍엔 개 대강만 들락거리고 상전만 많은 내 낭군 헌 바지 구멍엔 좆 대강만 들락거리네. 달덩이 같은 내 모색은 어느덧 횟배 앓는 암괴 상판 되었고 생겨나다 말고 겨우 빠져나온 애새끼들 눈자위는 곰삭은 육장 같게 멀겋게 퍼지고 팔목쟁이는 삼대 같고 달구락지는 까치다리 같으네. 난가(亂家) 된 집에 공양승이 찾아와도 내밀 것이라곤 혓바닥뿐일세. 이러고도 구실 살고 사람 행세 하란 말인가. 네놈들은 묘 잘 쓴 덕분으로 창빗

* 설분 : 분풀이.
* 패자 : 나라에서 발행하는 체포 증명서.
* 관욕 : 관청으로부터 받는 욕된 일.
* 관구자부 : 벼슬자리에 오래 있으면 저절로 부자가 됨.
* 존절 : 씀씀이를 아껴 알맞게 씀.

으로 박히어서 당대에 속발복*을 보았구나. 차라리 장부로 태어났으면 녹림당이 되어서 굶어도 신명이나 편하지.」

「이 여편네야, 이것 봐. 열두 살 적부터 계집질 다닌 탓에 배꼽에 뭣 박는 놈도 봤다더니, 이년 아주 엉뚱하구나. 나라님이 내리는 녹봉(祿俸)을 타고서도 되레 나라님 타박이라? 이년, 그냥 심상하게 두고 볼 년이 아니구나.」

「이놈, 어디다가 호년이냐. 나도 이판사판이다. 뇌옥에 가두든지 잡아먹든지 마음대로 하여라.」

「맛 좀 볼 텨?」

「이놈아, 네놈 그 맛만 말고는 다 보여 다오.」

「예끼, 이년, 썩 물렀거라.」

창빗이 여편네의 복장을 창 박은 미투리로 내지르고 달아나듯 창거리를 벗어나는데, 여편네의 입에선 게거품이 쏟아지는 것이었다. 구경꾼들은 쓰러진 여편네를 멀거니 내려다보고 있을 뿐 이렇다 할 말들이 없었다.

구경 삼아 창거리 저자를 어슬렁거릴 적에도 매월이는 안달하는 법도 없이 이용익을 두어 칸 뒤로 따르기만 하였다. 마침 숭례문을 나서 두께우물골을 지나고 조갯골을 지나 바탕거리를 지나니, 일색은 완전히 어둡고 길목엔 인적도 드물었다. 거기서부터는 가풀막진 고갯길이었다.

이목이 없는지라 매월이가 비로소 옆으로 와 섰다.

「쇤네가 길라잡이가 되어야지요.」

「나 때문에 너무 늦지 않았소?」

「늦다니요. 아니래도 야밤에 혼자 걷다가 봉변할지도 모르는 터에

* 속발복 : 속으로 운이 틔어 복이 닥침.

동행하시니 마음 든든합니다.」

「내 묻기는 뭣하오만, 댁내도 공방살이가 아니오?」

「분복 없는 팔자란 속일 수가 없는 모양이군요……. 쇤네도 본시는 출사도 여럿 시킨 반명의 집안에서 태어났으나 도요 방년(桃夭芳年)*에 망문과*가 되어 친정살이를 하던 중 우연히 무병(巫病)을 앓고 난 뒤 무자(巫子)로 박히고 말았습니다.」

「신 행수의 처소에 무상출입이고 또한 막역하게 지내는 것을 보면 근동에선 호가 난 숙무인가 보구려.」

「과분한 말씀입니다.」

「성명은 어찌 부르오?」

「이가 성을 가졌습니다.」

연변 야산에서 풀잎 냄새가 물씬 풍겨 왔다. 달이 뜨기 시작하였고 복삿골 안침으로 듬성듬성 바라보이는 촌락에서는 모깃불이 피어올라 달빛을 타고 고즈넉이 흘러 퍼졌다. 한여름 초저녁 더위가 지친 듯 산길 아래로 가라앉는데 마침 숲 속에서 두견새 우는 소리가 가느다랗게 들려왔다.

「두견새는 제 가슴의 피를 뽑아 제가 마신다 합니다. 마시다 떨어진 피멍이 땅에 떨어지면 꽃이 되어 피는데, 그것이 참꽃이 된다지요. 쇤네 또한 공방살이 십 년이 가까워 오니 가슴의 피를 토해 제가 마시고 살아가는 두견이 신세와 다를 바 없이 슬픈 일이지요. 투기할 곳도 없는 무명색한 계집의 정곡을 선다님께선 모르실 겁니다.」

용익은 홀지에 달리 안위시킬 주변머리도 없는지라 얼른 대꾸한다는 것이,

---

* 도요 방년 : 여자 나이 스무 살 안팎의 꽃다운 나이를 이르는 말.
* 망문과 : 정혼한 뒤 남자가 곧 죽어, 시집도 가보지 못하고 과부가 된 여자.

「나보구 선다님이라 부르지 마시오. 나는 태생도 무명색할뿐더러 날강목*이나 치는 금점꾼에 불과하오.」

「쉰네가 뵈옵기는 당초부터 무명색한 금점꾼은 아니십니다.」

「그럼, 어떤 위인으로 보인단 말씀이오?」

「면대해서 여쭙기는 황송합니다만, 장차 턱짓 하나로 수많은 하료들을 거느리실 귀인의 상이십니다.」

「관상이 투철하다는 건 짐작하겠으나, 댁이 날 받자를 하느라고 한 말이란 거야 내가 모르겠소.」

「쉰네가 받자를 해서 선다님께서 귀인의 자리에 오르실 수 있다면 수만 번이고 받자를 해드리지요. 그러나 구태여 쉰네가 속을 썩이지 않더라도 미구에 귀인이 되실 상인데 어찌합니까.」

「내가 아적*에 죽동궁에 다녀왔다는 이야기를 듣고 하는 말 같소이다만, 나는 애당초 벼슬과는 인연이 닿지 않는 하속배인 데다 또한 바라는 사람도 아니니 공연히 넘겨짚지는 마시오.」

「제 관상이 투철하지만은 않기도 합니다만, 그렇다고 에멜무지로 운을 뗀 것은 아니랍니다. 다 짐작이 있어 드리는 말씀이지요.」

받고채기로 수작하며 가풀막길을 걷다 보니 약고개에 이르렀다. 그러나 이미 밤도 깊어 어디 가서 끼니를 청하기에는 겨운 때였다. 용익이 주저하고 있는 중에 매월이가 자기 집을 가리켰다.

「쉰네의 집이 바로 저기입니다. 숫막거리 객점이 바로 보이는 고개 아래이니 구태여 서둘 것은 없습니다. 쉰네의 누추한 봉노에나마 잠시 들르시어 얼요기라도 하시고 가시지요.」

「말은 고맙소만, 어림없는 소리요. 공방살이를 한다는 여자 집에 외간 사내가 밤중에 투족을 한단 말이오? 잘못했다간 동리매에 쫓

* 날강목 : 광산에서 광물을 캐낼 때, 조금도 얻을 것이 없게 된 헛일.
* 아적 : '아침'의 사투리.

기리다.」
「쇤네의 처소란 게 전냇집이라 축일로* 남녀의 출입이 번다하지요. 사람들이 수상쩍게 볼 것도 없고, 설사 남녀가 유별하다 하나 쇤네의 집 앞까지 모시고 온 손님을 문전에서 돌려세울 수는 없는 일 아닙니까. 그것이 흠절이 된다 하면 삼강오륜이란 것은 어디다 써먹으란 것인지요?」
이용익은 소매를 끌리다시피 해서 궐녀의 집에 들어가 좌정하였다. 바깥에서 보기보다는 집 안의 범절이 어느 사대부 집 별당에 방불하리만큼 호젓하고 정갈하였다. 행리를 벗어부치기도 전에 우선 땀부터 들이라고 냉채 한 사발을 타 올리는데, 그 맛이 꿀맛이었다. 연이어 다담이 나오고 술상이 나왔다. 이용익이 원래 술부대는 아닌지라 안주만을 축여 내다 보니 또한 술잔으로 자주 손이 갔다. 매월이가 턱밑에 받치고 앉아 극력 권하니, 권하는 맛에 과음이 된 성싶게 술을 마셨다.
「내가 길래 노닥거리며 죽치고 앉았다간 오늘 밤 노숙하게 생기지 않았소?」
「홀지에 사처 잡기가 지난이시면 외람되나마 쇤네의 집에서 침석을 보시지요.」
궐녀의 말에 용익이 불끈 소증을 돋우면서 쏘아붙였다.
「내가 욕정에 끌려 온 사람이 아니지 않소? 나보고 개구멍서방이 되란 말이오?」
「개구멍서방이란 본부를 둔 계집이 외간의 남자와 사통하는 일을 두고 하는 말이 아닙니까. 일찍이 까막과부로 십 년을 수절해 온 측은하고 처지 딱한 쇤네더러 해도 너무하십니다. 쇤네가 선다님

* 축일로 : 하루도 거르지 않고 날마다.

과 더불어 훼절을 도모할 상서롭지 못한 심기를 품어 본 적은 추호도 없습니다. 그러하니 너무 서두르실 것도 없고 무안을 타실 일도 없습니다. 취토록 드시다가 등욕이나 하고 숫막으로 가시지요.」

물론 육허기 들어 기갈이 심하긴 용익도 장부 입장에 마찬가지라 하겠으나 본디 계집질엔 손방이어서 매월이에게 따로 탐심을 품은 적이 없었다. 봉적한 물화를 되찾을 일에 몰두하고 보니 또한 핑계도 없는 색기가 동할 리도 없었다. 그러나 술기운에 온 삭신이 녹작지근해지면서 잠시나마 허리를 붙이고 눕고 싶기도 하여 뒤 퇴창을 열고 문지방을 목침 삼아 새우잠이 들었던 모양이었다. 잠깐 눈을 붙여 조리치고* 일어나려는데 귓결에 낯선 소리가 들려왔다. 그 인기척은 열어젖힌 퇴창 밖으로 훤히 내다보이는 뒤꼍에서 들려오는 것임을 금방 알 수 있었다. 방 안이 환할 정도로 달빛은 쨍지도록 밝은데 뒤꼍에서 물 긷는 소리가 들려왔다. 용익은 어섯눈을 뜨고 뒤꼍을 내다보다가 후딱 정신이 들어 머리끝이 쭈뼛하도록 놀랐으면서도 일순 자신의 눈을 의심하였다. 그것이 퇴창문 밖 바로 지척에서 일어나고 있는 일이었기 때문이다. 넋이 빠져나갔다가 반정신이 되돌아설 때까지 용익은 너부죽이 엎디어 매월이의 거동을 바라보았다.

알샅을 보일락 말락 하게 벌리고 앉아 반몸을 비틀고 물을 끼얹고 있는 계집은 분명 매월이였다. 그러나 이쪽 사정은 아랑곳없다는 듯이 매월이는 알몸을 예사로 드러내며 목간통에서 일어섰다. 그리고 바가지로 물을 퍼 올려 어깨에다 끼얹었다. 물바가지를 위로 쳐들어 올릴 제 연적 같은 쇠용통이 겨드랑이 아래로 완연하게 드러나고 낭자를 푼 검은 머리채가 어깨를 덮었다. 윤기 나는 머릿결과 물기 먹

* 조리치다 : 졸릴 때 잠깐 졸고 깨다.

은 살꽂이 달빛을 되받아 흐드러진 박꽃처럼 눈길에 어지러웠다. 세류(細柳)*같이 가는 허리는 이불 밑에 들어오면 명주 고름처럼 야들야들하게 감겨들 것만 같았다. 몇 번 물을 끼얹는가 하였더니 궐녀는 모가지를 길게 뽑아 벽공에 높이 뜬 달을 쳐다보았다. 그 입에서 짧은 한숨이 새어 나오는 것이었다. 얼마나 흘렀을까, 도낏자루를 썩힐 요량으로 오래도록 그러고 앉았던 궐녀는 어느덧 목간통에서 몸을 일으켰다. 그러고는 앵두나무 가지에 걸어 두었던 수건을 걷어 몸을 닦기 시작하였다.

용익으로선 머리에 털 나고는 그런 야단이 처음인데 기골이 장대한 사내가 잠들어 있는 봉노 쪽으로는 고개 한 번 돌리는 법 없이 매월이는 태연하였다. 머리끝에서 발끝까지 구석진 곳을 찾아가며 궐녀는 오래도록 몸뚱이의 물기를 닦아 내었다. 월궁 선녀란 말만 들었더니 바로 저런 것이로구나 싶은데, 용익은 등골에 오싹 한기가 드는 것을 느꼈다.

소매평생에 그에게 수청 들 것을 자청한 계집도 없었고 저처럼 완숙한 여인의 아리따운 살꽃을 지척에 두고 바라본 기억 또한 없었다. 망문과라면 일찍이 남정네의 육정을 경험해 본 적이 없는 여인이 아닌가. 남정네의 손길이 단 한 번도 미친 적이 없는 곳에 저토록 절등한 여인의 살꽃이 만개해 있으리라곤 일찍이 생각해 본 일이 없었던 용익은 가슴에서 방망이 소리가 들려오는 것을 느꼈다. 몸을 닦은 매월이는 다시 나뭇가지에 걸어 둔 홑속곳과 치마와 저고리를 차례로 내려 입었으나 달빛 속으로 속살은 훤히 들여다보이었다. 색념이 동함은 인정에 당연한 일이나 용익은 얼결에 조급히 시선을 거두고 자리 위로 엎드려 잠든 체하였다. 잠시 뒤에 부엌에서 그릇 부

* 세류 : 세버들. 가지가 가는 버드나무.

시는 소리가 들리는가 하였더니, 안방의 장지문이 여닫히는 소리가 들려왔다. 사락눈이 내리는 듯이 머리 빗는 소리가 다시 들려왔고, 용익이 누워 있는 윗방 지게문이 열리었다. 윗방으로 건너온 궐녀는 촛대에다 불을 댕기고는 시렁 위에서 침석을 내리었다. 그러나 빈손으로 안방으로 건너가더니 고미다락을 열고 무언가를 찾고 있었다. 그리고 다시 윗방으로 건너왔다. 그 짓을 몇 차례나 반복하였다. 단 몇 각이 흐른 것 같기도 하였고 꽤나 오랜 시각이 흐른 것 같기도 하여 용익의 머릿속은 도통 종잡을 수 없이 혼란하였다. 가슴이 두근거리고 삭신이 칠성판을 짊어진 듯 뻐근해 와서 도무지 처신을 어떻게 해야 할지 방책이 서질 않았다. 그때 매월이의 목소리가 머리맡에서 나직하게 들려왔다.

「선다님, 주무십니까?」

「…….」

「주무시지 않거든 잠깐 반몸이나마 일으키시지요.」

콧등에 시원한 계집의 몸내가 풍겨 왔다. 싱숭생숭한 겨를에 그마저 대답이 없자, 이번엔 가만히 어깨를 흔드는 것이었다.

「선다님, 주무십니까? 여기서 침석에 드시려거든 요때기나마 까시고 퇴침이나마 베십시오.」

도대체 처음 당하는 일이라 반죽 좋게 끝내 잠든 체할 수 없었다. 선하품 길게 빼고 일어나 앉긴 하였으나 사처 잡을 숫막을 찾아 나서야겠다는 말은 좀처럼 입 밖으로 기어 나오지 않았다.

「내 잠깐 잠이 들었던 모양이구려.」

매월이가 그 말 되받아 한술 더 떠서 거짓말을 개어 올리었다.

「코까지 고시던데요.」

「내가 코까지 골았다는 거요?」

「삼이웃의 구들막들이 덜렁거릴 만하게 야단스러웠지요.」

아무리 되짚어 생각해도 코 곤 기억이 없는데, 궐녀의 대답은 가관이었다. 판세가 돌아가는 품이 자못 해볼 만한데,

「쇤네가 잠시 뒤꼍에서 등욕을 하였지요. 곤한 잠 설치지나 않으셨는지 모르겠습니다.」

「과객을 앉혀 두고 혼자 등욕을 하시다니, 나는 그것도 모르고 코까지 골았던 모양이군요.」

코 골았다는 이야기가 나온 김에 임기응변으로 얼른 찍어다 붙였는데, 매월이가 잠깐 고개를 돌려 배시시 웃음을 흘린 것을 용익은 미처 눈치 채지 못하였다. 매월이는 속으로 이제야 이 어리보기 사내의 뒷덜미를 꼼짝없이 낚아채었구나 싶었다.

「미대접이어서 면목이 아닙니다. 뒤꼍에다 등물을 마련해 놓긴 하였습니다만, 곤하시면 그대로 침석에 드시지요.」

「나 또한 면목이 없소만, 자빠진 김에 쉬어 가더라고 하룻밤 구들장 신세를 져야 하겠소.」

「여부가 있겠습니까. 여항간의 인심이 아무리 혹독하고 야박하단들 잠든 과객을 들깨워 방색하는 풍속이 어디 있겠습니까.」

용익이 뒤꼍에 나가서 등욕을 하고 들어오니 매월이가 촛불 앞에 다소곳이 앉았는데, 그 이지러진 자질이 원행에서 돌아온 지아비가 잠자리에 들기를 기다리는 젊은 아내와 흡사하였다. 봉노 한복판에 보이지 않던 등메가 깔리고 풀기가 깔깔한 베홑이불이 덧깔려 있었다. 봉노 윗목에는 촛불이 타고 있었는데 계집의 그림자가 바람벽에 가만히 기대앉아 있었다. 등욕을 하고 나니 자연 술도 깨고 잠도 깨어서 금방 자리 속으로 들어가기가 새삼 쑥스러웠다. 오랜 침묵이 꽤나 거북한데, 문득 바람벽에 비치고 있는 궐녀의 어깨가 떨리기 시작했다.

「아니, 난데없이 울고 있질 않소?」

용익의 한마디에 어깨는 더욱 떨리었다. 앵두를 똑똑 따며 눈물깨나 찍어 내는 궐녀에게 용익은 다시 물었다.

「무슨 연유로 울고 있는지 말이나 해주시구려.」

「쇤네가 울고 있는 연유를 정녕 모르시겠단 말입니까?」

「내 평생에서는 지아비를 잃거나 가산을 졸지에 날린 여인들이 울고 있는 것밖에는 보지 못했소. 이 소사는 지아비와 사별한 지 십수 년이 흘렀고 또한 졸지에 가산을 적몰당한 처지도 아니지 않소?」

「그동안, 되지못한 놈들이 쇤네를 과부라 하여 능멸에 모멸을 받아 울기도 여러 번이었습니다만, 계집이란 가슴에 맺힌 정근을 풀지 못해도 눈물을 보인답니다. 선다님은 목석이시군요.」

「나도 명색이 장부요. 이 소사의 꽃다운 자질에 심기가 동하지 않는 바는 아니오만, 내 목석이 아니란들 십수 년을 수절한 댁네에게 동품을 간구하여 훼절시킬 수는 없소. 나 역시 조선 팔도를 섭렵하며 객리(客裏) 풍상에 시달렸어도 아직 여색에 깃들여 허송한 적은 없소이다. 더욱이나 지아비를 잃은 여인네께 감히 색념을 품어 가책을 받아 본 적도 없소.」

「그러고 보니 쇤네가 음분한 계집이 된 것 같군요. 저 또한 소년에 까막과부가 되었으니 육정이 무엇인지 맛본 적도 없었고 정근이 무엇인지 미처 깨닫지 못하였습니다. 그러나 오늘 밤 이 촛불 아래 준수하신 낭재와 호젓하게 앉았으려니 흠앙(欽仰)하는 마음이 절로 솟고 가슴이 두근거리고 손이 떨리어서 야속하게 잠을 이룰 수가 없게 되었습니다.」

매월이가 멀리 앉아서는 추파를 띄우고 가까이 앉아서는 어리광을 부리는 가운데 수월한 거짓말과 위계에 그만 회가 동한 용익이 그 말을 되받아서,

「그것은 나도 마찬가지요. 불쑥 일어나서 숫막이나 물상객주를 찾아 나설 수도 있겠으나 냉큼 발길을 돌려놓을 수가 없습니다.」

매월이가 그제야 해끔한 얼굴에 배시시 웃음을 흘리며 훨씬 당겨 앉아 용익의 무릎에 손을 얹었다.

「뒤를 사릴 것 없이 곧이곧대로 여쭙자면 이것이 팔자소관이란 것이 아니겠습니까. 오늘 해낮에까지만 해도 선다님과는 남남이었습니다. 그러나 해 지고 달 떠서 야심한 중에 우리가 마주 앉아 흉회를 털어놓음에 기탄이 없고 또한 서로의 흉회가 소통하게 되니, 이것은 심상하게 보아 넘길 인연이 아니지 않습니까. 그렇게 장승처럼 앉았지만 말고 자리에 드시지요. 기왕 인연이 된 바에 사리를 따지고 도리를 챙겨 마음을 상할 까닭이 없습니다. 유별한 남녀가 이미 자리까지 펴고 앉아 언사를 농한다는 것은 전부가 허울일 뿐이요, 군색한 명분을 찾자는 위선일 뿐입니다.」

「이것도 우환이구려.」

「꾀까다로움 부리실 것 없습니다. 서로의 심기가 동하는 판에 명분이 무어 대단한 것이며 주고받는 수작이 또한 잔소리일 뿐입니다. 밤이 깊으면 날이 새는 법, 이대로 앉아 속절없이 밤을 새워 닭이 홰치고 동창이 밝으면 열락을 누리지 못했던 후회가 가슴을 저미긴 선다님이나 쇤네나 마찬가지가 아닙니까. 어찌 열쩍어서 이틀날의 달이 뜨기를 기다릴 수 있겠습니까.」

해낮에는 생각지도 못했던 일이 제법 짤짤하게 돌아가는가 싶은데, 매월이는 어느새 용익의 옷고름을 풀었다. 대장부의 건강한 살신이 두드러지고 바위를 밀쳐 낼 만한 어깨가 푸짐하고 장대했다. 이마에 와 닿는 사내의 입김에선 벌써 단내가 풍기었다. 긴 저고리 허겁스레 벗겨 횃대에 걸치고 냄새나는 길목을 벗겨 발치에다 밀친 다음 괴춤을 헐어서 홑이불 속으로 밀치니 용익은 못 이기는 체 밀려

들어갔다. 매월이가 촛불을 마주하고 돌아앉아 자릿저고리로 갈아입고 치맛말기를 푼 다음 용익 옆에 드러누우니, 용익 또한 궐녀를 잔뜩 껴안았다. 세류 같은 허리께로 손이 내려갔고, 매월이도 뒤질세라 사내의 목덜미를 젖무덤 속에 훨씬 안아들였는데, 흐벅진 쇠용통에 얼굴이 묻힌 사내는 숨이 가빴다. 그때, 매월이의 눈앞에 봉삼의 얼굴이 떠올랐다. 갑자기 온 삭신이 굳어지는 듯하였으나 매월이는 애써 눈을 감아 버렸다. 봉삼이 그에게서 등을 돌린 것이나 자기 또한 이 사내와 동품하는 것이나 서로 거리낄 까닭이 무언가. 매월이는 사내의 목덜미를 앙가슴 안으로 더욱 끌어안았다. 짧은 한숨이 궐녀의 입에서 흘러나왔다.

용익이 두 무릎을 정히 꿇고 궐녀의 양다리를 곱게 들고 주장군(朱將軍)을 높이 쳐들어 허겁지겁 옥문관(玉門關)에 당도하였다. 문득 주저하는 판에 허공에서처럼 매월이의 말소리가 들려왔다.

「눈치만 보고 사부인 고쟁이 벗긴다더니 풋기운만 가지고 설치지 마시고 차서를 차려서 주변하시든지 희롱을 하시든지 하십시오.」

수시처럼 야들야들한 입술을 귓밥에 갖다 대고 넌짓 속삭이는지라, 용익도 문득 너무 성급했던가 싶어 엉거주춤하는 판에 매월이가 이불깃으로 삭숭이를 가리며,

「성급하게 구시면 쇤네는 싫습니다.」

「내가 애당초 색사에는 손방이라 하지만, 사세 다급해서 막부득이한 때에 성급하게 굴지 않을 위인이 어디 있단 거요.」

「선다님께선 도통 숙맥이시군요. 장돌림으로 한세월 보낸 사람들이야 살꽃 다루는 솜씨 하나만은 여항의 어리무던한 것들과는 남다르다 하던데요?」

「그렇다면 촛불을 끌까?」

「불을 끄시면 아니 됩니다.」

「뒤통수가 메슥메슥해서 그렇소.」

「옛날 송도 황진이나 평양의 옥매향같이 교명(嬌名) 있고 절등한 미인은 아닙니다만, 어찌 눈앞에 살꽃을 두고 뒤통수 타령이십니까. 이제 와서 쇤네와는 동락(同樂)을 누리기 싫으시단 말씀입니까?」

「그럴 리가 있겠소.」

「어리보기 사내들이란, 남의 집 살자 하니 늦잠 까닭에 할 수 없고, 소금짐을 지자 하니 성정(性情) 바빠 못하고, 급주꾼을 다니자니 해찰*에 탈이 나고, 초라니*패에 끼어들자니 꼭두쇠 베개 노릇 하기 신물이 난다더니, 선다님 타박도 어지간하십니다. 쇤네 이미 훼절을 본 것이나 진배없게 되었는데 부리를 헐다 마시면 어떡하십니까?」

드디어 홑이불깃이 춤사위에 일렁이는 바람을 타고 너울거리던 촛불이 푹 꺼지고 난 뒤 까만 그을음이 피어오르는데, 알싸한 촛농 내가 봉노에 퍼졌다. 매월이는 등떠리에 바늘 쌈지를 깔았는지 흐드러졌다가 오그리고 치받아 올렸다가 뿌리치니, 용익도 똥깨 없는 위인이 아니건만 때 아닌 호사에 뒤통수가 찡할 지경이었다. 진흙 밟는 소리가 격장*한 뒷집 바자 울타리로 허겁지겁 넘어가고, 수채를 찾아 바자 울타리를 기웃거리던 이웃집 개 한 마리가 항용 조용하기만 하던 전냇집에서 난데없는 희학질 소리가 낭자한지라, 단걸음에 봉당까지 쭈르르 내달아 모가지가 터져라 하고 한판 걸게 짖어 댔다. 불 꺼진 장지문 안에서는 방금 가팔진 자드락길을 오르는 청노새의 가쁜 숨소리가 들려왔다.

* 해찰 : 일에는 정신을 두지 않고 쓸데없는 짓만 함.
* 초라니 : 하회 별신굿 탈놀이에 등장하는 인물의 하나.
* 격장 : 담 하나를 사이에 두고 이웃함.

부엌 아궁이에 묻어 두었던 불씨는 구들장이 들썩거릴 적마다 안쪽에서 불어 나오는 마파람에 재가 날리고 발갛게 되살아 불꽃을 일구는 것이었다. 궐녀는 일순 온 삭신을 녹작지근하게 가라앉히었다. 전신에 땀이 배어 흐르고 사추리까지 후텁지근하였다. 그때 장지문을 방싯 열고 매월이가 얼굴을 내밀었다.

「이놈의 개, 웬 헤살이냐. 썩 물러나거라.」

야무지게 개를 내쫓았으나 개는 끙 하고 한 발 물러섰을 뿐 나가려 하지 않았다. 매월이가 손을 내밀어 봉당의 미투리를 잽싸게 낚아채서 내던지려는 시늉이자, 그제야 개는 꼬리를 사리고 들어왔던 바자 구멍으로 모습을 감추었다.

대강 옷매무시를 고친 매월이가 용익의 팔을 베고 난짝 누웠다. 달빛이 문지방을 넘어 흘러들어 홑이불에 싸인 계집의 속살을 은은히 비추었다. 매월이의 입에서 천만의외의 말이 흘러나왔다.

「쇤네는 천례입니다. 가근방에선 쇤네를 요무(妖巫)라고들 하지요. 오늘 밤 쇤네와 잠시 정분을 나누었다 할지라도 쇤네로 하여 너무 상심은 마십시오.」

「그게 무슨 말이오?」

「선다님은 아직 미장가가 아니십니까. 쇤네 역시 까막과부라 하나 과부 된 몸임이 틀림없는 것, 감히 오늘 밤의 일을 빌미 삼아 선다님께 지다위하진 않겠습니다. 쇤네가 선다님의 정실(正室)을 바라겠습니까, 그렇다고 추실(簉室)* 되기를 간구하겠습니까?」

「그렇게 말하니 고맙소. 나 역시 뜨내기 신세라 가택을 짓고 식솔을 거느릴 주변이 못 되오. 또한 서로 정근을 만들어 속 썩일 주변도 아니오.」

---

* 추실 : 첩. 작은집.

매월이의 입에서 무슨 말이 튀어나올까 자못 궁금한 판에,

「쇤네가 차제에 선다님께 꼭 한 가지 여쭐 것이 있습니다.」

「알다시피 내 수중에는 푼전 몇 닢도 지닌 게 없소이다.」

「쇤네 사는 꼴이 망측합니다만, 주변한 몇 닢의 사전(私錢)이 있으니 그것이면 달포 노자는 될 만하실 겁니다.」

「나는 행핫돈을 채근하는 줄 알았소.」

「쇤네가 선다님께 곁을 주어 훼절한 계집이 되었으니 간혹 발걸음해 주실 것 외에는 더 바랄 것이 없습니다.」

「내가 지금 무슨 약조를 하게 된다면 허언되기 십상이오. 그러나 내 이 소사를 잊을 리야 있겠소.」

「또 한 가지가 있습니다.」

「시량(柴糧)*이나 비용을 대어 달란 말이오?」

「시량 범절을 돌보아 달란 말이 아닙니다. 쇤네가 가만히 짚어 보니 선다님께선 이번 일에 섣불리 범접하지 않는 것이 좋겠습니다.」

「무슨 소리요? 봉적한 물화가 설사 금수품이긴 하나 내가 태가를 받고 시전까지 옮겨 놓을 물화였다는 것을 잊으셨소? 이번 일에는 내가 모피할 길이 없소이다.」

벌써 오장이 바뀐 용익의 대답이 거드름이라 듣기에 달갑지 못한데, 매월이는 조금도 나무라는 기색 없이,

「나중이었다 하나 그것이 금수품이었다는 것을 알고 계시었지요? 화적을 잡아 딱장받아도* 불지 않는다면 어떻게 할 것이며, 형조에 발고한다 하여도 사실(査實)이 되면 선다님께서 증거해야 할 일이 닥칠 것이니 그때 금수품을 육송(陸送)한 죄를 따진다면 선다님께선 무어라고 경위를 밝히고 어떻게 발뺌해서 무사타첩되기

---

* 시량 : 땔나무와 먹을 양식.
* 딱장받다 : 도둑에게 온갖 형벌을 주어 가며 죄를 자백하게 하다.

를 바랄 수 있다는 것입니까. 선다님께서 단천의 금을 죽동궁에 진상하시었다 하나 이번 일로 선다님의 흠절이 드러나면 공(功)이 죄로 탕감되고 말 터이니 그것이야말로 술에 물 탄 꼴이 되지 않겠습니까. 공이 죄로 탕감되니 곡경을 치르기 십상인 건 고사하고 선다님의 조정에 대한 충절은 한낱 물거품이 되고 마는 것입니다. 화적들만 해도 그렇지 않습니까. 선다님의 노정 일자(日字)를 먼저 알아내어 다락원에서 기다리고 있을 정도였다면 지금도 선다님의 뒤를 밟고 있을지도 모르지요. 까딱하시다간 개죽음을 당하십니다.」

「그렇지 않소. 장사치에겐 의리가 중할뿐더러, 내가 이번 일에서 손을 뗀다 하면 신 행수는 나를 적굴놈들의 접주로 알거나 적당들과 내통하고 있다 할지도 모를 일이니, 애매하게 앙화를 뒤집어쓰게 마련이오. 그분이 시전의 대행수 자리에 있다는 것을 이 소사도 알고 있지 않으시오?」

이에 매월이는 용익의 가슴에 얹은 손을 또닥거리면서,

「그것은 크게 걱정할 일이 아닙니다. 한길을 가로막고 물어본다 할지라도 수만 민에 버금가는 사금(沙金)을 조정에 바친 사람을 적당의 동류로는 보지 않을 것입니다. 의리가 중하다고 하시나, 신대주는 인심을 잃어 시전 도중에서도 원성이 자자하고 금수품을 사들여 몽리를 챙기는 모리꾼에게 선다님을 희생하여 의리를 보인들 무슨 명분이 서겠습니까.」

「무슨 훼방을 놓으려고 그런 말을 하고 있소?」

「선다님께선 귀인이 되실 서기(瑞氣)를 온몸에 지니고 계십니다. 내가 산 연후에 남의 충정을 살핀다 하는 것은 인지상정이되, 나를 팔아 가며 남을 살핀다는 것은 자칫하면 무골충으로 손가락질당하기 십상입니다. 그러시다가 어디 명인들 제대로 보전하시겠습니까.」

「내가 덮어 둔다 해서 무사할 일이 아니지 않소? 신 행수가 부처님 가운데 토막이라 한들 만금 재산을 적몰당하고 가만히 있을 성싶지가 않소.」

「가만히 있지 않으면 어떡하겠습니까. 팔도에 널린 명화적(明火賊)의 소굴을 죄다 뒤지겠습니까? 신 행수가 제아무리 벗바리 좋은* 위인이란들 금부에 가서 고변을 할 수 있겠습니까? 이번의 봉적으로 안을 태우다 못해 속병을 얻을지언정 도중에 나가서 발설 또한 할 수 없을 것입니다. 선다님과 척이 지고 비각이 된다 하여도 도리 없는 일이지요.」

「이 소사는 신 행수의 속으로 빠진 듯이 그 흉중을 어찌 그렇게도 잘 다듬어 내시오?」

「신 대주의 흉중을 더듬어서가 아니라 선다님이 다칠까 두려워서지요.」

「듣고 보니 나도 심기를 달리 먹을 수밖에 없군요.」

베개밑송사가 옥합(玉盒)을 뚫는단 말이 헛말이 아니었다. 신석주가 적환을 입었다 하여 경가파산(傾家破產)*을 당한 것도 아닌 것, 시각을 천추(遷推)시키다 보면 종말에 가선 유야무야(有耶無耶)될 것이니 선불리 덧들일 계제가 아니란 조짐이 들었던 것이다. 그길로 다시 일합(一合)을 치르고 해가 중천에 와서 짓질리도록 곤한 잠으로 떨어졌다. 매월이가 소매를 잡아끌어 하룻밤만 더 묵으라고 지성으로 권하니 자연 하룻밤을 더 묵게 되었다. 그렇다고 아녀자들의 출입이 번다한 전냇집에서 멀쩡한 사내가 매팔자로 빈둥거릴 수만은 없는 노릇, 사흘째 되던 날은 매월이를 하직하고 송파로 떠나고

* 벗바리 좋다 : 뒷배를 보아주는 사람이 많다.
* 경가파산 : 재산을 모두 털어 없애어 집안이 형편없이 기울어짐.

말았다. 아무래도 선돌이만은 한번 만나 보아야 하겠기 때문이었다.

4

용익은 곧장 약고개를 넘어 만리재를 넘고 공덕리 옹기막으로 해서 삼개나루로 나아갔다. 선편(船便)이 마땅치 않아 한나절을 삼개나루 둔치에 있는 물상객주며 어물도가들을 기웃거렸다. 해가 나절가웃이나 기울 즈음에 삼개나루에 시탄을 내려놓은 시선(柴船) 한 척이 송파로 오른다고 소리치는 것이었다. 때마침 십수 명을 헤아리는 장돌림들이 시선으로 와르르 올랐다. 뱃전 가녘에 쭈그리고 앉아 약고개에서의 이틀 밤을 곰곰 되새기고 있는 중에 갓철대*를 이마에 붙인 사내 하나가 용익의 옆으로 와서 털썩 주저앉았다. 힐끗 돌아다보니 관망, 의복, 신발에 먼지가 켜로 앉았으며 차림새의 근본이 상것의 동류는 아니었다. 그러나 눈자위에 눈곱이 더덕더덕하고 입에서는 구린내가 등천해서 코를 마주 댈 기분이 없었다. 물색없이 시골 선비들이 환로에 들 기미는 없는가 하여 무작정 서울에 올랐다가 대갓집 청지기들에게 수백 냥을 털리고 파락호 신세 되어 낙향하는 부류는 아닌가 하여 시무룩이 쳐다보는데, 궐자가 문득 물어오기를,

「어느 도방에서 오시는 동무시오?」

「뜨내기랍니다.」

「뜨내기라니, 동기간을 만난 듯하군요.」

「저기 이물간 도붓쟁이들은 모두들 어느 쪽으로 작로하는 축들이랍니까?」

「소상하게는 모르겠습니다만, 동패들끼리 주고받는 수작을 엿듣

* 갓철대 : 갓 양태의 테두리에 둘러댄 테.

건대 근기 지경의 저자를 돌고 있는 광주(廣州) 임방의 소금장수들과 어물장수들인 모양입니다.」

「형장께선 어찌 송파로 내려가시오. 그곳에 연비라도 있습니까?」

「아닙니다. 그곳 마방의 쇠살쭈 노릇 한다는 천 행수라는 분을 찾아가지요.」

천 행수란 조성준이 항상 말하던 천봉삼이란 것은 금방 알아챌 수 있었다. 선돌이가 임시로 거접하고 있다는 곳도 송파의 마방이라 하지 않았던가.

「천 행수와는 안면이 있는 사이입니까?」

「아닙지요. 송파로 가서 천 행수 수하에 박힌다 하면 하루 세 끼 걱정만은 안 해도 된다기에 무작정 송파로 노정을 잡았을 뿐이오.」

「형장의 신수를 보자 하니 폐포파립이긴 하되 걸궁패로 보이진 않습니다. 지본(地本)은 어디십니까?」

「강경이랍니다.」

「강경이라면 시생도 한 번 가본 일이 있지요.」

「집을 떠난 지가 햇수로는 이태째가 됩니다.」

수차 눈여겨보았으나 궐자의 근본이 상것은 아니었으되 행리는 단출하였고 형용은 피골이 상접하여 차마 보기 딱할 정도였다.

「공연히 집을 나와 뜨내기가 되시다니, 형장께선 고향에 두고 온 식솔들도 없으시오?」

「권속들이 왜 없겠소.」

말이 채 끝나기도 전에 궐자의 입에서 뱃바닥이 꺼질 듯한 한숨이 터져 나왔다. 속속들이 캐묻는다면 눈물깨나 찍어 낼 듯한 얼굴인데 궐자도 심기가 괴로운지 얼른 괴춤에서 곰방대를 꺼내 불을 댕겼다. 목멱산 중턱이 활짝 벌린 돛폭 사이로 두둥실 떠올랐다간 가라앉았다. 강바람이 꽤나 세차게 불어오니 뱃길은 한층 빨라졌다. 곰방대

를 입에 문 궐자가 한참이나 주저하는 눈치더니,

「나 또한 장부의 허울을 뒤집어쓴 주제로 말하긴 부끄럽소만, 내자란 사람이 외간 사내와 야합하고 도야무지에 도망하고 나서 도대체 만사가 손에 잡히지 않고 또한 화풀이할 곳도 없는지라 무작정 연놈을 추쇄하여 집을 나선 것이 이태째나 되었습니다. 지녔던 부비는 금방 거덜이 났고 객리 타관에서 괄시와 천대만 당하다 보니 이젠 근력조차 부실하게 되었소. 내 힘에 겨워 고꾸라지기 일쑤였다오. 연놈의 행적을 수탐하기 전에 우선 기운 얻을 섭생부터가 다급한 지경이라, 소문을 듣고 송파로 내려가는 길이오.」

「이미 소박을 놓고 둔적(遁迹)*한 안해라면 찾아보았자 헛일이 아닙니까?」

「누가 아니랍니까. 그러나 정근이 남아서 계집을 찾자는 건 아니오. 다만 나 같은 어리보기로 인하여 가승(家乘)*에 살분(撒糞)*을 당한 꼴이니 나야 넉동이 다 간 신세랄지라도 계집을 옭아 간 사내놈의 모가지에다 비수라도 꽂아야만 그것 차고 세상에 나온 고깃값이라도 될 게 아니겠소.」

「간부를 처결하자는 데 누가 말릴 수 있겠소만, 그 또한 찾지 못한다면 형장의 몸만 상하고 가슴의 포원만 더욱 커질 따름이 아니겠소.」

「나도 형용이나마 선비의 의관을 차렸다 하나 천례들과 심성이 다를 건 없소이다. 이 화증을 삭이고 나서야 절간으로 들어가서 불목하니 노릇이라도 도모할 것이오.」

궐자의 성명은 김몽돌(金夢乭)이라 하였다. 곰방대를 쥔 손이 분

* 둔적 : 종적을 감춤.
* 가승 : 직계 조상을 중심으로 간단한 가계를 기록한 책.
* 살분 : 똥을 뿌림.

김으로 떨리고 있는지라 용익은 더 이상 수작을 붙이지 않았다. 해가 거의 져서야 시선은 삼전도나루에 선객들을 내려놓았다. 신세타령을 늘어놓았던 김몽돌이 은근히 작반하기를 바라는 눈치라 자연 궐자와 짝패가 되었다. 나루에서 5리 길 남짓 상거한 곳에 이르니 송파 저자 윗머리가 바라보였다. 나루에 내려서야 깨닫게 된 일이었지만 삼개에서 그들과 같이 시선에 올랐던 도붓쟁이들 역시 모두 송파로 둔취(屯聚)*할 패거리들이었다. 장터목의 객점이며 숫막이며 객주의 봉노에는 과객들로 초만원을 이루어서 객리 행상들은 봉노 하나 변통할 수가 없었다. 숫막의 술청 역시 취객들로 북새판을 이루었고 모여드는 도붓쟁이들을 겨냥하여 임시변통으로 세운 휘장친 술국집도 비집고 들어갈 틈이 없었다. 천봉삼이 기거한다는 마방을 찾아갔으나 마방 또한 장돌림들로 득실거려 봉삼을 찾을 길이 없었다. 마침 절구질을 하고 있는 더벅머리 상노에게 물었더니 선돌이가 있는 곳만 턱짓으로 가리키는데 행랑의 맨 아랫방이었다. 창호지가 너덜거려 형용뿐인 장지를 열었더니 한쪽 눈에 안대를 한 낯도깨비 같은 선돌이가 술방구리 하나를 사추리에 끼고 앉아 반은 졸면서 술을 퍼마시고 있었다. 선돌이는 장지를 열고 서 있는 용익을 힐끗 쳐다보고는,

「여긴 왜 왔소?」

「사람을 봉당 앞에 세워 두고 축객이라니, 들어가도 좋소?」

「들어오든지 말든지 임자 내키는 대로 하구려. 이게 어디 내 집이어야 들라 말라 하지.」

「밤낮 술추렴이다가 기력이나 잃으시면 어떻게 하려고 이러시오?」

「고깃값도 못할 보름보기가 되었는데, 그깟 기력이 대수요? 한 주

---

*둔취 : 여러 사람이 한곳에 모임.

발 하시려오?」

「나도 마침 컬컬하던 중이오.」

선돌이가 장지를 열어젖히고 절구 찧는 상노를 불렀으나, 버르장머리 없게도 검다 쓰다 대꾸조차 없었다.

「이놈아, 내가 부르는 말이 들리지 않느냐?」

「…….」

「이놈, 내가 나가기만 하면 모가지를 돌려 앉힐 테다.」

그제야 상노는 입귀를 비쭉하더니,

「내 모가지가 행수님이 돌려 앉히라고 빼 올린 모가지랍디까. 내 모가지는 동네 똥개 모가지인가, 원…….」

「예끼, 이놈, 어디서 배워 먹은 버르장머리냐?」

「방구들 지키고 앉아 허구한 날 술추렴에다 행짜만 부리니 누가 좋다고 받자를 해줄까…….」

도대체 말을 들어먹을 것 같지 않던 상노아이는 거동만 바라보며 눈만 굴리고 앉은 용익의 가위에 눌렸는지 반빗간으로 들어가서 술방구리 얹은 개다리소반 하나를 들고 와서는 부서져라 소리나게 내려놓고 갔다. 안주라곤 군동내 나는 된장 한 접시가 동그마니 놓였을 뿐이었다. 낮술에서부터 해롱해롱 취기가 낭자한 선돌이는 버르장머리 없는 상노아이의 거조를 탓하기는커녕 대중없이 껄껄 웃었다.

이용익은 그제야 팔팔결* 다른 선돌이의 몰골을 눈여겨 살펴보았다. 봉발에 형용만은 긴 저고리에 통바지로 복용하였다 하나 겨드랑이엔 누렇게 용집이 잡히었고 짠짓국 내가 풍기는 소매는 시궁에 자빠진 장님의 소매였다. 몇 날 며칠이고 소세 못한 상판에 치열에는 누런 이똥이 켜로 앉아 있었다. 짠지쪽을 집어 올리는 손톱에는 빈

* 팔팔결 : 다른 정도가 엄청남.

대 죽인 핏자국이 선명한 채로였다. 입에서 나오는 것이 담론이라서 사람이라 말할 뿐, 돼지우리 속에서 뒹구는 짐승이나 다를 바 없었다. 봉노 하나를 도차지하고 앉았는 것이 대접을 받아서가 아니라 모두들 위인을 핑계하고 모피했다는 것을 금방 알아챌 수 있었다.

어혈(瘀血)진 도깨비 개천물 마시듯* 걸신스럽게 술사발을 비우고 있는 선돌이를 쳐다보며 용익은 머리를 흔들었다. 객리에서 그런 몽매한 작당에게 옹골진 봉욕을 하고 낙척(落拓)을 당하고 보면 그깟 몸가축이 무어 대단한 것이며 또한 예법이며 도리를 찾아 어디다 쓰겠는가. 이런 몰골로 연명하자 하면 자문하지 못하는 것이 차라리 스스로 원통하지 않겠는가.

「좌객(坐客)*의 신세나 진배없는 나를 찾아온 연유는 무엇이오? 내 아름답지 못한 경상(景狀)이나 구경하잡시고 찾아온 것이오?」

선돌이는 안대하지 않은 바른쪽 눈을 번들거리며 심사 꼬인 어투로 용익에게 면박 주었다.

「아니요. 격조한 동안에 어떻게 지내시는가 겸두겸두 찾아온 것뿐이오.」

「나 같은 사람 만나서 무슨 소득이 있다고 그러시오?」

「천만뜻밖의 말씀이군요. 형장께서 이런 몰골이 된 연유를 따진다면 나도 무관한 사이가 아니오. 형장이 시생을 죽이겠다 한대도 웃고 죽어야 할 판국에 하릴없이 먼 길을 찾아왔겠소?」

「내 인명을 결딴내는 데는 이골난 위인이란들 웃고 죽겠다는 사람이야 죽이지 못하겠소? 내 설령 박복하여 이 몰골이 되었다 하나 목숨만은 쇠귀신보다 질겨서 아직까지 명이 붙어 있으니 밤낮 술추렴일 수밖에요. 그래, 그 적당들의 둔소는 수탐해 보았소?」

---

* 어혈진 도깨비 개천물 마시듯 : 술맛도 모르고 마구 들이켜는 것의 비유.
* 좌객 : 앉은뱅이.

그참에 이르러 선돌이의 어투가 다소 눅어지는데,

「물론 백방으로 수탐한다고 뛰었지요. 그러나 근기 지경 물정에는 워낙 어둡고, 또한 팔도에 천세나게 널린 것이 탐학하는 벼슬아치 아니면 명화적이라, 내 소견으로는 조만간 매조지질 못할 것 같아서 부지꾼들은 단천으로 돌려보냈습니다.」

「짐방들을 돌려보냈다면서 뒤따라 들어와 앉은 저 위인은 뉘실까?」

「경황중이라 미처 초인사 올리질 못했습니다만, 강경 사람으로 천행수를 찾아왔다 하오.」

「복용은 반열의 차림이나 행색은 폐포파립이라 미천한 시생과 크게 다를 바 없구려. 이리 와서 한 사발 비우시우. 아직 석식 때가 멀었으니 술로라도 초벌 요기해서 허기나 끄시오.」

김몽돌이 얼떨결에 술사발을 건네받는 것을 기다렸다가 이용익이 물었다.

「정녕 술추렴으로만 허송하실 작정이시오?」

「그러면 시생더러 어떻게 하란 것입니까? 총민하고 소견 있다는 동무님께서도 종적을 찾지 못한 적당들을 보름보기 신세인 시생이 과부 집 수캐 모양으로 설치고 북새를 놓는다 하여 잡아들일 수 있을 것 같소?」

「형장께선 가슴에 맺힌 원혐이 있을 게 아닙니까. 그만 털고 일어나서 시생과 같이 놈들의 둔소를 수탐해 보도록 하십시다.」

「어림 반 푼어치도 없는 소리, 세폐(稅弊)에 쫓기던 양민들이 관아의 침탈에 부대끼다 못해 명이나 보전하잡시고 끝내는 명화적에 가담한 것이 아니겠소? 그들이 잠매품을 털었다 하여 굳이 추쇄하여 근포해야 할 까닭도 없거니와 또한 적경(賊警)*에 몰려 산림에 은신한 그들을 찾는 일이 똥 싼 개 찾는 일처럼 수월한 일도 아니지 않소. 내 걱정은 말고 동무님의 금점이나 잘 경영하시어 설산의 도리나 익히시는 게 좋소이다.」

「실은 시생 또한 선불리 달려들 일이 아니란 걸 알았습니다. 물화를 되찾는다 하여도 속공되기 십상이니 굽도 젖도 못할 입장이 되었소.」

「그렇다면 구태여 말밥에 올릴 것도 없소이다. 나 또한 잃은 눈깔을 되찾을 방도도 없는 터, 우리 견술이나 한 병씩 차고 계집이나 후리러 나가 봅시다.」

늦여름 일색도 이제 완연히 저물어 사방이 어두운 판에 갑자기 사립문 밖이 소연해지기 시작하였다.

「그런데 삼전도나루에 하륙하여 송파까지 오르는 동안 길목이 인산인해요, 객주며 숫막이 행상들로 꽉꽉 들어찬 연유는 무엇이오?」

「내가 알겠소만, 내일로 접장(接長)을 차정(差定)*하는 공사(公事)*가 있는 모양입디다.」

「지금이 늦여름이 아닙니까? 공사라면 삼월에 차정하는 것이 순서가 아닙니까?」

「다 된 농사에 낫 들고 덤빈다더니, 누가 아니랍니까. 하지만 갑자기 광주 부중에서 공사를 열어 접장을 다시 차정하고 보부청으로 이문을 올리라는 엄칙이 추상같으니 봉행할 수밖에 없소. 듣자하니 채장이며 자문(自文)*들을 죄다 거두어들이고 다시 내려 무뢰배들과 왜상과 청상들의 끄나풀들과 명분을 같이하지 않겠다는

*적경 : 도적을 경계함.
*차정 : 사무를 맡김.
*공사 : 총회.
*자문 : 척문(尺文). 세금을 낸 영수증.

뜻이라 하나, 속으로는 민문(閔門)에서 팔도의 보부상들을 저들의 수하로 몰아넣자는 수작인가 봅디다.」

「곡절이란 그것뿐이랍니까? 그렇다면 구태여 접장이나 반수(班首)*를 다시 차정해야 할 까닭이 없지 않소?」

「어허, 시생이 권문세가의 청지기나 된다는 것이오? 권문의 속셈을 나보구 따지자 하면 뭐라고 대답을 할까요? 하긴 우리들이 권점(圈點)*해서 두령님들을 차정하기도 전에 관아에서 비감(祕甘)*을 내려 차정될 사람들을 은근히 내비치어서 공사란 실상 꼭두각시놀음에 불과하다고들 쑥덕거리긴 합디다만, 그 또한 항간의 낭설일 뿐 더 이상은 알고 있는 게 없소이다.」

「모른다 하시면서 실상은 모르고 있는 게 없어 보입니다그려.」

「시생 같은 보름보기가 셈평을 안들 무엇 하겠소. 시생이야 가죽방아나 잘 찧는 막창년이나 하나 얻는다면 그것으로 족하고, 말 잘 듣고 고분고분한 중노미 녀석이나 곁에 있어 주면 그만이 아니겠소?」

「그럼 공사일(公事日)도 관아에서 아예 정한 것이군요?」

「그건 광주부에 가서 착실히 물어보시오. 난전꾼들이야 어디 사람이오? 한때는 대원위 대감께서 우리를 보자시더니 시절이 바뀌고 나니 또한 민문에서 우릴 보자는 것이 아니겠소.」

술 취했단 사람의 총기와 짐작이 그토록 주변스러울 수가 없었다.

보부상들은 영위(領位), 반수(班首), 접장(接長), 본방(本房), 공원(公員), 공사장(公事長), 집사(執事), 서사(書事), 사속(事屬) 들을 매년 3월에 있는 공사일에 권점의 경과를 거쳐 세웠다. 영위는 반수와

* 반수 : 보부상의 우두머리.
* 권점 : 선거.
* 비감 : 상급 관아에서 하급 관아에 몰래 보내던 공문.

접장을 거쳐 온 동무님들 중에서 차정하되 모든 보부상들의 추앙을 받을 수 있는 식견이 투철하고 의리 투철한 자를 뽑는데, 종신직이었다. 영위 중에서 최고령인 자를 도영위(都領位)로 모셨다. 반수는 접장을 치른 자 중에서 선임하고 이를 실함 반수(實銜班首) 혹은 시재 반수(時宰班首)로 호칭하며 접장의 경력 없이 반수 된 자를 남향 반수(南向班首)라 하여 왔다. 그러나 같은 처소(處所)나 임방(任房)에서 반수와 접장을 같이 낼 수 없다는 공평의 원칙이 엄연했고 반수는 일정한 관위(官位)에 있던 자 중에서 차정하는 것도 무방하였으나, 접장만은 실임을 관장하는 지위의 임원이므로 관원이나 이속배 출신은 적임으로 간주하지 않았고 반드시 원상(原商) 중에서 차정하는 것을 원칙으로 삼았다. 만약 접장으로 차정된 자가 후일에 범법을 하였을 때에는 이를 천거했던 자에게도 기필 중죄를 내렸으므로 인정에 끌려 함부로 천거할 수 없게 되어 있었다. 접장에 천거된 자는 반드시 공사장(公事場)에 참석해야 하며 만약 이를 기피하면 권점에서 제외되었다. 본방은 접장이 천거해서 수하에 두는 것이 상례였다. 본방은 처소의 사정에 따라서 본방 공원(本房公員), 수본방(首本房), 본방(本房)으로 불리며 거개가 재무(財務)에 종사하였다. 본방을 거친 자라야 접장의 차정 때 천거될 자격을 가졌다. 명사장(明査長)은 회계를 감사하고 도집사(都執事)와 집사(執事)가 있어 서사의 일을 맡아 하고 특히 도집사는 공회 때 임방의 공문궤(公文櫃)를 모시는 일을 맡았다. 시재 접장은 차기 공사 때까지 1년의 임기를 부담하는 출몰꾼이 되어야 했다.

광주와 양주, 과천, 용인, 송파 등 근기 지경의 각 처소에서 모여든 보부상들이 합하여 한 명의 접장을 차정하게 되었는데, 상례대로 각 처소마다 스무 개의 권점을 주어서 도합 1백 개의 권점으로 접장을 뽑기로 하였다. 한 처소에서 접장 이상의 두령에게 다섯의 권점, 요중(僚中)이라 하여 동무님들 중에서 성취(成娶)한 자들에게 열 개의 권점을, 아직 미성인 동몽(童蒙)들에겐 다섯 개의 권점을 행사할 수 있도록 조처하고 있었다. 이에 권점이라 함은 접장으로 천거된 자들의 함자가 적힌 패(牌)를 돌려 가면서 그 아래에다 먹(墨)으로 둥근 점을 찍어 의중에 있는 사람에게 표를 던지는 것이었다. 집사장이 공사 때 공문궤를 지고 행렬의 앞장에 서게 되는 것은 나라님이 보위에 오를 제 도승지가 어보(御寶)를 주관하는 것을 본뜬 것이니 행사의 권위를 높이자는 뜻이요, 의중에 두고 있는 자의 함자 아래에다 둥글게 권점을 하는 것은 나라님이 관원을 선임할 때 삼망(三望)을 두고 그 한 사람 위에 친히 점을 찍어 낙점(落點)하던 것을 또한 본뜬 것이었다. 이는 서로 사심이 없고 치우침이 없다는 것을 웅변하였으니 원망이 있다 하여도 그 결과를 따르지 않으면 안 된다는 뜻이 되었다.

때마침 한 행렬이 송파에 당도하였는데, 그들은 양주 처소의 동무님들이었다. 목화송이를 달아맨 패랭이 쓰고 용을 그린 물미장(勿尾杖)을 짚고 긴 저고리 통바지에 신들메 고쳐 맨 80여 명의 동무님들이 들어오는 행렬 앞에는 봉매기(奉枚旗)가 높이 쳐들렸고 푸른 실로 몸채를 삼고 위와 아래로 붉은 등을 달아맨 청사등롱(青紗燈籠)이 또한 수십 개여서 구태여 홰를 달지 않았어도 길은 어우러진 달빛과 함께 밝았다. 행렬 앞에는 또한 환갑 늙은이가 상투를 풀어 귀밑머리를 땋은 뒤에 머리꼬리에 붉은 댕기 멋들어지게 내려뜨리고 머리에 수건 동여 총각처럼 꾸미고 난 뒤 한쪽 어깨를 처뜨리고 설설 기는 시늉으로 '에와자'의 앞소리를 메겼다.

「서산낙조(西山落照) 일모(日暮)하니 내가 함께 자자꾸나, 금침을 펴려느냐, 애고대고흥 심화(心火)가 났네. 불친(不親)이면 무별(無別)이요 무별이면 불상사(不相思)라, 애고대고흥 심화가 났네. 유

정고인(有情故人) 재상봉(再相逢)하니 보낼송 자 난감이로다, 애고대고흥 심화가 났네. 고향 소식 간절하여 천리가산(千里家山)을 바라보니 운하(雲霞)가 첩첩하여 가망(可望)을 못하겠네, 애고대고흥 심화가 났네. 무변대해 가없는 바다 동서남북 가리질 못하겠네, 애고대고흥 심화가 났네. 장안 만호(長安萬戶) 일편월(一片月)에 도의성(擣衣聲)*은 재재(在在)한데 님의 소식 돈절일세, 애고대고흥 심화가 났네…….」

흥타령 앞소리에 화답하는 에와자 소리가 송파장 들머릿길에 그득하니 기다리고 있던 악공들이 또한 마주 나가서 날라리와 장구와 징으로써 환접을 하였다. 공사를 알아채고 모여든 호인(胡人)* 환술사(幻術師)들이며, 마목(痲木)*에 든 용천뱅이들이며, 각설이 걸궁패며, 들병이, 유무(遊巫) 따위의 잡색들과 유랑 굿중패들과 장터 가의 악다구니들이 또한 덩달아 춤을 추었다. 행렬이 쇠전머리 초입 비석거리 취자나뭇집 앞에 이르자 과천 처소 출신인 시재 접장이 위의(威儀)를 갖추고 도집사를 휘동하고 나아가 행렬을 맞아들이고 집사가 점고를 마친 뒤에 사처를 지정하니, 그들이 마방의 봉노로 들어올 사람들이었다. 마방의 중노미들은 물론이며 새앙각시*들도 쏟아져 나와 서둘러 봉노를 치우고 양주 처소 동무님들을 맞아들이는데, 50명에 가까운 동무님들을 재우려면 부득이 마당에다 휘장을 치고 멍석을 연폭해 깔아서 노숙할 장소를 마련하여야 하였다. 송파에 모인 동무님들만 하여도 2백에 가깝고 게다가 소문을 듣고 끼어든 잡색들이 또한 백이 넘었으니 길목마다 홰 든 사람들이 득실거리고 객주

---

* 도의성 : 다듬이질하는 소리.
* 호인 : 만주 사람.
* 마목 : 문둥병이 처음으로 피부에 나타나 허는 자리.
* 새앙각시 : 머리를 두 갈래로 갈라서 땋은 새앙머리를 한 계집아이.

와 숫막마다에도 들썩하여 야시(夜市)를 이루게 되었다.

이번 공사에 접장으로 추천될 사람은 송파의 본방(本房)을 거친 천봉삼과, 과천의 포목도가(布木都家)와 객주들의 은근한 비호를 받고 있는 과천 임방의 최씨(崔氏)란 위인이었다. 서로가 본방을 거친 사람들이라 하나 사단인즉슨, 공사 전부터 천봉삼과 최가와의 사이에는 팽팽한 접전이 예상되어서였다. 일이 그렇게 복잡하게 꼬이게 된 것은 최가란 위인이 과천과 광주의 객주들로부터 두호를 받고 있을 뿐만 아니라 광주 관아에서 내린 비감(秘甘)에 그자의 성함이 내비쳐졌기 때문이었다. 그런 와중에 뜻밖의 사단이 터지고 있었다.

5

천봉삼을 시재 접장으로 차정하자는 측은 송파와 양주 처소의 쇠전꾼들과 부상들이었던 반면, 과천과 용인을 근거지로 하는 염상들이며 황아장수들, 그리고 어물장수들은 그곳 출신 최씨를 접장으로 차정시키자는 소견들이 서로 팽팽하게 엇갈리는 사이에서, 양 처소의 결찌들이 서로 치고받는 사단이 벌어졌다. 원래 접장이나 반수를 차출(差出)하는 일에 그러한 사단은 항용 있어 온 일이 아니었다. 중망(衆望)*에 의해서 차출의 결정을 보았으되 대개는 다음 해의 접장·반수가 서열에 따라서 결정되는 것이 상례이었고 전해에 접장이 났던 처소에서 다시 접장을 차출하는 선례가 없었다.

그러나 광주 관아의 은근한 비호를 등에 업은 과천 본방인 최씨가 선례를 뒤엎고 다시 시재 접장의 차출에 나선 것이 사단의 발단이기도 하였다. 사단은 저자의 아랫머리에 있는 물상객주에 하처를 잡고

* 중망 : 여러 사람에게서 받는 신망(信望).

있던 과천패의 숙소참에서 발단이 되었다. 서로 처소가 다르다 할지라도 같은 반수와 접장을 모시고 있을 뿐만 아니라 사생동고(死生同苦)하는 사이에 객리에서 마주친다 해도 반색하고 안부를 물어 오던 처지들이었다. 공사일이란 그들에겐 잔칫날에 방불한지라, 객주와 여각의 포주인들도 주효를 베풀어 동무님들을 흔연대접하는 것이 풍속이었다. 두루거리상에 둘러앉아 모줏집에서 날라 온 술방구리를 반주로 비워 내고 농지거리에 육담이 오가게 되는 것이야 오히려 입맛을 돋우는 일이었다. 마침 그 숙소참에 들러서 술추렴이던 천봉삼 수하의 쇠전꾼 하나가 목청을 돋우더니,

「과천 임방의 동무님은 들으시오. 전임 접장이 과천에서 차출된 터에 또한 과천에서 시재 접장을 차출하자시면 이것은 도방 풍속에 어긋나는 일이외다. 명호(名號)를 중히 여기고 의리가 중한 터에 그런 불상사가 일어나선 안 됩니다.」

「시절이 수상하더니 이런 범절 없는 위인도 불쑥 기어 나오네그려. 엄지머리 주제에 이제 겨우 장삿길 멱을 알고 있을 비방청(裨房廳)것이 감히 요중회(僚中會)에 뛰어들어서 이 무슨 헤살이여? 비방청에도 제법 말마디깨나 한다는 위인들이 없진 않지만 권점을 나누어 준다 하여 어디 간대로 촐싹대나그려?」

대뜸 해라로 대꾸를 하고 나온 것은 물론 과천 임방의 염상 행수였다. 보자 하니 목자가 불량스럽고 손떠꾸가 어지간한 번철같이 푸짐한지라, 함부로 대거리를 주고받을 처지가 아닌 것 같았다. 그러나 송파패는 사이를 두지 않고,

「동무님 외양은 울산(蔚山) 대장각 모양으로 미끈하게 빠졌소만 입정은 더럽구먼. 요중회의 동무님이라 하여 엄지머리 비방청 동무들 비위를 뒤틀어도 괜찮소? 시생으로 말하면 소싯적부터 소몰이로 객지로 쏘다니다 보니 안해 명색을 달고 있지 못한 것이지,

내 육정이 부실하여 성례를 치르지 못한 것은 아니외다. 성례 치르지 못한 죄로 비방청이지 소견 없어 비방청인 줄 아시오? 동무님이나 시생이나 따져 보면 여간내기가 아니니 너무 괴팍하게 굴 것 없소이다.」

그쯤 해서 작파했으면 사단이 크게 벌어질 리는 없었다. 그러나 겉보기에는 농지거리이긴 하나 가슴에 품어 겨냥하는 과녁이 서로 다르니 뻰질나게 받고채는 말투들이 거칠어질 수밖에 없었다. 과천패가 대뜸 율기를 하고 송파 쇠전꾼에게 호놈하고 나섰다.

「오금*을 끓려 놓을 놈이 유난 떨고 있네그려. 네놈이 그 알량한 채수염을 달고 다닐 때까지 엄지머리로 행세하는 것이 그럼 내 탓이란 말이냐? 그놈, 약차하면 가죽방아 찧을 때 뒷다리 들어 달라고 할 놈일세그려.」

「남의 아픈 곳을 그렇게 모질게 찌르는 법이 아니외다. 내가 설령 다소 부실하여 사내 행세를 못할 지경에 이르렀다 할지언정 동무님 같은 반편에게 뒷다리 들어 달란 소청은 않을 것이니 진작부터 상심할 것은 없소이다.」

「네놈의 말본새가 그렇지 않느냐. 그렇지 않다 하면 성례 못 치른 타박을 내게다 하고 있는 연유는 무엇이냐?」

「고약한 동무님이시군. 식솔 거느리지 못하고 있는 처지인 동배간이 눈물겹지도 않으시오? 아무리 배알이 뒤틀리기로 그런 말 함부로 내뱉는 게 아니외다.」

「이놈이 죽지 못해 상성(喪性)*을 한 놈이군. 네놈이 먼저 남의 콩밭에다 못을 박지 않았더냐.」

「시생이 새삼 얘기드리는 터이지만 시생이 어디 못 박을 곳이 없

* 오금 : 무릎의 구부러지는 오목한 안쪽 부분.
* 상성 : 본래의 성질을 잃어버리고 전혀 다른 사람이 됨.

어 동무님 콩밭에다 못을 박겠소? 차라리 암캐 궁둥이에다 못을 박겠소이다.」

「이놈, 오늘이 바로 신명 떨음이다.」

과천패가 끝내 화증을 삭이지 못하고 입으로 가져가려던 술사발을 송파패의 면판에다 뒤집어씌웠다. 핑계가 없었던 송파패 역시 면판으로 날아온 술사발을 팽개치고는 분연히 박차고 일어나 궐자의 멱살을 뒤틀어 드잡이하였다. 그러나 도방 풍속에 비방청의 동무가 요중회의 상임(上任)을 오둠지진상으로 욕보인 일은 없었던 터라, 당장 멍석 귀퉁이에다 꼬라박지는 못하고 주저하는 사이에 과천패가 선손을 걸어* 왼배지기로 송파패를 마당 귀퉁이에다 패대기를 쳐버렸다. 두 위인의 거동을 바라만 보고 있던 동패들은 선불리 뜯어말리지 않았는데 그것에는 몇 가지 연유가 있었다.

첫번째로는 하루 전으로 박두한 공사일에 차출할 한 사람의 접장이 정해지지 않아 설왕설래 분주만 떨고 있는 차제에 이런 사단이 빌미가 되어 해결의 실마리나마 마련될지 모른다는 기대가 없지 않았다. 두 번째로는 두 위인의 싸움이 요중회와 비방청의 의중을 대변하고 있기도 했기 때문이다. 요중회의 동무님들은 비방청의 위인이 방자하게도 요중의 상임을 능멸하고 나선 것에 봉욕하기를 바라는 눈치였던 일변, 비방청 동무님들은 성례 치르지 못한 억울한 일을 두고 요중에서 항상 차별 두어 홀대하고 공사 때마다 괄시에 결이 솟던 김이라 약차하면 패싸움이라도 불사하겠다는 심사로 사태에 뛰어들 명분만을 찾고 있는 중이었다. 모두들, 인중으로 흘러내리는 코피를 소매로 닦으며 일어나는 송파 쇠전꾼을 숨죽이고 바라보았다. 궐자의 입에서 걸찍한 악담이 쏟아졌다.

---

* 선손을 걸다 : 남이 하기 전에 먼저 상대에게 행동하여 나서다.

「어허, 신수에 삼재(三災)가 들었다더니 이놈을 만나려고 그랬던가. 네놈이 시방 나를 쳤겠다?」

「내가 네놈을 못 칠까? 네놈이 저승 대감이라 한들 모가지가 여럿은 아니렷다.」

「요중 상임이라 하여 풍속에도 없는 접장을 차정하자는 네놈들의 속셈은 뭐냐? 네놈들이 은밀히 관아에 밀통하여 사주를 받고 있다는 것을 알고 있는 동무님들이 한둘 아니다. 그래서 근기 지경의 어염 행매(魚鹽行賣)를 네놈들이 도차지하자는 것 아니냐, 이놈들.」

「우리가 근기 지경의 어염 행매를 도차지한다 하여 소 궁둥이나 따라다니는 네놈들이 배 아플 건 없다. 감히 보부청의 영을 거역하려 들다니? 이 행패 거조는 나라님의 영을 거역하자는 것과 조금도 다를 바가 없다, 이놈.」

「이 변변치 못한 놈들. 네놈들 처소에서 어염 행매를 도차지한다면 다른 임방에서 온 동무님들 하루 연명은 어찌하라는 거냐? 그들도 나라님의 백성이긴 마찬가지가 아니더냐? 네놈들이 관아에 밀통하여 몽리를 취하는 사이 또한 다른 백성이 배를 곪주린다면 백성들을 하나같이 돌보아야 할 관아의 명분이 무어냐? 사생동고해야 할 난전꾼들끼리 서로 길을 막고 울을 친다 하면 사생동고가 무슨 말이며 서로 형제 됨이 또한 빈말이 아니냐? 내 오늘 도방 풍속에 없는 일이라 하나 네놈들을 그냥 둘 수는 없다.」

송파패가 소매를 모양 있게 걷어붙이고 어깻바람을 일으키며 과천 염상 행수에게 쏜살같이 달려들어 단매에 때려뉘는 것이었다. 가로누운 궐자의 앙가슴 위로 올라가서 숨통을 옥죄고 있는 판에 요중회의 한 위인이 소리 질렀다.

「저놈 죽여라!」

외마디 소리와 함께 요중의 동무들이 아예 살변을 낼 기세로 송파 패를 잡아 엎질러서 짓밟기 시작했다. 비방청의 엄지머리들도 가만히 있지는 않았다. 객줏집 안마당은 불각시에 발칵 뒤집히고 말았다. 50여 명의 난전꾼들이 내남없이 뒤엉켜 싸개통으로 돌아가는데 객주의 겸인들이며 노속들이 사색이 되어 노루뜀을 한들 사단이 쉽게 가라앉을 조짐은 당초부터 보이지 않았다. 그런 중에 다시 엉뚱한 말들이 튀어나왔다.

「이놈은 천 행수 수하에서 온 염탐꾼이다.」

「천가놈이 사주해서 요중회에다 훼방을 놓는 것이다.」

「그놈이 우리 처소의 밥그릇을 취탈하려는 위계를 꾸미고 있다.」

「천가놈을 잡아 도륙을 내야 한다.」

「그놈을 끌어내어 요정을 내야 한다.」

「천가놈은 시전과 내통하고 있는 알짜배기 잠상꾼이다.」

저고리가 찢기고 바지춤이 터져 나가 사추리를 훤하게 드러낸 자, 찢어진 웃통을 아예 벗어부친 자, 면판에 선지피가 흘러내리는 자, 귓밥이 떨어져 너덜거리는 자, 손가락이 부러진 자, 코가 찢어져 물렁뼈가 허옇게 드러난 자, 이빨이 부러진 자 할 것 없이 손에 닥치는 대로 몽둥이며 물미장들을 잡아 쥐고 천봉삼의 마방 쪽으로 떼 지어 짓쳐 오르는 판이었다. 홰를 켜 든 너덧 사람이 흥분한 행렬을 영솔하여 나아가는 세력으로 보아 한두 마디 변설이나 만류로는 수작이 들어먹히지 않을 것 같았다. 이미 보부청과 광주 관아에 은밀히 내통하여 비감이 내린 것이 탄로 났을 바엔, 내친김에 천봉삼에게 무릿매를 안기어 삭신을 못 쓰도록 제독(制毒)을 안긴* 뒤에 공사를 치러야 후환이 없을 것 같은 과천 처소 동무들은 그 기세를 좀처럼

---

* 제독을 안기다 : 기운을 꺾어 감히 딴마음을 품지 못하게 하다.

꺾으려 들지 않았다. 거기에 또한 용인 처소의 동무들까지 합세하고 나서니 불과 활 한 바탕 상거에 있는 마방까지의 길목엔 홰 든 사람들과 아우성 소리만 높아 갈 뿐이었다. 반수에 접장이며 본방의 직임을 가진 상임들이 뛰어나와 소리치며 불을 끄려 하였으나 이미 흥분에 휩싸인 행렬은 봇물이 터진 것과 같이 도대체 거칠 것이 없게 되었다.

1백여 명으로 불어난 과천과 광주 처소 동무님들은 마방에 득달하자마자 술에 취해 늘어진 양주 쇠전꾼들을 들깨워 밖으로 몰아낸 뒤 천봉삼을 내놓으라고 으름장을 놓았다. 마방의 반빗아치며 상노들이 설설 기는 시늉을 하면서도 천봉삼의 행지를 토설하지 않아 별 소득이 없자, 이번엔 마방에다 불을 지르겠다고 성화를 먹이었다. 맹랑한 지경에 이르겠구나 싶은데, 이때 행랑의 맨 아랫방 장지문이 돌쩌귀째 나가떨어지듯 하더니 눈에 안대를 한 거러지 꼴의 선돌이가 토방으로 내려서는 것이었다.

「이 불한당 같은 놈들은 웬 놈들이냐!」

보아하니 주제 사납고 또한 보름보기 신세인지라 위인을 상종할 기분들이 아니었으나 변설이 워낙 대담하고 다부진지라,

「이런 먹다 남은 시룻번같이 축 처진 놈은 웬 놈이냐? 네 본색은 뭐냐, 이놈?」

앞에서 홰를 들고 섰던 염상 행수가 발뒤축을 울리며 부라리는데,

「비루하고 가소로운 위인들아, 계림팔도를 옹솥 하나 괴춤에 차고 다니며 하루 두 끼 신세로 겨우 연명하며 구차하게 살아가는 처지들에 내가 어디 있고 또한 네가 어디 있다더냐. 사해가 형제지간이라 하였는데 누굴 도륙 내며 누굴 징치하겠다고 이런 강다짐인고. 눈이 뒤집혀도 분수 나름이지, 모두들 누워서 침 뱉는 꼴이 아닌가? 천 행수를 잡아내어 물고를 낸 뒤엔 또 누굴 몰사죽음시켜

적막강산을 만들 작정들인가?」

「저놈이 웬 잔말이 저리 많아! 이놈, 네놈도 천가놈과 한통속이렷다? 어서 그놈을 수배하여 우리 앞에 잡아 꿇리어라.」

취중이었다 하나 선돌이의 외짝눈엔 일순 불똥이 튀는 것 같았다. 선돌이가 앞으로 썩 나서더니 앞에 버티고 서 있는 한 위인의 홰를 낚아챘다. 그러곤 불붙은 쪽을 입속으로 넣었다 꺼내니 선돌이는 멀쩡하고 홰는 꺼져 있었다. 마당에 취군한 동무님들은 선돌이의 행동에 잠시 아연하였다. 그것은 다부진 되 사람 술사(術士)들이라 할지라도 해낼 수 없는 환술이기도 하였다.

「이놈, 성깔이 제법 짭짤한 놈이긴 하다만, 그만한 공갈에 우리가 기죽기 바란다면 그건 셈술이 빗나갔다. 이놈, 썩 비켜라.」

「내 눈깔을 봐라. 이것은 명색 반명을 한다는 놈에게 속절없이 당한 꼴이여. 동패가 이 꼴을 당할 적엔 어느 누구도 품앗이해서 그놈을 수배하자는 놈이 없더니, 이제 와선 멀쩡한 동무님 하나를 징치하자는 데 앞뒤 가리지 않는 놈들이 백을 헤아리게 되었군. 불쌍하고 비루한 인사들, 자중지란(自中之亂)*인 줄 모르고 누굴 도륙 내자는 것인가.」

선돌이는 그 한마디를 남기고 문득 돌아서더니 봉노로 되들어가 장지를 닫아 버렸다. 그 다부진 행티며 변설에 한동안 정신을 빼앗긴 동무님들이 웅성거리는 판에, 마방 안으로 썩 들어서는 위인이 있었다. 천봉삼이었다. 이미 기별을 가지고 간 상노아이를 통해 사단을 알아챈 봉삼은 태연하였다. 그중에 봉삼의 견양을 알고 있는 위인들도 여럿인지라 천봉삼이 왔다고 소리쳤으나, 봉삼은 토방 위로 태연하게 올라섰다.

---

* 자중지란 : 같은 편끼리 하는 싸움.

「시생이 송파 임방의 천봉삼이오.」

「저놈을 죽여라.」

「동무님들이 굳이 시생의 멱을 찔러 선지를 보아야 하겠다면, 이 자리에서 꼼짝을 않고 동무님들의 징치를 받겠소.」

살피듬이 우락부락하고 메줏덩이만 한 주먹이며 발가락만 한 동곳이 꽂힌 상투하며 호안(虎眼)에서 나오는 서슬 퍼런 봉삼의 눈빛에 진작부터 기가 질린 과천과 용인 처소 동무들은 당장 행짜를 놓지는 못하고 핑계만 노리고 서 있었다. 그때, 염상 행수로 자처하였던 위인이 뱃심을 부리느라고 물미장을 쳐들어 봉삼의 정수리를 힘껏 내리쳤다. 박이 터져 나가는 듯 딱 소리가 나고 눈에 불똥이 튀는가 싶은데 둘레가 어림으로 보아도 두 치가 넘을 것 같은 물미장 한 허리가 뚝 부러져 나갔을 뿐 천봉삼은 봉당에 서 있던 그 자리에서 끄떡도 않았다. 그러자 봉삼이 궐자에게 딴죽을 걸어 일 같잖게 꼬꾸라뜨렸다. 궐자가 봉당에 코를 박고 엎어지자 봉삼은 분연히 결을 내어 목청을 가다듬었다.

「시생의 이 보잘것없는 육신이 동무님들 모둠매에 녹아나는 것이야 겁날 것이 없소이다. 시생도 발굽을 겨우 떼어 놓았을 적부터 조선 팔도 구석구석을 한둔하며 안 다녀 본 고장이 없는 원상(原商)이외다. 그러하니 동무님들 면전에서 목숨을 다한다면 그 또한 생광일 것이오. 시생도 여기 오신 동무님들처럼 때로는 사생을 같이하던 동패를 징치하기도 하고 심화에 부대끼다 못해 자해로 손가락을 자른 일도 있었소. 경위를 따지지 않고 모리를 취한 적도 있었고, 그런가 하면 객리 저자에서 동패의 도움으로 위중했던 목숨을 구한 적도 없지 않았소. 그러나 단 한 가지, 굶주림과 세렴에 쫓기는 항간의 양민들을 괴롭힌 적이 없었고 양민을 수탈하려는 외방의 관원과 색리(色吏)들을 징치하지 않고 지나친 적도 없었소. 또한 당도하는 임소(任所)마다 시기를 놓치지 않고 춘수전과 추수전을 바치어 원상으로서 도리와 명분에 한 치의 어긋남도 없었소이다. 오늘 밤 동무님들이 화덕에 꽂았던 인두를 코앞에 들이댄다 할지라도 이 말에는 한 치의 거짓도 없소이다. 다만, 오늘 밤 시생이 이 지경에 다다르게 된 불찰이 있다고 한다면 시재 접장에 천거되어 감히 차하(差下)될* 것을 은밀히 간구한 것뿐이외다. 시생과 같이 알음도 없고 또한 글도 짧은 둔재가 차정되기를 바란 것이 빌미 되어 동무들이 시생을 장문(杖問)하시겠다면 이것이야말로 가소로운 일이며 자중지란일 뿐이오. 시재 접장에 차정이 된다 하여도 관아의 두호 아래 꼭두각시놀음만 해야 한다면 시생은 그것을 취하지 않으리다. 시생은 다만 하치않은 송파 저자의 쇠전꾼으로 박히어 십수 명에 이르는 상단 식솔들을 발빈*시키고 나아가서는 삼순구식도 어려운 동패들에게 끼니 마련할 길이나 터주려는 것뿐이오. 보부청에 나아가서 그들의 뱃심에 맞는 말로 귀를 달게 하고 삼문(三門) 안에 무시로 들락거리며 관원과 서리들에게 인정전을 바쳐 전매(專賣)할 물종을 얻어 내는 족제비 같은 모리꾼이 되기는 싫소. 우리는 세상이 뒤집혀 천지개벽이 된다 하여도 본색은 여전히 난전붙이일 뿐 사대부의 지체에 오르거나 출사를 할 사람들은 아닙니다. 시생은 다만 그 난전붙이가 되어 있길 바랄 뿐이오. 자, 그럼 우리 마방에 불이라도 지르지 않으려거든 모두들 사처 잡았던 회중(會中)으로 돌아가시오. 우리가 여기서 대중없는 주먹다짐을 한다는 것은 내 동패 사람의 말마따나 누워서 침 뱉는 격이 아니겠소?」

물을 끼얹은 듯하던 마당에서 그때 한 위인이 소리쳐 물었다.

---

* 차하되다 : 지위에 오르다.
* 발빈 : 가난에서 벗어나다.

「그렇다면 천 행수가 시재 접장으로 차정이 된다 하여도 받아들이지 않겠다는 말이오? 아니면, 판세를 보아서 받아들이겠다는 것이오?」

「시생의 뜻이 거기에 있지 않다는 것은 삼척동자라도 알아들었을 것이오. 그러나 시생이 한평생 비바람에 쫓기는 한 잎 낙엽인들 동무님들과 한가지로 살며 원상으로 이승을 뒹굴 것이오. 동무님들의 결기가 아무리 드세고 또한 시생과 동무되기 거북하다 할지라도 이것만은 막지 못하리다.」

1백여 명의 난전붙이들이 작당하였다 할지라도 겨냥했던 바가 무위로 끝장나 버렸으니 사처 잡았던 여각으로 돌아설 수밖에 없었다. 내남없이 욱하는 결김에 분노하여 천 행수 마방으로 짓쳐 오르긴 하였으나 흉회를 토파하는 봉삼의 도도한 변설을 듣고 보니 무안을 당한 것은 저희들이었다. 인물이 매 한두 대로 다룰 계제가 아니었다. 또한 원상으로서의 명분을 지켜 왔음에 그토록 지성이었고 가난한 난전붙이들을 발빈시키고자 함이 그의 뜻이라면 매 든 것이 천만 부끄러운 노릇이 아닌가. 모두들 홰를 끄고 넉가래며 물미장들을 등 뒤에 감추고 마방에서 돌아서는 판이었다. 그때, 행랑 끝 봉노의 장지문이 다시 열리고 외눈박이 선돌이가 봉당으로 내려서는 것이 보였다. 외눈박이는 고샅으로 몰려 나가는 과천패들에게 소리쳤다.

「여보시오, 동무님들. 서슬이 퍼렇게 되어 남의 처소에 들어왔다 하면 장폐를 놓아 딱장을 받아 내든지 무슨 결딴을 내주어야 하지 않겠소. 아니면, 동백주 한두 잔으로 사화나 하고 가야 동배간에 지켜야 할 예법인즉슨, 무턱대고 이웃 임소의 처소를 쑥밭으로 만들고만 돌아서면 그만이오? 싸우던 개도 돌아서면 꼬리를 치는 법, 사화술이라도 나누는 것이 도리가 아니오?」

어떤 인사는 미친 수작이라 하여 코웃음을 치고 가버렸지만, 상임

(上任)짜리로 보이는 한 40줄의 사내가 돌아서며 대꾸를 하였다.

「외눈박이값 한다더니 그 인사 꽤나 심지 바른 수작일세그려. 애매하게 당한 양주 처소 동무님들도 있고 하니, 십시일반 추렴해서 술판이라도 벌이세그려.」

굶주린 창자에 먹자는 데 행짜 놓을 위인이 어디 있겠는가. 그것이 아니더라도 공사 전날 이런 사단이 있었다는 사실이 도임방(道任房)의 두령에게 입문된다면 반수·접장이 몰밀어 추달을 받을 일도 염두에 두어야 할 것이었다. 공연한 일로 악증을 돋워 무안만 당한 요중회의 상임들이며 상단 행수 격인 서른대여섯이 마방 안으로 돌아섰다. 그 거동을 보고 양주와 송파의 쇠전꾼들은 내심 쾌재를 불렀다. 맨 처음 그들의 숙소에 잠행해 들어가서 그들의 결기를 돋우어 끝내는 여기까지 짓쳐 오르게 하였던 천봉삼 수하의 장본인은 그들의 권도가 들어맞아 버린 것에 무릎을 쳤다. 그들의 염통에다 불을 지른 것은 그들을 마방까지 휘동시키자는 술수였고 이제 사화술이라 하여 술판을 벌인다 하면 송파 처소 본방인 천봉삼을 유리한 입장에서 다시 천거할 수 있게 되었기 때문이다. 밖으로 내쫓기었던 양주 처소 동무님들이며 동자치 여편네들, 그리고 중노미에 상노아이들을 다시 불러들여 홰를 달고 목로를 들어내고 휘장 다시 쳐서 주과를 차려 내기 시작하였다.

정주간에서는 섬밥을 지어 내고 술은 모줏집에서 들여온 것이었다. 반빗간에서는 광어, 상어를 말린 안주에 북어무침과 돝고기며 산적들을 양푼으로 담아내었다. 사발순배는 술 기갈만 든다 하여 갱개미가 술잔 대신으로 목로에 듬성듬성 놓이고 술방구리는 집어치우고 아예 들여올 때부터 동이술로 주변하였다.

어지럼병이 지랄병 되기는 수월하더라고 금방 살변이 터질 것 같던 마방에서 천만의외의 사화 술판이 벌어진 것이었다. 처음엔 모두가 버성기는 듯하더니 몇 각도 되지 않아서 불승대회로 자리들을 좁히고 목로 앞으로 기어들어서 파탈하고 말았다. 자연 목로를 사이하고 송파와 양주 처소 동무들과 과천과 광주, 용인 처소 동무님들이 마주하고 취편하게 되었다. 면이 없던 사이들은 수어(數語) 수작*으로 초인사들 여쭙고 차 치고 포 치느라고 목로 주변이 턱짓, 고갯짓들로 잠시 소연하였다. 과천 처소의 염상 행수로 조금 전 봉삼에게 옹골지게 봉욕을 한 위인도 보였다. 위인의 본색이 의뭉스럽고 또 뒤가 없는 무골충이었는지 나가지 않고 취편을 한 것이었다. 과천 임소에서 온 동무님들 중에는 꼭두새벽에 남태령을 넘어서 동작진(銅雀津)을 건너 서빙고의 시탄장이나, 아니면 양재 역참〔馬粥〕거리로 해서 한강진(漢江鎭) 갯나루로 나아가 화목을 내다 파는 나무장수나 밤이나 잡곡을 내다 파는 곡물장수에다 삼남에서 오르는 피륙들을 중로 도집하여 인근 제물포나 부평 백마장(白馬場)에다 풀어먹이는 난전붙이들인지라, 대개는 성품들이 조용하고 얌전하였다. 거기에 어염 상대(魚鹽商隊)가 끼여 있으니 결기 하나만 가지고 호랑이 없는 골에 살쾡이가 주인 노릇으로 이른바 행수 격을 자처하는 것이었다. 과천은 옛적부터 삼남으로 오르내리는 길목이라 벼슬아치며 반명을 한다는 위인들의 출입이 번다하여, 자연 과천 난전꾼들은 잇속을 노리는 재간에 있어 약고 꾀바른 데다 관속(官屬)들과 어울리는 자가 많았고 삼문 안 소식에도 다른 상대들보다 빨랐다. 물맛이 달고 술맛이 톡 쏘는 것은 모두가 과천이 산수가 해맑은 덕분이라 할 수 있었다.

목로 맞은편에 좌정하였던 송파패가 순배 기다리기 진력나 하던 끝에 앞에 앉은 과천의 염상 행수의 심지나 떠보려는 듯 쓸까스르는

*수어 수작 : 두어 마디 말을 주고받음.

어취로 수작 건네기를,

「어이쿠, 잘코사니야! 하지도 못할 놈이 잠방이는 진작 벗는다더니, 형장께선 봉욕을 하고 무슨 반죽으로 술추렴에 끼였소이까?」

「아우님, 그러지 마시게. 내 어리무던한 위인일시 분명하네만 판세 돌아가는 물리야 알아채지 못하겠는가. 내 잠시 소증이 돋아서 송파 본방님 앞에 삿대질을 들이댄 것은 불민(不敏)한 탓일세만, 본때 있게 당하였기로 우리 동무님들끼리 주고받은 소동인데 매원으로 여길 까닭이야 없지 않은가.」

「삼 년 된 각시 호롱불에 속곳 말린다더니 형장께서도 어지간히 답답하고 어리석군요. 송파 쇠전 마당의 패두 천 행수라 하면 가근방에선 소문이 왜자한 장력이외다. 그렇게 녹록하게 당할 사람으로 알았소? 하물며 관아의 농간에 조석으로 놀아나야 하는 접장에야 접구(接口)*도 하기 싫다는 사람에게 대중없이 장문을 놓겠다 하면 어디 될 법이나 한 처사요?」

「하긴 송파 쇠전 마당에 사람 났소. 천 행수가 원래 성깔 있다는 송경(松京)이 태자리란 말은 들었소. 정말 내일 공사에 접장 차정에는 나서지 않겠다는 것이오?」

「그건 또 무슨 새삼스러운 말씀이오? 조금 전에 들었던 귀는 귀양 보냈소?」

「사실은 천 행수의 말에 흠절할 것이 없었소. 최 동무님을 다시 시재 접장으로 모신다 하여도 경난이 없는 것은 아니외다. 최 동무님이 관속들과 친분이 있고 알음이 있다 하나 외방의 난전꾼들을 근기 지경에서 쫓아내고 과천 임소에서 전매를 한다 하면 징세(徵稅)는 우리가 도맡아 해야 하지 않겠소. 물론 징세 명목을 하매자

* 접구 : 겨우 입에 대는 시늉만 함.

들에게 받아 낸다 하나 이문의 반이 넘게 징세 명목으로 관아로 들어가니 닷 돈 추렴에 두 돈 오 푼 내는 멸시와 홀대만 받고 나중에 우리 수중에 남는 것이라고는 허액(虛額)뿐이지 않겠소. 최 동무님을 그대로 시재 접장으로 차정한다면 어염의 행매는 우리 임소만 할 수 있도록 비감이 내려질 것은 사실이나 모진 장세(場稅)에 시달릴 것을 생각하니 그 또한 낭패가 아닙니까. 물화의 값이야 작자 만나기에 달렸지 않소. 소금이 천세가 나서 값이 떨어지면 소금 한 바가지에 두 푼이나 서 푼의 금어치로 척매(斥賣)를 할 수는 있으되, 시치장(市直狀)*만 만지작거리는 관아에서는 준가(準價) 이상으로 행매를 한다 하면 하매자들을 꾀어 먹고 간대로 증고(增估)*해 이문을 탐하였다 하여 잡아들여 능장을 내리지 않소. 물계는 조석으로 변하는 것이되 다락같이 올려놓은 징세액은 일정하니 이런 야단이 어디 있소? 또한 하매자들에겐 시세에 따라서 고헐간에 모개흥정일 수밖에 없으니 이문을 본 푼전 중에서 어느 것이 물화의 값이며 어디까지가 징세인지 우리는 도통 맥을 잡을 방도가 없습니다. 푼전으로 시작한 난전질을 길래 하다간 이문만 징세로 야금야금 갉아먹히고 종내엔 여각의 포주인에게 배약(背約)당하기 일쑤이고 낙본(落本)*하여 패가망신하기 알맞겠소. 하소연에 포달을 떤들 누가 알아주겠으며 푼어치의 동정인들 받을 수 있겠소? 집에 가서 식솔들에게 핵변을 늘어놓은들 장삿길 나갔던 놈이 낙본하여 돌아왔다면 어느 계집이 달갑게 여기겠소. 집에서 치부하여 돌아오기를 학수고대하는 식솔들을 속이겠소, 아니면 눈이 화등잔 같은 관아를 속일 수 있겠소? 내가 살자 하니

* 시치장 : 시장의 시가(市價)를 사실하여 보고된 문서.
* 증고 : 값을 마음대로 올려 받음.
* 낙본 : 본전에서 밑지거나 손해를 봄.

만만쟁이*들인 양민들이나 속이고 꾀어 먹는 방도만 찾게 되지 않겠소? 그러잖으면 같은 동무님들끼리 치고받아서 박이 터지고 송사가 일어나는 꼴을 보이게 되지 않겠습니까.」

이에 송파패는 게트림 길게 빼고 나서,

「반편인 줄 알아 모셨더니 경위 한번 밝아 좋소이다. 까마귀 열두 소리 중에는 동에 닿는 소리도 없지 않구려. 실은 알고 보면 우리가 여항과 저자의 양민들을 괴롭히는 화근이 되고 있소이다. 우리가 물고 있는 징세며 잡세들이 조정에 들어가서 나라의 힘을 늘리고 외세를 막아 내는 데 소용이 되기는커녕 전부가 벌열층의 고래등 같은 기와집으로 들어가고 그들의 장롱 속으로만 들어간다 하면, 이것이 어디 백성을 다스린다는 사람들이 해야 할 짓입니까. 그들이 곳간에 쌓이는 곡물이며 피륙하며 만 민의 꿰밋돈들을 또한 마냥 썩히고만 있을 리도 만무입니다.」

송파패가 갱개미를 들어 목을 축이고 나서 눈을 부라리며 변설을 이었다.

「종내는 서사들이며 청지기들을 앞세워 팔도에 널린 기름진 옥토만을 골라서 사들일 것이 아니오? 장토를 헐값에 빼앗기다시피 한 농투성이들은 하루아침에 마름으로 낙척이 되어 도조와 상환곡에 시달리게 됩니다. 결국 그들은 노속을 풀어서 족징(族徵)*으로 도조를 받아 내게 되니 나라의 기강이 이 지경으로 흐트러지도록 이른 터에 우리가 다시 그들의 앞잡이가 된다 하면 칼을 물고 엎어질 일이 아니오? 그들은 우리에게 징세의 책무를 맡겨 놓고 겨울이면 설설 끓는 구들장 아랫목에서 첩실을 끌어안고 사추리에 힘

---

* 만만쟁이 : 남에게 만만하게 보이는 사람을 낮잡아 이르는 말.
* 족징 : 조선 시대에, 군포세를 내지 못하는 사람이 있는 경우에 그 일가붙이에게 대신 물리던 일.

을 돋워 후사를 생산합니다. 그러다가 기력을 잃으면 윗방아기*란 것을 끌어들여 양기 돋울 일을 도모합니다. 여름이면 죽부인을 안고 누워 음풍영월하다가 더우면 강가에 나가 시회(詩會)라 하여 화전에 천렵으로 소일합니다. 때로는 우리네 백성들을 보고, 네놈들은 삼시 세끼 모가지가 미어지도록 국밥을 우겨넣되 반명을 한다는 우리들은 죽으로 연명한다고들 합니다. 그러나 죽이란 게 우리가 먹는 멀건 보리죽이 아니지 않소? 씹을 건덕지가 없는 깨죽이요 잣죽이 아닙니까. 우리야 강조밥에 푸새김치로 속을 채워서 그것이 똥 되기가 어려워 뱃구레가 더부룩할 동안 배가 부르겠으니 명색이 끼니를 때웠다고 말하지요. 우리 같은 천례들이야 산골 저자를 기듯이 헤매다가 맞춤한 막창년이나 정분해서 홍합 대접을 자별하게 받고 나면 너덧 장도막 동안은 계집 생각을 잊고 지내는 것을 분수로 알고 있소. 그러나 저들은 산해진미로 조석으로 보신하니 하루 종일 가죽방아질을 하여도 식은땀 한 번 흘리는 법이 없소. 어디 그것뿐이겠소. 전장을 늘리는 재미만 알아서 필마를 몰아서 해동갑으로 달려도 자기 땅에 남아 있기를 원하는 욕심까지 가졌소이다. 그런 자들이 퇴침을 높이 하고 누워서 공맹을 읽는 것은 사대부의 지체를 가지자는 충정에서가 아닙니다. 글 속에서 하례들을 부리는 능수단이 무어며 무슨 분부가 체통을 잃지 않고 지체를 높이는가 하는 것을 배우려는 것이오. 그들이 공정한 공사(公事)를 베풀어 덕치(德治)를 한다는 일은 외면하면서, 사사로운 전장과 추녀를 높이고 곳간을 이어 짓는 일에만 골똘한다는 것은 고을의 병문마다 내세운 생사당(生祠堂)이며 공덕비만 보아도 알 수 있지 않소. 참으로 선정을 베푼 벼슬아치의 공덕비는 비

* 윗방아기 : 회춘을 위하여 동침하는 젊은 여자.

석거리에다 내세우는 법이 아니외다. 토색하지 않은 원님의 생사당은 고을의 백성들이 자진하여 세우고들 있지 않소. 이런데도 토색 관원의 앞잡이를 차정하는 일에 형장께서 뒷배를 보아줘야 하겠단 말씀이오?」

「듣자 하면 아우님의 말씀이 올곧은 소리요. 그러나 내일 공사에 우리가 최 동무님을 접장으로 앉히지 못한다면 그땐 더욱 낭패가 아니오? 자칫 경솔하게 굴었다간 어떤 앙화가 들이닥칠지 동무님도 예견할 수 있으리다.」

「물론이외다. 만약 광주 관아에서 비감을 내린 인사가 아닌 엉뚱한 사람을 차정하였다 하면 신차 접장(新差接長)을 삼문 안으로 잡아들이든지 혹독한 징세를 먹이려 들 터이지요. 또한 어염의 전매는 물론이요, 차후부터는 광주 임소에서 올리는 원장(願狀)도 한낱 허섭스레기가 될 것입니다.」

「전후좌우의 사정이 그러한 판에 평지풍파로 화근을 자초해서 우리 상단이 이로울 게 없다는 것은 자명한 일이지 않소? 중뿔나게 굴었다간 삼문 안으로 여축없이 잡혀가서 견모만 당하고 관재만 입게 되는 법이 아니오? 우리 파탈하고 순배나 돌립시다.」

「형장께서도 꽤나 답답하시오. 그렇다 하여 구천에 박힐 때까지 토색 관원들의 농간에 놀아나야 한단 말이오? 경기 지경에 흩어졌던 상단이 하루아침에 이곳에 취회하여 공력을 들이고 있는 까닭이 무어요? 실상(實商) 중에서 걸출한 인물을 차출하여 접장으로 세우자는 뜻이 아니겠소. 우리 상단의 서러움을 알고 명분을 알고 함께해 환난상구(患難相救)의 길을 찾자 하면 뱃심이 있는 인사로 차정을 보아야 합니다. 지금이 바로 그때요.」

「여보시오, 아우님. 콩이야 팥이야 따져서 어떻게 하시겠단 말이오? 하루하루 연명도 바쁜 우리가 관원들의 분부나 끽소리 없이 거행해 올려야 그나마 목숨 부지합니다. 천 행수가 아무리 인물이 개자하다* 해도 팔도 임방 동무님네들을 모조리 먹여 살릴 재간이야 없겠지요. 이젠 그만둡시다.」

「그랬다간 평생 하천의 무리로만 박혀 살아야 한답니다. 외방의 토호들이 악질 노령배(奴令輩)들을 상민(商民)들로 가장시켜 장시마다 행패를 놓게 하고 서원 찌꺼기들은 저희들대로 상대(商隊)를 세운다는 핑계로 우리에게 잡세를 물라고 공갈을 놓고 토색질을 한다 하여도 미천한 우리들은 그것을 막지 못하고 바라보고만 있소이다. 춘수전, 추수전을 바쳐 자문을 지니고 험첩(驗帖)을 지닌들 그게 무슨 소용입니까. 그놈들의 행패를 적발하여 관아에 원장을 올린들 공결(公決)은커녕 연타(延拖)*하여 유야무야되기 한두 번이 아니었습니다. 통문(通文)을 돌린다 하여 위한(違限)하기 일쑤였고 도회(都會) 한 번 시원스럽게 열린 적도 없었소이다. 도회가 지금에 이르러 상단들의 외면을 당하는 연유가 무엇입니까. 무근의 사실을 날조하여 알소(訐訴)하였다 하여 취회를 주동한 동무님을 잡아들여 횡액을 안기기 때문입니다. 불알에 물집이 잡히도록 걷고 입에서 단내가 나도록 벌어도 겨우 연명할까 말까인데 어느 개아들놈이 억울한 동료를 구하려고 취회하려 하겠소. 게다가 도회를 한다고 모여들기만 하면 도서원(都書員)붙이나 색리(色吏)들이 좇아 나와서 잡세 거두라는 분부 아니면, 민란(民亂)이나 염탐해 달란 분부뿐이시니 이건 못할 노릇이 아닙니까. 장시에 모여드는 양민들이 우릴 보고 뭣이라고 합니까? 토색 관원의 발쏘시개라고들 하지 않습니까. 까마귀 소리를 내야 합니다. 꾀꼬리 소리를 낸다 하여 하루아침에 까마귀가 꾀꼬리 되는 법은 없소이다.

---

* 개자하다 : 용모와 기상이 화락하고 단아하다.
* 연타 : 일을 끌어서 미루어 나감.

우리는 우리다운 접장을 내세워야 합니다.」

「허, 아우님도 꽤나 끈질기게 채근일세그려. 내 다시 악증을 부리기 전에 그만두지 못하겠소? 구곡간장(九曲肝腸)이 썩은 눈물을 흘려 적선을 빈다 하여도 이젠 글렀소이다. 이젠 그만 징징 울어대슈.」

송파패가 넋을 빼고 궐자를 적이 바라보다가 씹어뱉듯 한마디 덧붙였다.

「내가 무슨 수탉 죽은 넋인 줄 아시오? 밤낮으로 울어 대게.」

「그렇담 그만들 둡시다.」

6

그날 밤의 취회는 이튿날 먼동이 희붐하게 밝아 오는 인시가 가까워서야 끝이 났다. 이튿날이 공사일(公事日)이었다. 쇠전으로 오르는 길목 드넓은 한터에다 차일을 치고 덕석이며 멍석을 연폭으로 깔아서 2백여 명의 상대들이 취회할 수 있는 널찍한 도회청(都會廳)을 마련하였다. 영위, 반수, 접장 같은 상임들이 북쪽 상좌에 좌정을 하였다.

그 앞으로는 봉매기(奉枚旗)를 앞세운 각 임소(任所)의 요원(僚員)들과 비방(裨房)들이 행렬을 지어 마주 보고 앉았다. 처소에 등록된 동무님들마다 권점이 주어지지는 않았지만 시재 접장이 차정되면 봉제사(奉祭祀)에 상견례(相見禮)며 폐백(幣帛)을 드리는 절차도 있거니와 연회가 있고, 영위 권점의 절차를 또한 지켜보는 것이 공사일에 내려오는 율(律)이었고 풍속이었다.

도회청 주변에는 금잡인(禁雜人)시키고 곧이어 상임들만 취회하여 권점의 절차를 수의한 다음 도집사(都執事)가 나와 공사를 주관

하였다. 권지(圈紙)가 나누어지고 권점이 진행되는 동안 도회청에서는 기침 소리 한 번 나는 법이 없었다. 드디어 권점이 마무리되고 도집사에게 되돌아온 권지들이 반수에게 전달되었다.

접장 이상의 선생안(先生案) 중에서 한 사람, 그리고 요원 · 비방에서 한 사람씩 차출되어 권지를 가름하였다. 권지를 받아 쥔 반수의 신색이 굳어지는 듯하였다. 그는 상좌에 좌정한 천봉삼의 얼굴을 한동안 뚫어지게 바라보았다. 반수가 무겁게 입을 열었다.

「한 해 동안 근기(近畿)의 다섯 읍 동무님들을 이끌어 갈 시재 접장으로 차출된 동무님은 송파의 본방이었던 천봉삼이오. 오늘부터 접장은 송파로 옮겨 앉게 되었습니다.」

그 한마디가 반수의 입에서 떨어지자 도회청에선 일제히 함성이 터져 나왔다. 천봉삼이 일어나서 앞으로 나와 앉았다. 그리고 상대들은 모두 일어나서 시재 접장과 상견례를 하였다. 차정장(差定狀)이 내려지고 요중회(僚中會)에서 올리는 폐백이 있었다. 통영반*에 올린 간단한 다담이었다. 접장을 원님이라고도 불렀으니 이는 접장이 그들에 있어선 동료들의 생살여탈권(生殺與奪權)*을 가지고 있다는 뜻이었다. 최씨를 신차 접장으로 차정하라는 광주부 유수의 비감이 먹혀들지 않았으니 이로 인하여 앞으로 근기 다섯 읍의 보부상들에게 어떤 환난이 닥칠지 모를 일이었다.

그러나 권점이 난 대로 따를 수밖에 없었고 따르는 것이 또한 그들의 율이었다. 권점의 결말이 나자 객주에 하처 잡았던 과천 임소에서는 그 즉시 구접장의 공문제(公文祭)가 시작되었다. 최씨가 1년이 채 못 되게 모시고 있던 임소의 공문이며 기물(器物)을 시재 접장으로 차정된 천봉삼에게 전달하는 제사였다. 악공(樂工)들이 등대

* 통영반 : 경상남도 통영에서 만든 소반.
* 생살여탈권 : 남의 목숨이나 재물을 마음대로 할 수 있는 절대적인 권리.

(等待)*하였다. 삼현 육각(三絃六角)을 울리게 하기 위함이었다. 거문고, 가얏고, 당비파가 앞으로 나와 앉고 북, 장구, 해금, 피리와 날라리 한 쌍이었다. 마련된 제상에는 공문궤(公文櫃), 인궤(印櫃), 장척(長尺), 물미장과 기물들이 올려져 있었다.

제상 앞에 부복하고 있던 영위가 초헌관(初獻官), 반수가 아헌관(亞獻官), 접장이 종헌관(終獻官)이 되어 차례로 잔을 올리고 재배(再拜)의 절차가 삼현 육각의 자진가락이 울려 퍼지는 가운데 진행되었다.

예와 엄숙을 다한 제사가 끝났다. 이제 도회청으로 나아가서 시재 접장에게 공물(公物)을 인도할 차례가 왔다. 행렬의 선두에 청사초롱을 든 상대의 비방들이 늘어서고 다음이 봉매기, 그리고 풍악을 잡는 악공들이 뒤따랐다. 그다음으로는 걸망에 공문궤를 싸서 짊어진 도집사와 시영위(時領位)가 뒤따랐다. 그 뒤에 접장과 집사, 본방, 명사장, 공원 같은 임소의 상임들이 늘어서고, 그 뒤로 요원과 비방들이 청사초롱을 들고 뒤따랐다.

도회청에 당도한 공문궤는 똑같은 절차를 밟아 시재 접장인 천봉삼에게 인도되었다. 행사가 지루하게 진행되는 동안 다섯 읍의 상단 사람들은 자리를 뜰 수 없고 또한 잡담으로 소일하는 법도 없었다. 병자일지라도 그 행사만은 지켜보아야 했다.

공사일의 하루해도 이제 저물어 초어스름이 시작되고 있었다. 곧 이어 상임들의 만수무강을 비는 주연이 벌어질 판이었다. 그때, 반수로 있는 용인 임소의 좌씨(左氏)가 자리를 박차고 일어났다. 어젯밤에 있었던 마방의 소동을 가지고 징벌하여 아퀴를 짓자고 소리쳤던 것이다.

* 등대 : 분부에 따라 미리 갖추어 두고 기다림. 대령(待令).

「도방의 율에는 공사일 도회를 베풀기 전날 밤에는 어느 누구도 음주는 물론이려니와 동무님들 간에 공사를 빙자하여 어떤 명분으로도 다른 임소를 모함하지 못합니다. 소동을 일으킨다는 것은 더욱 있을 수 없는 일이오. 오늘날의 저자에는 근력만 믿는 불량배들이 난입하여 어느 것이 원상이며 어느 것이 불한당들인지 가려낼 수 없을 정도로 인정이 황폐되고 장시의 풍속은 날로 험악하오. 그로 인하여 우리 원상들조차 관아와 양민들에게 불령(不逞)의 무리들로 지목되어 빈축을 사게 되어 행매(行賣)조차 지난하게 되었소. 이에 우리 원상들만이라도 도방의 율을 제대로 지켜 장시의 기풍을 바로잡아야 하오. 우리가 우리를 구할 수 있는 자구책이란 우리 자신들의 일에 소태 같은 분별을 해서 체통을 유지해야 한다는 것이오. 우리 원상들끼리 취회를 하였다는 어젯밤에 가위 불미스러운 소동이 벌어졌다는 것을 알고도 징치하지 않고 그대로 지나친다면 이 해이해진 풍속을 어느 때에 가서 바로잡을 수 있겠소. 도방에 이런 수치가 없소. 소동 일으킨 자들을 끌어내어 염치 불고로 혼돌림을 시키고 동무님들 앞에서 본때를 보이어야 합니다.」

어젯밤의 소동이라면 도회청에 취회한 모든 상대들이 다 알고 있는 일이었다. 물론 타성바지에 숫기 있는 난전붙이들만 모여든 도회청이란 게 항상 무사할 수만은 없었다. 그러나 불상사가 일어날 적마다 여축없이 다스려 난전붙이로서의 체통을 잃지 않도록 조처하여 왔던 것이다.

반수의 말이 그러한 자들을 등시(登時)*에 색출하여 징치하자는 것일진대 감히 반대할 핑계가 없었다. 도회청이 물을 끼얹은 듯 조

* 등시 : 사건이나 문제가 일어나는 그 즉시.

용해진 것에 힘을 얻은 반수의 언변은 도저하였다.

「혹자는 우리를 오합지졸이라 부르고, 혹자는 이문만을 좇는 모리배라 하고, 혹자는 우리를 범색자(犯色者)들이라 하여 문전 박대하기가 일쑤요. 어떤 곳에서는 엄연한 원상의 신분인데도 장시의 출입을 엄금하고 있소. 이런 꼴은 동무님들도 누차에 걸쳐 경험했을 터이오. 우리가 우리의 동료를 다스림에 엄격하지 못하면 몇 조금을 못 가서 우리 상단은 장시에 발을 붙일 수가 없게 됩니다.」

도회청에 회좌(會座)한 요중회의 동무님들은 상임의 말씀이 옳다 하고 이구동성으로 궐자를 사문(査問)하여 밥을 내라고* 떠들고 일어났다.

「그렇다면 지금 당장 율(律)에 의하여 그 동무님을 다스리겠소. 집사는 나와서 도회청 한가운데다 별반거조를 차리시오.」

반수의 분부를 거역할 자는 없었다. 도회청 가운데 자리잡은 용인처소 동무님들을 가녘으로 물려 앉히고 널찍한 한터를 만들었다. 그리고 재(灰)를 탄 물동이 하나와 맷방석 다섯 장과 물미장과 장척(長尺)을 주변하였다. 도회청엔 금잡인은 물론이요 명사장과 공원들로 하여금 수직을 세워 어느 한 사람도 도회청 밖으로 빠져나가지 못하도록 엄중하게 닦달하였다. 별반거조가 차려지는 것을 기다렸던 반수가 목청을 돋우었다.

「도집사는 어젯밤 그 소동을 일으켰던 장본인들을 앞으로 불러내어 점고하시오.」

등대하고 서 있던 도집사가 한쪽 어깨를 질질 끌며 앞으로 나아가 말하였다.

「어젯밤에 분란을 일으킨 동무는 자복(自服)하시오. 여항의 아녀

---

* 밥을 내다 : 징벌하다.

자들에게까지 입초에 올라 우리 상단의 체면이 깎이었습니다. 이는 밀유(密諭)*로서 흘미죽죽* 넘길 일이 아닙니다. 어젯밤 분란의 시초는 대저 세 동무님들 불령으로 비롯된 듯합니다. 첫째는 과천 임소의 동무님들이 묵고 있는 처소에 무단 돌입하여 악지를 부린 송파 임소의 좌또출(左又出)이요, 두 번째는 좌또출의 촉분(觸憤)에 들고일어난 과천 임소의 염상 행수 우맹서(禹孟瑞)란 동무입니다. 두 동무님의 죄상은 드러나서 이제 온갖 핵변을 늘어놓는다 하여도 모피할 방책이 없는 줄 압니다. 그러나 그 먼저 좌또출을 사주했던 위인이 있습니다. 그 동무님은 송파 임소의 선돌이란 동무님이니 세 사람은 앞으로 나와 두령 앞에 부복하시오.」

꿩의 병아리같이 풀 속으로 기어들 곳도 없었고 변해하고 나설 빌미도 없었다. 곡경을 치르게 생겼다 싶은데, 동안을 두지 않고 집사가 호령하였다.

「어서 나와 부복하시오. 시각을 천추하면 잡아내겠소이다.」

도집사가 크게 떨치는 사이에 입성이 스산한 선돌이와 좌또출이 일어나서 한터로 나섰다. 그러나 그때까지도 과천 임소의 우맹서는 코빼기도 내비치지 않았다.

「과천 임소 우맹서란 동무는 어디 갔소?」

수식경이 흐르자, 분기탱천한 반수가 더 참지 못하고 도회청이 쩡쩡 울리도록 소리쳤다. 그제야 도회청 가녘에서 한 위인이 겨우 일어서며 핵변을 늘어놓았다.

「시생에게 죄안을 뒤집어씌우시다니요? 설사 팔자소관이라 하더라도 시생은 애매하게 패에 떨어졌소. 시생의 주선이 다소 부족했다 하나 죄책(罪責)을 내리지 마십시오.」

---

*밀유 : 남몰래 타이름.

*흘미죽죽 : 일을 야무지게 끝맺지 못하고 흐리멍덩하게 질질 끄는 모양.

「동무님의 결백이 드러날 만한 증빙(證憑)이 있다 하면 장문(杖問)을 면하리다.」

도집사의 말이 떨어지자 여러 총중에서 웃음이 터져 나오기 시작하였고,

「저 위인이 누굴 끌어들이느냐?」

「저런 비루한 자에겐 혹독한 장문을 내려야 하오.」

궐자를 능멸하는 소리가 사방에서 터져 나왔다.

우맹서가 상좌 쪽으로 설설 기어 나가 짠짓국 같은 눈물을 소매로 닦으면서 면죄를 시켜 달라고 백방으로 빌어 올렸으나 수치를 피하기는 이미 글러 버린 일이었다. 집사들이 나아가 궐자의 허리끈을 틀어잡아 한터로 끌어내었다. 반수가 나직하나마 분명한 어조로 분부를 내렸다.

「거기 선 송파 임소 동무들은 빙자할 일이 있으면 서슴지 말고 토설하라. 휘할 것이 없다.」

선돌이가 냉큼 대답하였다.

「변해할 것이 없습니다. 장문을 받겠습니다.」

거문고를 태워라,* 모양을 내어라* 하는 분부가 연이어 떨어졌다.

「재(灰)를 안기어라.」

선돌이와 좌또출은 기갈 든 사람처럼 잿물 한 사발씩을 받아 마셨으나 우맹서는 당초부터 옷소매로 차면을 하고 모피할 도리만 찾다가 결국은 시늉만으로 받아 마시는 체하면서 반 사발 넘어나 턱밑으로 흘려보내는 것이었다. 그러나 바라보는 동무들에게 비굴한 속내만 털어 보인 꼴이요, 마음만 분주할 뿐 별 소용이 없었다. 잿물만 가외로 한 그릇 더 안겨졌을 뿐이었다. 뒤미처 반수의 호령이 떨어

* 거문고를 태우다 : 발목을 묶어 잡아매다.
* 모양을 내다 : 잔뜩 묶다.

졌다.

「밥을 내어라.」

곤장을 내리라는 분부가 떨어지자 임소마다 다섯 사람씩 차출되어 앞으로 나아갔다. 손에는 제각기 물미장과 장척이 들려 있었고 집사들은 멍석말이를 한 세 사람에게 숯을 띄운 물을 끼얹기 시작하였다. 멍석을 내리치는 소리가 도회청 담 너머로는 흡사 섣달그믐날 떡 치는 소리로 들리었다. 모둠매를 맞고 있는 세 사람이 물론 창자를 끊어 놓겠다고 앓는 소리를 내었으나, 그렇다 하여 치도곤을 먹임에 한 치의 개평이 없었고 사사로운 정에 얽매이는 법이 도방 풍속엔 없었다. 가경(嘉慶)스러운 공사일에 이런 불미스러운 일이 없었으나 동료를 징치하는 데 엄중하지 않고는 신의와 정의가 또한 임의로울 수 없다는 것이 그들의 사정이었다.

동패 간에 사생동고한다는 것은 물론 인심에 따라야 하였다. 그러나 타성바지들에, 내로라하는 뜨내기들끼리 한동아리가 되어 상단을 이룬 처지에, 분란을 일으킨 자를 혹독한 태벌로 귀정 짓지 않고 인정에 사무치다 보면, 상대(商隊)의 율과 의리는 자연 경계가 흐트러지고 타관의 풍진을 겪게 되어 자연 상하가 문란해질 것은 뻔한 이치이매, 이를 스스로 다스리자는 것이었다. 대저 혼돌림을 당하는 동료의 몰골을 회좌한 동무님들이 똑바로 쳐다보게 함으로써 장차의 거동과 명분에 일호의 수치나 손상됨이 없도록 뼈에 아로새기고, 나아가서는 척간과 식솔들을 훈육하는 본으로도 삼으라 하였다. 체통을 자상(自傷)과 진배없는 동료의 징벌로 지키자는 의지가 그토록 혹독한 것은, 온갖 괄시와 박대 속에서 헤어나야 한다는 소망이 있었고, 대저 외방의 관원과 색리들에게 푼전과 이문을 빼앗김에 분통이 터졌으니 오늘 천만의외로 천봉삼이 시재 접장으로 차정된 연유의 근저에는 동무님들의 의지와 소망이 은연중 물 흐르듯 통했기 때문이라 할 수 있었다.

매 치는 소리가 도회청에 그득하여 진력날 즈음에, 반수가 그만 치라는 분부를 내렸다. 매질은 어느덧 멈추어졌으나 멍석에 싸인 세 사람은 결딴나 버렸는지 기척이 없었다.

모둠매를 내리던 동무님들이 자리로 돌아간 뒤에 도집장이 나아가서 풀어 놓았으나 세 사람은 혹장(酷杖)*에 시달려 소성(蘇醒)*이 다 못하여 비틀거렸다. 그 형용이 가히 쳐다볼 만한 것이 되지 못하였다. 전신의 살피듬이 석화(石花)처럼 자빠지고 길목버선처럼 찢어진 세 사람을 해당 임방 사람들이 구완할 곳으로 업어 갔다.

동료에게 태벌을 내리고 있는 중에도 연회할 주변은 진행되었다. 사방에 대낮같이 홰를 달고 목로에는 주효가 날라졌다. 처음엔 버성기던 사람들이 삼현 육각이 풍물을 잡기 시작하자 모두들 왁자지껄 죄어 앉기 시작하였다. 풍악 소리가 송파나루까지 울려 퍼지는 듯하였다. 그동안 도회청에 범접을 못하고 있던 각설이패와 걸궁패며 들병이 퇴물들이 모여들어 대궁밥들을 빌었다.

주효가 푸짐하니 인색할 것이 없고 가경일(嘉慶日)이니 구태여 서로 악지를 부릴 것도 없었다. 얼마간 동안이 뜨고 난배가 여러 번 목로를 넘나드는가 싶은데 걸궁패 하나가 문득 일어나 휘장 가녘으로 나가더니 춤사위를 가다듬고 뒤축을 울려 신명을 돋워 건드렁타령 한 소리를 메겨 나갔다.

「건드렁 건드렁 건드렁거리고 놀아 보자. 왕십리 각시는 풋나물장사로 나간다. 고사리, 두릅나물, 용문산채(龍門山菜)를 사시래요. 누각골〔樓閣洞〕 각시는 쌈지장사로 나간다. 쥘쌈지, 찰쌈지, 개쌈지를 사시래요. 모화관(慕華館) 각시는 갈매장사로 나간다. 갈매,

---

* 혹장 : 몹시 심하게 곤장으로 볼기를 치는 형벌.
* 소성 : 까무러쳤다가 다시 깨어남.

철릭, 남전대(藍纏帶)에 춘방* 사령(春坊使令)이 제격이래요. 애오개〔阿峴〕 각시는 망건장사로 나간다. 인모(人毛)망건, 경조(京組)망건, 곱쌀망건을 사시래요. 광주 분원(分院) 사기막(砂器幕) 각시는 사기장사로 나간다. 사발대접, 탕기, 종지, 용천병(龍泉甁)을 사시래요. 경기 안성 각시는 유기(鍮器)장사로 나간다. 주발대접, 방짜대야, 매화틀을 사시래요. 마장리(馬場里) 각시는 미나리장사로 나간다. 봄미나리, 가을미나리, 애미나리를 사시래요. 양사골 각시는 나막신장사로 나간다. 홀태나막신, 코매기며 통나막신을 사시래요. 구리개〔銅峴〕 각시는 약장사로 나간다. 당귀(當歸), 천궁(川芎), 차전(車煎), 연실(蓮實), 창출(蒼朮), 백출(白朮)을 사시래요. 자하문 밖 각시는 실과장사로 나간다. 능금, 자도(紫桃), 앵도(櫻桃), 살구, 복숭아를 사시래요.」

그런가 하였더니 그 또한 짝패가 있어 한 계집이 마주하여 아기장거리고 나가면서 사철가로 마주 뽑아 올리는데,

「지화자 지화자 좋네. 아기장거리고 나간다. 대명당(大明堂) 대들보 명매기 걸음으로 아기장 충충 걸어 흐늘거리고 나간다. 동작나루 백모래밭에 금자라 걸음으로 아기장 충충 걸어 흐늘거리고 나간다. 광한루 마당에 춘향이 걸음으로 아기장 충충 걸어 흐늘거리고 나간다. 목멱산 송림에 까투리 걸음으로 아기장 충충 걸어 흐늘거리고 나간다. 비 개인 송파나루에 해오리 걸음으로 아기장 충충 걸어 흐늘거리고 나간다.」

들병이 퇴물 같은 계집 둘이 서로 어울려 겨드랑이를 끼며 춤사위로 돌아가는 판에 회좌하였던 총중에서 누군가 낄낄 넘어가는 어투로 한마디를 던진다.

---

* 춘방 : 세자시강원. 조선 전기에 왕세자의 교육을 맡아보던 관아.

「어마, 고년들 살집 한번 푸짐들 하구나.」

화냥질이나 노는 잡색들이긴 하나 들병이들 춤사위에 침울하던 도회청 연회판에 흥이 바이없고* 구경꾼들까지 서슴없이 끼어들어 동락(同樂)을 누릴 제 봉삼은 가만히 도회청을 빠져나와 마방으로 갔다. 마침 두 사내가 선돌이의 장처(杖處)를 구완하고 있었는데 전혀 면분이 없는 자들이었다. 썩은 밤 씹어 놓은 듯이 된 선돌이의 엉덩이를 노둔시켜 놓고 기름에 갠 오황산(五黃散)을 이겨 바르고 있던 낯선 사내는 마침 봉노로 들어서는 봉삼에게 자리를 비켜 주었다. 봉삼은 선돌이의 손을 잡았다. 평복(平復)*을 시키자면 달장간은 지성으로 구완을 받아야 할 판세였다.

「내 소매평생에 이토록 자네에게 면난하기는 처음일세. 자네가 이런 강포의 욕을 당하고 내가 접장의 자리에 올라 양명(揚名)을 거둔들 그게 무슨 소용인가?」

선돌이가 겨우 입을 열었다.

「내 주변이 총명하지 못한 탓이었으니, 용서하게나.」

「나는 자네가 그런 술수를 썼으리라곤 미처 짐작을 못하였다네. 내가 시재 접장으로 차정된 게 바로 자네의 술수 때문이었다니…… 모두에 면목이 없게 되었네.」

「면목이 없는 것은 나뿐일세. 그러니 내가 구경 소조(所遭)를 당한 것은 당연한 일이고 또한 예견하고 있었던 터이네.」

「전루북에 춤추는 꼴로 나는 그것도 모르고 구경 장폐를 당한 자네를 두고 신참례까지 치렀으니, 이런 낭패가 어디 있는가?」

「내가 장폐를 당한 것은 스스로 겨워 한 일일세. 자네가 아니면 땅에 떨어진 우리 선길장수들의 체통을 누가 바로잡겠으며 관원들

---

* 바이없다 : 견줄 데 없이 매우 심하다.
* 평복 : 병이 나아 건강이 회복됨.

에게 정소(呈訴)나마 할 수 있겠는가. 나는 다만 그것을 바라고 꾸민 일이니 자네가 이참에 파의(罷意)를 하고 나선다면 이제부터 나와는 조면(阻面)이요 격이 질 것이네. 최씨가 광주 유수의 비감만 받지 않았다면 그런 권도만은 쓰지 않았을 것이네. 그러나 사세가 그러한 판에 내가 권도를 쓰지 않았다면 죽 쑤어 개 퍼주는 꼴이 아닌가. 자네가 낙점(落點)이 되고 말면 우리 선길장수들의 명분을 누가 찾아 주겠는가?」

「내가 지금까지 이 누추한 목숨을 부지한 것도 자네 덕분이 아니던가. 이길로 천명을 다한다 하여도 나는 여한이 없다네.」

옆으로 비켜 앉아 손만 비비고 있던 이용익이 끼어들었다.

「초인사도 올리지 못한 처지로 상임을 뵙는 것이 예법에 어긋나기는 하였습니다만, 이 동무님의 말에도 전혀 골자가 없는 것만은 아니니 상임께선 공사를 두고 더 이상 추구하지 않는 것이 좋겠습니다.」

「동무님은 내 짝패와 친숙한 사이인 듯하구려?」

「시생은 함경도 단천에서 금을 캐는 금점꾼이지요. 단천에서 서울로 올라올 적에 이 동무님과 작반하게 되었답니다. 또한 원산포에서 마방이며 우피(牛皮)객주를 벌이고 있는 조 행수님을 만났을 때 이별배를 권하는 자리에서 송파에 들러 천 행수님을 만나 교분하라는 당부도 받았던 처지입니다. 듣던 대로 뵙고 보니 자용(姿容)이 출중하시군요.」

천봉삼은 이용익을 뚫어지게 바라보다가 대답하였다.

「행수 어른과 교분이 있다 하시니 나 또한 반갑소. 그분 뵈온 지가 벌써 오래되었습니다. 뜻밖에 흉회를 털어놓을 수 있는 동무를 만나게 되어 경황중에도 반갑습니다.」

「시생 또한 그렇습니다.」

초인사 겸 대강 수작을 끝내고 봉삼은 선돌이에게 눈길을 돌렸다. 연치로는 형님뻘이 되었다 하나 그들은 서로가 격이 없는 맞잡이였었다. 처음에는 타관의 노변에서 우연히 만난 짝패에 불과했었다. 그러나 곰곰 생각해 보면 문경새재 아랫길에서 만난 이후부터 지금까지 선돌이는 오직 한가지로 그의 뒷배가 되어 준 셈이었다. 이제 살붙이들을 모두 잃고 난 지금 서발막대를 휘둘러도 거칠 것이 없는 혈혈단신이 되었다. 그러나 그런 중에서도 소몰이꾼으로 내보낸 것이 애꾸가 되어 돌아왔고, 또한 그로 인하여 6월 까마귀 곯은 수박 파먹듯 술추렴만 하고 있는 줄 알았더니 공사일에 이런 변을 당하고 만 것이었다. 짝패가 폐인이 되는 수치와 절분(切忿)*을 딛고 접장의 자리에 올랐으니 또한 절박한 일이었다. 그러나 선돌이의 소원이 그러한 것에 있다면 그를 무작정 저버린다는 것도 못할 일이었다.

봉삼은 비방청 동무들에게 분부를 내려 장문을 당한 세 사람에게 의원을 불러 대고 방문약을 지어다 간병하도록 조처한 다음, 도회청 연회판으로 나갔다. 어쨌든 천봉삼이 시재 접장으로 차정되었으므로 임소가 한바탕 소동을 겪게 될 것은 분명하였으나 다만 떠들고 마시는 데만 분주할 뿐이었다.

이튿날 아침에서야 한시름 놓게 되었는지라 이용익과 겸상을 하고 마주 앉았다.

「곧장 단천으로 내려갈 작정이오?」

「하릴없이 묵새기고 있을 수는 없지요. 시생도 생화를 도모해야지 않겠습니까.」

「우리 상단과는 행매하는 물종들이 다르니 서로 상종할 기회가 많지는 않겠습니다만, 금점꾼이나 선길장수나 알고 보면 아픈 곳은

* 절분 : 몹시 원통하고 분함.

같지 않겠소? 우리 임방이며 마방에 있는 동무들도 두어 장도막에 한 번씩은 원산포로 올라가 원산말뚝이*와 미역을 받아 와서 장안에다 풀어먹이곤 한답니다. 가고 오는 길에 다시 만나겠지요.」

그렇게 말하고 잠시 뜸을 들인 후에 봉삼이 물었다.

「내 짝패를 애꾸로 만든 취탈범들은 수탐해 본 일이 있습니까?」

「수탐해 보아야 헛일이 아니겠습니까? 산림에 숨어 있을 명화적을 시생이 어딘지 알고 추쇄를 하겠습니까?」

「그 취탈범들은 산골에 숨어 있는 명화적이 아닙니다.」

「아니라니요?」

「저희들끼리 은연중 주고받았던 말에 한 작자가 제 두목을 겨냥하여 부지불식간에 나으리라고 호칭하지 않았답디까?」

「시생도 그 말은 들었습니다만.」

「늘상 화적질이나 해먹는 작자들의 소행이 아니란 연유가 거기에 있소. 그 물화가 잠매품이란 것을 미리 수탐해 낼 수 있었던 작자들이 벌인 작폐입니다. 그 물화가 신석주의 것이라면 분명 장안의 시정배들이나 육의전 주변에서 식은밥을 먹던 왈짜들의 소행이라는 짐작이야 어렵지 않지요.」

「시생은 이곳이 타관입니다.」

「나는 그 취탈범을 알 듯도 합니다.」

이용익은 묵묵히 술질만 하고 있을 뿐이었다.

낭패를 본 것은 그날 밤 자정께였다. 상방으로 올라와서 잠깐 눈을 붙이다 말고 다시 일어나서 병객이 누운 봉노로 나가려는 참이었다. 간병하고 있던 동무님이 달려와서 봉삼의 소매를 잡아끌었다. 등잔 심지를 한껏 돋우고 바라보니 선돌이의 눈자위는 벌써 청동색

* 원산말뚝이 : '북어'의 다른 말.

으로 변하였고, 먹장 갈아 부은 것 같은 살신은 자색으로 변하였으니 외람된 변고가 일어날 조짐이었다.

「여보게, 나야, 내 말 들리는가?」

「…….」

「왜 낙맥을 하고 이러는가? 외자로 죽는 법이 아닐세. 곧 쾌차하여 털고 일어날 것이니, 심지를 굳게 가지게.」

야삼경에 삼이웃이 들썩하도록 큰 소리로 불렀으나, 이미 동자가 바로 박혀 움직이지 않았고 제사날로 고개를 내돌릴 수 있는 형편도 아니었다. 속수무책으로 조바심을 하고 있는 사이에 삽짝 밖의 발소리가 소연하더니 숨이 턱에 닿은 의원이 당도하였다. 진맥을 하던 의원이 개연한 어조로,

「벌써 맥이 사그라져 가는구먼……. 해 뜨기 전으로 이승을 하직할 작정을 한 모양이니 시방이야 편작이 온대도 살려 낼 가망은 없게 되었소. 그동안 심화가 도져 있었는 데다 독한 모주만 들이켜느라 요기 때를 놓쳐 허기에 차고 탈진이 된 위에다 또한 난장(亂杖)을 당했으니 항우·번쾌*였던들 명을 제대로 부지할 수 있었겠소? 되레 지금까지라도 연명한 것은 남다른 결기 때문이었던가 보오.」

「털을 뽑아 신을 삼아 드리더라도 이 은공만은 기필 갚아 드릴 것이니, 제발 변고만은 보지 않도록 조처해 주십시오.」

봉삼의 간청을 망연자실 듣고 앉았던 의원이,

「접장의 애성이 어떻다는 거야 나도 십분 짐작하겠소. 그러나 상단의 율이 아무리 엄중하다 하나 무지한 사람들이 기진해 있는 사람을 지리산 갈까마귀 게 발 물어 던지듯 이 지경으로 능지(陵遲)

*번쾌 : 중국 한나라 때의 장군.

를 시켜 놓고는 살려 달란 말은 내게다 하니, 이런 경위 없는 말씀이 어디 있소?」
「약을 써도 깨어나지 못한다면 시생이 단지를 해서라도 소생을 시켜야 합니다. 외자로 죽일 수는 없습니다.」
「이미 명부에 턱을 걸고 있는 터에 단지가 무슨 소용이오. 벌써 혀조차 굳어 있소. 다만 눈을 뜨고 있는 것은 이승에서 못다 푼 여한이 남아 있는 거지요. 자고로 봉(鳳)이 나매 황(凰)이 나고 장군 나매 용마(龍馬) 나고, 남원에 춘향 나매 이화춘풍(梨花春風) 꽃다웁다 하였는데 맞잡이던 짝패가 접장에 차정된 후 그 반연이 부세(浮世)의 업을 다하다니 조짐이 좋지 않소이다.」
「시생이 동기간이나 진배없는 이 사람이 무릿매를 당하고 있는 꼴을 바라보고 있었던 것은 살붙이라 하더라도 함부로 두호(斗護)하거나 은휘(隱諱)할 수 없는 도방의 율이 있기 때문이었소.」
「나도 그것은 알고 있소. 그러나 그 율이란 것 때문에 하늘 아래 명색이 이름 두고 살던 사람이 척살을 당했으니 천하에 이런 소행머리가 어디 있소?」
다만 식어 가는 시신을 놓고 탄식이 만발할 뿐이었다. 선돌이가 이승을 하직할 낌새라는 소문이 마방에 퍼지자 모두들 아랫봉노로 모여들어 국궁(鞠躬)*하고 마지막 숨을 거두고 있는 선돌이의 모습을 지켜보았다.
봉삼은 싸늘하게 식은 선돌이의 두 손을 거두어서 가슴에 얹어 주었다.
「세상에 이런 낭패가 있는가. 선돌이 자네가 먼저 가다니…….」
그가 고향에서 떠나올 때 몸에 지녔던 북포로 지은 괴나리봇짐과

* 국궁 : 존경하는 뜻으로 몸을 굽힘.

뒤축 떨어진 미투리를 어깨 아래에 받쳐 주었다. 저승길을 떠나갈 제 또한 이승에서와 같이 차림하시라는 선길장수들의 풍속이었다. 닭의똥 같은 눈물이 봉삼의 눈시울에서 삿자리 위로 떨어졌다. 그동안 임종하고 있던 의원이 말하였다.

「급히 서둘러서 좋은 세 가지가 있소이다. 역병(疫病) 피하는 것, 벼룩 잡는 것, 이미 명 끊어진 시신에 염습하는 것이오. 산역쟁이라도 부를 것이오?」

「시신은 우리 손으로 거두겠습니다.」

누군가가 그렇게 대답했다. 볼장 다 본 의원은 이제 그만 훌훌 털고 일어섰다. 봉삼은 장지를 열고 봉당으로 내려서는 의원의 중치막 자락을 낚아채고 다시 한 번 진맥해 달라고 부대꼈으나, 의원은 눈시울을 좋지 않게 뜨고 노려보다간 떨치고 나가 버렸다. 마침 상노아이 둘이 퇴 끝에 쭈그리고 앉아 서럽게 울고 있었다. 그날따라 달은 째지게도 밝았다.

철딱서니 없던 소싯적 한때는 장산곶 갯나루에서 왈짜로 자처하며 양민과 장사치들을 등쳐 먹고 행짜를 부리기도 하였다. 그러나 심기일전하여 보부상 되기를 작심하고 임방에 찾아가서 추수전을 바치고 자문 한 장을 얻어 쥐었다. 이문을 얻으면 동패에게 도량을 베풀어 연가(煙價)를 대신 물거나 인정을 썼다. 발이 부르트거나 행역에 지치면 노변의 생사당이나 방앗간에 누워 별을 헤아려 잠을 청하고 이슬을 이불로 삼았어도 결코 서러울 것이 없었다. 노중에서 만난 동료와 형제의 결의를 맺어 그가 가기 싫었어도 이끼 낀 돌니〔石齒〕*가 첩첩이 쌓인 산골길인들 작반하기 마다하지 않았다. 행매에 소득이 차지 못한다 하여 결코 동료를 야료하지 않았고 동패를

* 돌니 : 이빨처럼 뾰족하게 나온 돌 조각.

위하여 행리를 털어 주고 적수공권으로 고향을 찾았다. 부세에서 얻어지는 상리란 것이 어느 한 사람의 몫이 아닌 공번될 것이라는 그 나름대로의 철리를 터득하고 있었기 때문이다. 천례의 신세로 육신은 비록 타관에서 쇠똥처럼 굴러다녔어도 경위를 따지는 소견만은 누구보다 밝지 않았던가. 그 육신의 사사로운 괴로움을 토로하여 동패의 애간장을 끊어 놓은 일이 없었고 토색 관원에게 쫓기는 동료가 있으면 기꺼이 자신을 괴롭혀 매원을 풀어 주는 데 인색하지 않았다. 다만, 이제 저승으로 떠나려는 그에게 한 가지 여한은 남아 있었다. 타관살이의 재미에 식솔들을 부양함에 골똘하지 못하였고 4월 날씨처럼 변하기 잘하는 계집을 오래도록 버려둔 것이었다. 그 안방에까지 돌입했던 간부를 꾸짖어 내쫓고 집에다 불을 놓았을 땐 그 역시 불길 속으로 뛰어들어 계집과 함께 한 줌의 뼈로 남아지기를 소원하였다. 그러나 이승의 악업이 무엇이며 인연이 어떠한지 알 턱이 없는 피붙이가 있었기에 혀를 깨물어 참아 넘겼다. 그러나 워낙 소견이 모자라 그 피붙이조차 올곧게 건사하지 못하고 땅에 묻어 버린 지금, 구태여 혼자 남아 생화를 거두어 쾌락을 누릴 아무런 명분도 없었던 게 분명하다. 이제 그 주변에 남아 있던 것은 짝패인 천봉삼뿐이었다.

그 육신에 남아 있던 마지막 기력을 뽑아 천봉삼을 돕고 떠난 것이었다. 이제 그가 명부에 이르러 세 식구가 다시 모여 단란한 일가를 이룬다 하면 차라리 이 죽음을 서러워만 할 수는 없을 것 같았다. 또한 그 죽음이 보부상들이 취회했던 도회청에서였으니 어쩌면 선길장수답게 죽게 된지도 몰랐다.

시신을 놓고 봉당에 나와 서서 심화를 끄고 있는 봉삼에게 곰배팔이인 쇠전꾼이 말하였다.

「성님, 염이라도 해야 하지 않겠습니까? 기왕 세상 버린 사람이니 어떡하겠습니까? 입관하고 초빈(草殯)해서 의지간에 내려 두고 초종(初終)부터 양례(襄禮)까지 범절할 것을 수의해얍지요.」

「아우님이 보아도 이젠 가망이 없겠는가?」

「절명한 뒤에도 벌써 수식경이 흘렀습니다. 새삼 되뇌시면 저는 뭐라고 대꾸 하겠습니까. 단념은 빠를수록 좋습니다.」

「그 사람에게 따로 피붙이가 없겠으니, 내가 상제가 되어야겠네.」

「상제 노릇이야 어디 성님뿐이겠습니까. 고락을 같이했던 우리 모두가 상제 노릇 해야지요.」

「아까 한 의원의 말이 무척이나 귀에 거슬리네. 떠돌이 귀신이 되지 말고 곧장 명부로 가도록 상문(喪門)풀이*라도 해줘야겠네.」

「성님의 소원이 그러하시다면 그 또한 좋습니다.」

「장거리에 있는 풍류방 퇴물들이나 선무당들 말고 굿발이 야무지게 드는 명판(明判) 있는 무당은 없다던가?」

궐자가 고개를 메어꽂고 동안이 뜨도록 눈망울을 굴리고 섰다가 불쑥 한다는 말이,

「소문에 듣기로는 만리재 어름인 약고개에 장안의 사대부 집에만 단골로 드나들면서 굿청깨나 차린다는 이씨녀라는 딱 떨어지는 만신(萬神)이 있다는 소리는 들었습니다.」

「족채(足債)며 굿채〔祭費〕는 수월찮게 주변한다 하고 그 만신을 찾아가서 굿청을 봐달라고 청을 드려 보게.」

「내로라하는 사대부 집이며 기구깨나 차리고 산다는 부호들 집에나 드나드는 만신이라면 하찮은 장돌림들 초종에 고분고분 와줄지 모르겠습니다요.」

이에 천봉삼이 버럭 핏대를 올리고,

---

*상문풀이 : 초상집에 드나드는 사람들이 부정(不淨)을 타지 않도록 판수집에 가서 경을 읽는 일.

「그깟 사대부 아니라 궁가에 드나드는 만신이라 한들 명색이 장부로서 지레 겁부터 먹는가? 조빼고 방색하거든 동여서라도 데려오게.」

「저야 언변으로 노닥거리는 것보다 동여 오는 편이 백 번 수월합지요. 무당 서방 되라는 사주만 있다 하면 사양 못하지요.」

「흰소리하고 있을 시각이 없네.」

떠먹이듯 당부하여 궐자를 약고개로 내보낸 뒤 윗방으로 돌아오니 기다리고 있음 직하던 이용익이 보이지 않았다. 쇠죽솥 아궁이에 대가리를 처박고 불씨를 찾고 있는 상노아이에게 물었더니, 장렛날 다시 오겠다는 약조만 남기고 조반 요기도 않고 잔입*으로 삼전도로 총총히 사라지더란 대답이었다. 그러고 보니 이제 새벽이 밝아서 벌써 첫배 띄울 시각이 된 모양이었다.

7

선돌이가 그저께 밤에 당한 장문으로 혼도(昏倒)한 이후 소성(蘇醒)을 보지 못하고 그대로 열명길에 올랐다는 소식은 밤사이에 각 객주와 처소에 파다하게 퍼졌다. 광주(廣州) 신장(新長) 분원의 사기막에서 온 자기장수며 쇠전꾼들이 조문하였다.

장문형(杖問刑)을 당한 동료가 액운에 걸려 장하(杖下)에서 식은 방귀를 뀐다 하여도 이를 추구(追求)하여 매 들었던 자들을 사문(査問)하는 풍속 또한 없는지라, 어느 구석에서고 혹독했던 장문에 관한 일만은 거론되지 않았다. 삼일장으로 장택(葬擇)*도 내고 송파 비석거리 뒤 언덕에다 장지(葬地)도 잡았다. 마방의 식솔들에게 서

* 잔입 : 자고 일어나서 아무것도 먹지 아니한 입.
* 장택 : 장사 지낼 날을 가려서 정함.

둘러 상복을 짓게 하고 제반 범절에 욕됨이 없도록 조처하였다. 그 사이에 송파에서 떠난 곰배는 해가 서너 발이나 좋이 올라서야 삼개로 떠나는 뗏배를 얻어 탔다. 해가 상투 끝에 와서 짓찧는 중화참에 이르러서야 겨우 약고개에 득달하였다. 수소문 끝에 전냇집을 찾아내어 삽짝 밖에서 길게 통자를 넣었다. 그러자 신당의 장지문이 기다렸다는 듯이 열리면서 한 미색이 얼굴을 내밀었다. 곰배가 허리를 굽실하며,

「급시로 찾아와서 체면이 개똥이오만, 지나던 노중 행객이외다. 집에 외정(外丁)이 없어 보이나 기갈이 들어 그러하니 물 한 그릇만 적선하십시오.」

봉당으로 가만히 내려서는 계집이 보기 드문 미색이라 막보기가 거북해 수작한다는 것이 물 한 그릇 적선이었다. 금방 날것으로 집어 삼킨대도 비린내도 날 것 같지 않은데, 매월이는 엉거주춤 서 있는 곰배의 체수를 유심히 가늠하더니 불쑥 묻는 말부터가 무녀다웠다.

「어느 임방에서 오신 동무님이시오?」

「동무님이라? 보시다시피 행담짝 하나 메고 있지 못한 터수로 행매하러 온 입장은 아닙니다.」

궐녀의 미색에 우선 놀랐던 곰배가 의뭉을 떨고 나올 조짐으로 툇마루에 털썩 엉덩이를 걸치는 것을 기다렸다가,

「어디서 굿청을 차릴 일이라도 있어서 찾아온 모양인데, 공연히 딴전 말고 사연부터 털어놓으시오.」

눈을 화등잔만 하게 뜨고 매월이를 쳐다보던 곰배가,

「시생은 근기 지경 송파 저자에 있는 설생이라 합지요. 내 몰골이 천상 곰배팔이라 곰배라고도 부른다오. 시생의 동패 가운데 한 동무님이 지난 새벽에 덜컥 열명길에 올랐소이다. 원래 살아생전 포원 진 일이 많았고 혹간 남의 못할 일도 저질렀던 동무님이라 명

부로 곧장 가지 못하고 중로에서 떠돌이 잡귀가 될까 하여 진혼굿을 차려 주려 하오. 족채며 굿채는 두둑하게 내릴 것이니 시생과 동행하십니다. 송파 임소까지 안동해 드리리다.」

「송파 저자 어디시오?」

「윗머리 쇠전 마방이랍니다. 우린 송파에서 마방객주를 내고 있소이다.」

「그 마방 쇠살쭈 되는 분이 뉘시라 하오?」

「천 행수로, 지본은 송도로 쓰오. 거 미주알고주알 남의 사타구니까지 쓰다듬어 묻지 말고 어서 아퀴나 지으시오. 가겠소, 그만두겠소?」

매월이는 눈앞이 아득해졌다. 천봉삼의 마방에서 어찌하여 여기까지 방자를 놓아 만신을 부르고 있는 것일까. 어젯밤 꿈이 수상하여 종일토록 심기가 편치 못해 문고리를 잡고 있었더니 천만뜻밖에도 이런 위인이 찾아온 것이었다.

「우리 행수님이 만약 방색이면 동여서라도 안동해 오라고 윽박지르시니 싫다 해도 딴 방도가 없소이다.」

위인의 언사며 거조가 죽은 최돌이와 흡사하였다.

「그런데 처소의 어떤 동무님이 저승 야차에게 덜미가 잡혔소?」

「행수님과는 이태 전부터 친분을 트고 서로 궁합이 맞아서 짝패로 지내던 선돌이란 동무님이 하세(下世)하시었소.」

「그런데 외삼촌이 물에 빠졌소, 웃긴 왜 자꾸 웃소?」

「내일 닭보다 당장의 계란이더라고, 만신의 자색이 마치 월궁항아라 나도 모르게 실없이 웃었던가 보오.」

「신당이 망하려면 제석(帝釋)항아리*에 말의 뭐가 들어간다더니,

---

* 제석항아리 : 제석신을 모신 항아리.

만신에게 통부(通付)하러 온 위인이 지각없이 간색에 여념이 없으니 굿청도 모시기 전에 벌써 마가 끼었소이다.」

「그러지 마시고 오시겠다는 약조나 주시구려.」

「시주(施主)며 치하금을 두둑이 내리겠다니 내 안 갈 수야 없지. 돌아가서 굿청 차릴 주변 하고 제주(祭主)는 목욕재계하고 기다리라 이르시오. 장정 반나절 걸음이니 술시 전까지는 득달하리다.」

「사흘장이오. 만약 파약(破約)을 하시면 낭패 볼 일이 한두 가지가 아니니, 그리 아시오.」

곰배가 신신당부하고 떠난 뒤에 매월이는 몸을 정하게 닦고 무구(巫具)를 갖추고 단골 박수와 악공들을 불렀다. 박수와 작반하여 삼개 새우젓골나루로 나아가니 마침 숯내로 하여 용인까지 가는 시선이 도강객을 부르고 있었다. 궐녀가 송파나루에 하륙한 것은 저녁거미가 내리는 술시께였다. 사공막 근처에서 궐녀는 잠시 망설였다.

사공터 어름에는 세마(貰馬) 놓는 집이 많았다. 경마꾼들이 몰려와서 배에서 내리는 행객들의 행탁을 서로 빼앗아 챙기고 있었다. 궐녀는 숨도 돌릴 겸 사공막 근처의 풀숲에 앉았다. 이길로 곧장 송파장터로 오르면 천봉삼을 만날 수 있다는 사실이 믿어지지 않았다.

궐녀에겐 천봉삼에게 겨냥하고 있는 날이 시퍼런 한 자루의 칼이 있었다. 물론 그 칼자루는 궐녀의 가슴속에 숨겨 두었다. 그것을 쓰기에는 아직 일렀다. 신석주의 집에 자주 들락거리는 것도, 또한 길소개와 통을 짜고 신석주의 잠매품을 중로에서 취탈한 것도 전부가 궐녀의 가슴속에 응어리진 매원이 시킨 일이며, 궐녀가 지금에 이르러 이토록 사악한 계집으로 둔갑한 것도 모든 연유가 천봉삼 때문이랄 수 있었다.

매월이도 들병이 출신이요, 천봉삼도 역시 하찮은 장돌림이었다. 서로 지체가 가합하지 못하여 작배(作配)가 되지 못할 건 없었다. 장돌림의 지체로 기구 있는 집의 별당아씨를 넘볼 입장도 아닌 터에 들병이라 하여 일언지하에 소박을 놓고 모피하던 것에 매월이의 가슴 아픈 원혐이 있었다. 언제인가 봉삼의 가슴에 비수를 꽂든지 아니면 꼼짝없이 작배하여 평생 해로할 남정네로 돌아설 때까지 매월이는 스스로의 힘을 기르는 수밖에 없다고 심지를 옹골지게 먹은 지 오래였다.

그러나 궐녀는 몹시 심란하였다. 심화가 도져서 앙심으로 변하고 그 앙심이 굳어져 응어리진 매원으로 남았다 하더라도 그 매원의 밑바닥 어디엔가는 봉삼의 신수라도 한번 보고 싶었던 마음이 궐녀를 허겁지겁 송파나루에까지 뛰도록 만든 것이었다.

하치않은 장돌림에게 한번 빼앗긴 마음이 이태가 넘도록 돌아서지 못하는지 궐녀로서도 도대체 모를 일이었다. 천봉삼에게 곁을 주었을 적엔 그것이 궐녀에게 있어 첫번째의 남자도 아니었지만 그렇다고 천봉삼의 행방술(行房術)이 천하에 뛰어난 것도 아니었다. 그런데도 스스로 마음을 돌릴 수가 없었다. 그것이 바로 궐녀가 지닌 심질이었다.

「바로 이 마방이에요.」

문득 귓결에 그런 말이 들려왔다. 깜짝 놀라 내려다보니 사공막에서부터 길라잡이를 하겠다고 따라온 사공터의 악다구니였다. 악다구니에게 한 닢 주어 돌려보낸 뒤 무구를 짊어진 박수와 악공들에겐 멀찍이 나가 섰으라 이르고 마방 안을 기웃거렸다. 행랑의 맨 아랫봉노에서부터 서너 칸까지는 불이 환히 켜져 있고 정지에는 음식을 삶아 내느라고 동자치 여편네들이 분주하게 들락거리고 있었다. 장례를 주변하느라 바쁘게 돌아가는 판이라 삽짝 밖에서 사람이 기웃거려도 알은체하는 사람이 없었다.

마침 댕기 드린 떠꺼머리 한 놈이 쇠죽가마에서 죽을 퍼 담아 마방 쪽으로 건너가는 게 보였다. 행수가 들어 있는 봉노를 물었더니 그중 널찍해 보이는 상방을 턱짓으로 가리켰다. 장지 앞으로 가서 기침 소리로 연통하니 방 안에서는 들어오라는 남정네의 목소리가 들려왔다. 장지를 열고 방 안에 들어앉기까지 천봉삼은 고개를 돌리지 않았다. 올이 성긴 북포로 성복(成服)하고 허리에 요질(腰絰)*하고 머리엔 천테〔喪冠〕까지 한 것을 보고 매월이는 놀랐다.

불똥이 튀는 등잔만 바라보고 앉았다가 그때서야 장지에 기대고 앉은 매월이를 힐끗 쳐다보는 봉삼의 눈자위는 부어올라 있었다. 일순 봉삼의 얼굴이 일그러졌다. 이마에 송곳이라도 꽂을 양인지 뚫어지게 바라보는 봉삼의 눈길을 받으면서 매월이는 온 삭신이 으스러져 내리는 듯하였다. 그러나 봉삼은 금방 무표정으로 돌아갔다. 선돌이가 유명을 달리한 지금의 다급한 사정이 매월이를 만나게 된 것보다 더욱 놀라웠기 때문인지도 몰랐다. 동안이 뜨도록 봉노 안에서는 거북한 침묵이 흘렀고 나무토막 같은 봉삼은 꿈쩍도 않았다.

「경황중이나 속으로는 적이 놀랐소.」

먼저 입을 뗀 것은 봉삼 쪽이었다.

「제가 불쑥 얼굴을 내민 것에 놀랐다면 방자를 놓아 부르긴 왜 하였소?」

「천만뜻밖이구려. 언제 무기(巫技)를 익혀 장안에서도 소문이 왜자한 만신이 되었소? 이씨녀라는 만신이 설마 댁네인 줄은 몰랐구려. 내가 불렀다는 것을 알고 있었소?」

「진작부터 송파 처소에 있는 줄 알고 있었지요. 그러나 만나고 싶지는 않았으나 우연히 동하여 입낙하고 만 터라, 초종에 낭패를 시킬까 하여 달려온 것입니다.」

---

* 요질 : 상복(喪服)을 입을 때, 짚에 삼을 섞어서 굵은 동아줄처럼 만들어 허리에 대는 띠.

「우리가 우연히 다시 상봉하게 됨에 서로의 처지가 이토록 달라졌소이다. 그동안 지내는 일에 고초가 많았겠지요?」

「천례의 몸으로 적막강산인 한세상 풍상을 겪지 않고 살란 법이 있겠습니까만, 지금은 한시름 놓은 셈이지요.」

「내게 포원을 지고 있는 듯하나, 이젠 세월도 이만치 흘렀으니 정근(情根)일랑 푸시는 게 옳을 것이오.」

「계집의 가슴에 한번 맺힌 매듭은 이승의 밥줄을 놓기 전에는 풀기가 어렵겠지요. 그것이 손쉽다 하면 제가 왜 또한 무당이 되었겠소.」

「만신이 된 게 내 탓이란 말이구려.」

「그럼 누구 탓이란 말입니까? 제가 아직 공방살이를 하고 있는 것이 그럼 제 기박한 팔자 탓이란 말입니까? 그렇다면 이 팔자는 누가 만들었습니까?」

「그것이 설령 내 탓이기로서니 지금은 장안의 사대부들이 알아주는 만신이 된 터에 구태여 내게 앙심을 품고 있을 까닭이 없지 않소? 여자의 몸으로 태어나서 일세에 양명을 날리고 시량 범절 부족함이 없다 하면 그 위에 더 바랄 것이 무어요.」

「비단으로 몸가축을 하고 수륙진미가 턱에서 떨어지지 않은들 계집으로 태어나서 공방살이에 달과 별을 동무하는 것이 그럼 숙성한 계집의 살아가는 노릇이란 겁니까?」

「그럼 만신이 된 것도 내 불찰이요, 공방살이 된 것도 내게다 타박하겠단 말이오? 그런 올곧지 못한 말일랑 마시오.」

「제가 천 행수의 행지를 더듬어 삼남의 장거리를 서캐 잡듯 수배하고 다니면서 행역을 치렀다는 것은 미루어 짐작하실 만하고, 서울로 올라온 것도 또한 천 행수의 행적을 뒤쫓아온 것이란 것을 전혀 모른 척하실 양이군요.」

「내가 댁네를 소박 놓았던 것은 그만한 연유가 있었던 거요. 내 신수가 한곳에 머물러 전장이나 가택을 마련하고 소생들과 더불어 일가를 이루어 방귀나 뀌며 살지 못할 팔자라는 것을 알기 때문이오. 또한 댁네가 전자에 나와 상관한 일이 있다 하나, 한 남정네에게 말뚝을 박고 살아갈 처지가 아니었지 않소?」

「한강의 사공이 하루 종일 나루질하며 수백 명을 도강시키고 있으되 의중에 남는 인사들이야 한둘이 있을까 말까요. 제 비린내 나는 살신에 여러 남자가 지나갔다 하나 제 연충 속 깊이 아로새겨진 남자란 천 행수뿐이었소. 그러니 제가 천 행수를 사모하여 동락하기를 소원하는 것이 또한 욕받이가 될 것이 아니지 않습니까. 서생들이 그 스승을 따르게 되는 것이 누가 시켜서 되는 일이 아닙니다. 모두 그 마음에서 우러나는 것이 아닙니까. 저 또한 그동안 심지를 다잡아 먹고 제 스스로를 다스리려 하였으나 계집의 심성이 본래 독하여 그 뜻을 오늘날까지 이루지 못하였으니 이것이 바로 심질이 되고 앙심이 된 것뿐입니다.」

「지금에 와서 내 심지가 돌아선다 할지라도 댁네와 월승을 맺어 작배할 입장이 되지 못합니다. 댁네의 소원이 나를 얽매는 데 두었다 할지라도 나는 이미 한 몸이 아닙니다. 내 수하에는 사생을 같이하고 호궤시켜야 할 식솔들이 수십 명에 이르고, 또한 그에 따르는 권속들이 많습니다. 내 명색이 사내로 태어나서 이들을 외면하고 한 여인에게 안주하여 서천(西天)에 뜬 구름이나 바라보며 음풍영월로 세월을 보낼 수는 없는 터요. 세상에 구태여 나 아니더라도 걸출한 사내는 많고, 또한 무명색한 나와 평생의 고락을 같이한다 하여 꼭히 즐겁다고만은 할 수 없을 것이오. 만약 댁네가 이미 해묵은 옛날의 일을 가지고 소가지를 부리고 악지를 놓는다 하면 댁네를 베어 버리겠소.」

「잘못했다간 줄초상 나겠구려. 저를 내친단 말입니까, 아니면 목숨을 요정 내시겠단 말입니까?」

「내 입에서 댁네를 능멸하는 말이 나오지 않게 하려거든 어서 굿청이나 차려 망자의 열명길이나 보살펴 주고 돌아가시오. 인정전 만큼은 수월찮게 내리리다.」

「그깟 때 묻은 쇠전꾼의 인정전 없어도 솥에 개 들어앉진* 않으니 상심 마시오.」

「이미 쏟아진 물이니, 구태여 퍼 담으려 한다면 또 무슨 소동이 일어날지 모르지 않소?」

천봉삼이 쉽게 돌아서지 않으리란 것은 예측한 터였으나, 당사자의 입에서 흘러나오는 말을 마주 앉아 듣고 보니 그 수치스럽고 당혹스러움에 가슴이 도려지는 듯 아프고 쓰렸다.

마당에서는 벌써 만신이 당도한 줄 알고 굿청을 차리느라 부산하였다. 집 안 곳곳에 홰를 달아 굿청을 대낮같이 밝히고 박수가 가져온 신상(神床)이 차려지고 철릭과 승모(僧帽)와 장삼이 개복청(改服廳)에 내걸리었다.

봉삼의 방에서 나온 매월이는 개복청으로 나아가 승모를 쓰고 장삼과 가사를 걸친 다음 염주와 흰 부채를 들고 사뿐 굿청으로 나섰다. 박수와 잡이들이 굿청 가녘에 물러앉아 장구를 치고 필률*과 횡적(橫笛)*과 해금을 반주하였다. 첫거리가 시작되기 전에 주당물림이 있었다. 부정거리가 시작되고 만신의 입에서 사설이 옥돌같이 굴러 나왔다. 부정(不淨)을 부르고 다음에 호구(戶口), 만명(萬明), 그리고 불행하게 죽은 지신인 영산(靈山)을 불렀다.

* 솥에 개 들어앉다 : 끼닛거리가 없이 여러 날 동안 밥을 짓지 못하였음을 이름.
* 필률 : 피리.
* 횡적 : 가로로 불게 되어 있는 피리를 통틀어 이르는 말.

「설명도 대신영산. 빛 다른 영산에 색다른 영산에, 부리영산 신위영산 호영산 물에 빠져 수살영산. 객사영산에 로추영산. 빛달리 가던 영산에 하탈영산. 쥐통에 가던 영산 활 맞아 죽은 영산 살 맞아 죽은 영산. 많이 먹고 즐겨 먹고 고픈 배 불리고 마른 목 적시고 천씨의 가중엘랑 침착 없고 별화 없이 밤이면 불이 밝고 낮이면 물이 맑아, 수화를 갖추 맑혀 봉학이 넘놀듯이 일월이 비치는 듯 서기가 반공한 듯 재수 일고 소망 이루어 인명 늘고 부자 되고 평반에 물을 담은 듯이 열 섬에 한 뉘같이 장류수 물결같이 춘하추동 사시절에 하루같이 도우시고 천씨가중 남녀식구 열액대액 삼재팔난 다 제쳐 주시고 남녀자손 부귀창성 무쇠목숨 돌끈 달어 다 도와주소사…….」

장삼에 땀이 배고 만신의 도홧볼이 발갛게 익었다. 잡이들의 가락에 맞추어 춤사위를 떨쳐 내는 솜씨가 비범하고 쪽빛의 벽계수와 같이 거침없이 돌돌 흘러나오는 사설풀이에 모두들 넋을 빼앗기었다. 가락을 옮겨 타고 춤사위가 바뀔 적마다 장삼 사이로 보이는 새하얀 만신의 속살 육기(肉氣)는 희다 못해 푸르렀다. 장삼의 바람을 타고 너훌거리니 흡사 망자와 마주 서서 춤사위를 고르는 듯하였다.

「천씨네 열두 혼백 남망제씨(男亡者氏) 업어 내고 모셔 낼 때 쇠패랭이 숙여 쓰고 청창옷* 떨쳐입고 삼각수(三角鬚)를 거스르고 붕어눈을 부릅뜨고 유자뺨을 벌룽대며 석류코를 쭝긋하며 함박입을 딱 벌리며 마목다리 뒤던지고 주걱발톱 허비면서 업어 내고 모셔 낼 제 한 손에는 청룡 들고 한 손에 배자 들고 오라사슬 비껴 차고 활등같이 굽은 길에 나비같이 달려올 때…… 고성 대구, 원산 북어, 산중 과실, 해중 어물, 양주 밤에 남양 건시, 보은 대추, 봉산·

* 청창옷 : 푸른 소창옷.

황주 참외로다. 맑은 청주, 흐린 탁주 모두 다 드시고 망망대해, 높은 산, 긴 내 건너서 명부에 당도하여 영생 극락 누리소서…….」

열두 거리를 다 끝내고 나니 동녘이 훤하게 밝아 왔다. 이제 만신은 거의 탈진하여 쓰러질 듯하였으나 치성을 드림에 단 한순간도 게으름이 없었고 열두 거리 어느 한순간에 소홀함도 없었다. 만신의 눈은 밤새도록 푸르게 빛났고 때로는 비수와 같은 시선을 봉삼의 등줄기에다 꽂는 듯하였다. 궐녀를 불러 굿청을 차린 것이 되레 화를 부른 것인지도 몰랐다.

굿청을 물리고 난 뒤 봉삼은 상청(喪廳)으로 매월이를 불러들여 꿰밋돈을 건네었다. 그러나 매월이는 그것을 거두려 하지 않았다.

「굿채를 마다하면 굿발이 받지 않을 터이니 내게다 낭패를 주지 마시오.」

「넋전을 챙기려 하였다면 제가 굿청에다 낯바대기를 내밀지 않았소.」

「굿채를 마다한다는 것이 내게 가진 포원 때문이오?」

「그렇소이다.」

「그렇다면 내 수하 사람을 시켜서라도 신당에다 갖다 놓아 드리리다.」

「다 싫소이다. 그것으로 식솔들의 끼니나 장만하시구려. 오늘은 빈손으로 돌아서겠으나 언젠가는 천 행수가 제게 와서 국궁하며 오늘의 박대를 용서 빌 날이 있을 것입니다.」

「내 설령 낙척이 되어 거러지가 된다 하더라도 칼을 물고 백사지에 엎어졌으면 그리 하였지 어찌 댁네의 아랫도리에 무릎을 꿇겠소. 댁네가 유명짜한 숙무라 하나 한낱 선길장수의 앞길을 막을 수는 없소. 나 또한 반연을 잃어 심란한 터에 댁네까지 울골질하면 마음 둘 곳이 없게 됩니다. 그리 알고 돌아가시오.」

두 사람이 서로 버성기며 밀고 당기고 죽을 쑤었다 밥을 지었다 하는 중에 갑자기 삽짝 밖이 소연해지더니 홍철릭을 떨친 난데없는 기찰포교들이 뒤축을 뻗대며 마방 안으로 들어서는 것이었다. 소매에 찬바람이 쌩쌩하고, 눈자위엔 서슬이 시퍼런 나장이들이 불문곡직하고 삽짝을 제쳐 발길로 내던지며 마당으로 들어서자 마침 상여를 꾸미고 있던 동무님들이 앞을 가로막고 물었다.

「남의 상청 앞에 본데없이 이게 무슨 행짜시오?」

결기깨나 있다는 곰배가 앞에 서서 호되게 꾸지람을 내렸으나 앞장을 선 장교란 놈은 노랑머리에 북상투 튼 곰배를 쓴 외 보듯 흘기면서,

「이놈, 뉘 앞을 가로막고 대중없는 혼금이냐? 네놈의 개눈깔엔 이 철릭 자락도 보이지 않느냐? 너희놈들 패두인 천가란 놈 예 있느냐?」

「접장에 차정된 상임을 두고 패두라니요? 거 무슨 해괴한 말투요?」

「어라, 이놈 봐라? 까딱했다가 이놈들이 허교(許交)를 하려 들겠구나. 저리 비켜, 이놈. 모가지가 성한 거로구나. 천가놈 어디 갔느냐?」

「여기 있소만, 왜 그러시오?」

장교가 눈을 부라리고 나서 앞에서 알랑거리는 곰배란 놈을 한 손에 걷어 내치었다. 장교의 서슬에 부산하던 상청 마당이 모두 넋이 빠져 물을 끼얹은 것 같은데, 그때 봉당 아래로 내려선 성복 차림의 봉삼이 물었다.

「제가 천가 성 가진 사람이오.」

장교가 봉삼의 행색을 비틀어 베어 물 듯이 아래위로 가파르게 훑고 나서는 뒤에 선 나졸에게서 용모파기를 넘겨받았다. 이어 장교가 고함을 쳤다.

「이놈, 게 꿇어라.」

이미 이런 사태를 각오한 바라 봉삼은 꿈쩍 않고 장교와 나졸들을 노려보았다. 그러나 사정인즉슨 딱하였다. 나라님의 분부라 할지라도 상청을 벌인 터에 이런 낭패가 없었다. 광주 관아 삼문 안에 끌려가서 고초를 겪게 되었다는 것이 겁날 것은 없으나 망자에게 이런 결례가 없지 않은가. 그것도 상제 된 입장이 아닌가. 그러나 들이닥치고 보니 상청을 차리고 있다는 것이야 장교 행세 하는 위인도 알 만하건만 잠시 주저하는 사이에 소매에 바람을 넣으면서 장교는 또 한 번 소리 질렀다.

「이놈, 또 무슨 꾀까다로움을 부리느냐. 처소에 있던 동패가 식은 방귀를 뀌어 네놈이 복재기(服人)가 된 것도 알고 있다. 그러나 안전의 분부가 추상같으니 천추할 시각이 없다. 어서 썩 나와 오라를 받아라.」

이에 율기하고 서 있던 천봉삼이 되받아치기를,

「상사(喪事)에 부의는 못할망정 오라를 받으라니요? 내가 무슨 율을 범했다고 등시 포박을 하겠다는 거요?」

「네놈에게 죄가 있고 없고가 내게 무슨 상관이냐? 삼문 안에 끌려가서 추심을 받아 보면 네놈의 죄가 백일하에 드러날 터, 오라부터 받아라.」

천봉삼이 되레 두어 발짝 물러나며,

「나랏법에는 간당률에 처할 죄인이라 할지라도 상제가 되면 일시 상청으로 내보내어 초종범절을 치르게 한 후 다시 가두거늘, 내 일찍이 죄지은 바 없고 또한 내 동기가 열명길에 올라 장례 중인 판에 시재 당장 내게 오라를 지워야겠소?」

이에 장교가 달려와서 다짜고짜로 봉삼을 잡아 엎치려 하였다. 그러나 근력 세찬 봉삼이 꿈쩍도 않고 버티어 서자, 그 용력에 놀란 장교는 눈자위를 하얗게 뒤집고 뒤에 선 졸개들에게 소리쳤다.

「이놈들아, 시방 뭣들 하고 서 있는 거냐. 이놈에게 오라를 씌워라.」

장교의 겁먹은 호령에 놀란 포졸들이 우르르 몰려와서 봉삼에게 오라를 씌워 뒷결박을 지었다. 그런 난리가 터졌는데도 마당에 서 있던 집사 · 공원 들이며 동패들은 속수무책이었다. 곱다시 당하는 수밖에 없다고 생각했기 때문이다.

천봉삼이 송파에서 마방을 일으켜 북상들과 거래를 트고 상리를 꾀하는 동안 단 한 번도 광주 아문의 관속들이나 이속배들을 찾아가 안면을 트지 않았고 또한 인정전을 바친 일도 없었다. 이에 배알이 뒤틀린 광주 길청의 이속배들이 통을 짜고 핑계할 것만 있으면 천봉삼을 잡아들여 치도곤을 먹이려고 벼르고 있었는 데다 이번 공사(公事)에서 비감을 내렸던 최 행수를 밀어내고 봉삼이 접장으로 차정되었다는 소식이 길청에 입문되는 대로 압령장을 만들어 압송도사를 풀어놓은 것이었다. 광주부 유수 민영목 역시 이속배들의 농간에 걸려들기는 마찬가지였다. 원래 길청의 아전들이란 고을 관장의 시량범절을 도맡아 치르고, 이에 관장이 그들의 간언과 술계를 눈감아 주었으니 대저 그에 따라 옥사(獄事)가 그칠 날이 없었다.

천봉삼을 결박 지은 뒤 장교는 압령장을 내보이었고 그제야 남아 있는 동패들과 초종에 대한 뒤처리에 수의할 말미를 주었다. 곰배가 나지막하게 말하였다.

「성님, 저놈들을 덮쳐야겠소.」

「상청에서 무슨 해괴한 거조를 벌이려는가?」

「상청 앞이라지만 몽매한 사람이 잡혀가는 판에 행패를 보고만 있으란 겁니까?」

「우리가 소동을 피운다면 더 큰 환난이 닥치게 된다는 것은 왜 생각 못하는가? 여럿이 당할 봉욕을 내 한 사람으로 치를 수 있다면 그 또한 불행 중에도 다행이 아니겠나.」
「유 생원께 기별을 놓을깝쇼? 그분은 장안의 사대부들과 친분 트고 있는 사람이 많을 터이지요.」
「그러지 말게. 어차피 한번은 치러야 할 곤욕이 아니겠나.」
「그렇다면, 저 나장이놈들을 묵사발로 만들고 튑시다.」
「어디로 튄단 말인가? 우리 식솔들을 데리고 남부여대(男負女戴)* 해서 산림으로 들어가 녹림당에 가담하자는 것인가?」
「그렇다고 이 행패를 보고만 있을 수는 없지 않습니까?」
「난전꾼 억울한 게 어디 한두 번이던가. 나 없는 동안이라도 초종을 치름에 범절이나 잃지 않도록 하게. 범백사에 소홀해서는 안 되네.」
「유수가 속전을 바치라면 어떡할깝쇼?」
「속전은 고사하고 베 자투리 하나라도 나를 핑계하여 갖다 주어선 안 되네. 그리고 나는 관식(官食)으로 연명할 터이니 옥 수발도 생각 말게. 또한 상거래에도 소홀함이 없도록 조처하시게.」
「옥사쟁이〔獄鎖匠〕란 놈들이 관식을 내어 줄 리 만무입니다.」
「사쟁이들을 꼬드겨서 관식을 얻어먹지 못하면 회자수(劊子手)의 턱찌끼라도 얻어먹고 연명할 터이니, 아예 구메밥 넣을 생각들은 말게.」
「만약 사나흘지간에 무사타첩이 되지 않는다 하면 우리가 파옥을 하겠소.」
「그런 말들은 마시게. 저 장교놈이 우리가 수작하고 있는 것을 딴전 펴면서도 죄다 엿듣고 있다네. 내가 정녕 간신(艱辛)*을 견디기 어려우면 통기를 넣겠네.」

* 남부여대 : 가난한 사람들이 살 곳을 찾아 이리저리 떠돌아다님.
* 간신 : 힘들고 고생스러움.

8

신신당부해서 간정*시킨 뒤 천봉삼은 압송도사에게 이끌려 나갔다. 장거리 사람들이 몰려나와 압송되는 천봉삼의 거동을 지켜보았다. 치맛자락에 눈물을 찍어 내는 부녀자들도 없지 않았고 철모르는 악다구니들은 비석거리까지 따라오며 구경하였다. 송파 장거리에서 광주 관아까지는 행보가 빨라야 한나절 길이었다. 그러나 광주에 당도하여 토옥에 내려 갇힌 지 사흘이 지나도록 끌어내어 추심할 요량을 않았다. 토옥이란 것도 허술하기 짝이 없어 파옥하려는 마음만 먹는다면 금방 해낼 수 있을 정도였다. 맨 처음 그가 뇌옥으로 들어갔을 땐 구메 도적질로 연명하다 잡혀 온 작자 한 사람뿐이었으나 사흘 뒤엔 다섯 사람이 두 칸도 채 못 되는 감옥에서 조기 두름처럼 포개어 새우잠을 자게 되었다. 처음엔 바닥에 널린 짚 쓰레기에서 기어오르는 지린내와 땀내로 사뭇 찡하니 두통이 왔었다. 그 냄새가 코에 배고 두통이 가라앉자 이번엔 구석에 놓아 둔 똥장군에서 구린내가 풍겨 눈시울을 뜨고 있을 처지가 못 되었다. 지치고 배고픈 몸뚱이를 짚 쓰레기 속에 파묻고 누우면 금방 잠 속으로 떨어질 듯한데 그러지 못했다. 살갗을 긁어낼 듯한 냉기가 솟아올랐기 때문이다. 다섯 죄수가 들어 있는 뇌옥 말고도 여러 빈 간옥이 있었는데도 어쩐 셈인지 한 칸에다 죄수들을 몰밀어 처넣는 것이었다. 그러자니 물것들이 더욱 기승을 부렸다. 밤에는 잠드는 동안보다 물것에 시달려 깨어 있는 동안이 더 오래였다. 비어 있는 뇌옥의 물것들이 살내를 맡고는 모두가 이쪽으로 몰려오는 것이었다. 물것들은 극성이어서 밤낮을 가리지 않고 달려들어 사람을 괴롭히는데, 이는 차라리 동

* 간정 : 앓던 병이나 소란하던 일이 가라앉음. 진정.

헌 마당으로 끌려 나가 혹장을 당하는 편이 한결 시원할 것만 같았다. 먼저 들어온 도적과 봉삼은 물것들에 시달려 살신 군데군데 종기가 번지기 시작하였다. 지린내와 물것들의 시달림에서 잠시라도 벗어나는 길은 쉴 새 없이 지껄이는 것이 상책이었다. 옥정(獄情)*이 차마 눈 뜨고 볼 수 없을 지경으로 참혹한데도 도적이었던 자는 간죄(姦罪)로 잡혀 온 위인에게 간음한 사연에 대해 지다위하여 얘기를 듣고자 하였다.

간죄를 저지른 위인은 처음엔 부추기는 바람에 몇 번인가 저지른 대로 이야기를 늘어놓았지만, 수차에 걸쳐 똑같은 이야기를 늘어놓는다는 일에 이젠 진력이 났던지 코대답도 않았다. 그때 광주 부중의 호민(豪民)이었다는 유씨(柳氏)라는 늙은이가 봉삼에게 수작을 건네었다.

「젊은이는 무슨 앙화를 입어 이 곤욕을 치르고 있소?」

「아직 동헌에 끌려 나가 한 번도 추달을 당한 바가 없으니 우매한 제가 그것을 알 도리가 없습니다.」

봉삼의 대답이 떨어지자 그 노야(老爺)*는 씁쓰레하게 웃음을 흘렸다.

「난 또 저기 앉은 양상군자와 동사했던 사람인 줄 알았소이다. 간옥에 갇히는 사람들이야 도적이나 범색자, 아니면 양민이오. 도적과 양민을 함께 잡아들여 혹장을 먹이니 밝은 세상에 나가서도 양민이 옳은 것인지 도적이 옳은 것인지 알 수 없게 되었소이다.」

「노야께선 무슨 일로 이런 봉욕을 당하십니까?」

「길청에 있다는 이속배들의 농간일 뿐이지요. 내가 경복궁을 지을 적에 꽤 여러 바리의 원납전(願納錢)*을 바친 일이 있소이다. 이속

---

* 옥정 : 옥사를 다스리는 정상.
* 노야 : 늙은 남자.

배들이 그것을 곰곰 봐두었다가 핑계만 생기면 나를 잡아다가 곤장을 안겼다오. 세상에 이런 경위가 없지요.」

「저는 송파 쇠전거리의 천 행수라 하지요. 아직 연소하니 말씀은 낮추십시오.」

「가당찮은 말이외다. 간옥에 갇혀 있는 죄인의 지체들로 굳이 상하를 찾을 일이 없소.」

「저도 읽은 것이 없는 상것입니다만, 사람이 구천에 박힌들 어찌 노야에게서 하오를 받을 수 있겠습니까. 꽤 여러 번 혹장을 당하신 모양인데 용하게 견뎌 내셨습니다.」

「그것이 무서워 치도곤 한 번에 바쳐 온 속전이 기만 냥에 이른답니다. 이제 가산은 탕진되고 집의 내자는 화병으로 황천길로 먼저 떴소이다. 과년한 딸자식 둘이 있는데, 따비밭이라도 일구어야 이것들이 끼니를 이어 갈 판인데도 자꾸만 잡아들이니, 딱한 것은 내가 아니고 되레 저희들입니다. 부자가 망하여도 삼 년 먹을 식량은 있다는 속언만 믿고 잡아들여서 감춰 놓은 문권이라도 내놓으라는 거조이니 이보다 더 딱한 일이 어디 있겠소.」

「이제 세렴(稅斂)으로 빼앗기도 진력나서 곤장으로 빼앗으려 드는군요.」

「도대체가 알 수 없는 일입니다. 백성의 재물을 취탈하여 저들만 먹고 살아서 무엇에다 쓰겠다는 것인지. 백성이 나라의 근본일진대 근본이 넘어지면 아전들은 장차 어디에다 의탁할 것인지. 백성들의 정기와 골수가 메말라서 목숨이 끊어질 지경이 되면 고을도 없어지게 될 것인데 저희들은 어디에 가서 살 작정들인지. 가는 베, 도타운 명주, 진귀한 어포나 큰 전복을 서울로 싣고 가서 이방

* 원납전 : 경복궁 중수를 위하여 대원군이 백성들로부터 거두어들인 기부금.

(吏房)이 아니면 적리(籍吏)에 차임되기를 청촉하여 사사로운 장부를 두어 요역(徭役)*과 부세(賦稅)를 저희들 마음대로 하여 거둬들인들 도대체 어디 가서 누구와 의탁하며 살려는지, 그것이 궁금하고 답답할 따름이오. 그러고도 윗사람으로부터는 언제 고풍채(古風債)*나 사패(賜牌)*가 내려질 것인가 하고 기다리는 판이니 도대체 아전들의 뱃구레는 무당의 쌀자루인들 당해 내지 못할 것이오.」

「탐욕의 눈이 밝아지면 세상의 이치에는 어두워지는 법이 아니겠습니까. 벼슬아치들이란 저희들의 곳간에 곡식과 피륙이 쌓이면 백성 또한 그러한 줄 알고 있습니다. 자기 한 몸의 요족함에 취하여 드넓은 세상의 고통을 모르고 있으니 세상에 백 사람의 공자가 환생한다 한들 눈이 어두운 한 사람의 벼슬아치를 다스리지 못합니다.」

옥리* 기둥에 기대앉아 겨우 버티고 있는 유 노야가 기어드는 목소리로 말하였다.

「그러나저러나 나는 이제 살아남기는 글러 버린 사람이오. 보나마나 딸자식들이 속전을 구처하겠다고 동분서주하겠지요. 아이들이 속전을 주저하였다면 이제 우리 집은 폐문이 될 판이요, 속전을 구하지 못하였다면 나는 장하에서 명을 다하게 생겼습니다.」

그때 마침 석식 때가 되어 옥문이 열리었다. 함지박이며 바가지를 옆구리에 낀 아낙네들이 간옥의 칸살 앞으로 모여들었다. 옥문을 따주러 온 사잿이를 손짓해 부르며 한 죄수가 소리쳤다.

---

* 요역 : 나라에서 정남(丁男)에게 구실 대신 시키던 노동.
* 고풍채 : 새로 부임한 벼슬아치가 그 관아의 서리나 하례들에게 내려 주던 돈.
* 사패 : 공로가 있는 시골 아전에게 부역을 면제하여 주던 일.
* 옥리 : 옥사(獄舍).

「여보시오, 옥사장 나으리, 우린 언제 나가서 형문을 받게 되오?」

옥문에 빗장을 내리던 사쟁이가 안달이 난 죄수를 힐끗 쳐다보며 능멸하는 어조로,

「그걸 내가 알 게 무어야.」

「옥사장 나으리가 모르신다 하면 누가 안단 말이오?」

「저런 발칙한 놈을 보았나. 그럼 옥사장이 광주 아문의 공사(公事)를 다 말아먹는단 말이여? 육방 관속은 왜 두었고, 벼슬의 계차는 왜 두었나? 옥사장이 죄다 말아먹는다 하면 내가 시방까지 이 시궁창보다 더러운 뇌옥이나 지키고 있겠는가?」

「그러지 마시고 동헌 소식이나 좀 전해 주오.」

「안전께서 아직 광주 아문으로 납시지 않았다네.」

「우리가 끌려온 지 벌써 닷새가 넘는데 아직도 장안에 계시단 말이오?」

「저놈 보게. 잘 알고 있었으면서 이놈아, 묻긴 왜 물어? 그놈, 속이 멀쩡해 가지구선 날 기롱하자는 수작 아닌가?」

「언제쯤에나 공사에 납시겠소?」

「이놈아, 내가 안전의 첩실인가, 청지기인가?」

「판관 나으리께서 전자(專恣)하여 처결하실 만도 하지 않소?」

「이놈아, 그러지 말고 네놈이 다 해버려라. 그놈, 보아하니 무불간섭이로고.」

「이러다간 형문도 받아 보기 전에 죽고 말겠소. 제발 하루빨리 사실을 받도록 주선 좀 해주오. 배곯아서 이젠 말도 제대로 나오질 않습니다.」

「이놈, 보아하니 속셈이 은근히 관식을 넘보는 게 아니냐. 배고프면 성가시게 굴 것 없이 발바닥이나 핥아라.」

마침 유 노인의 두 딸이 칸살 앞으로 다가와 함지박을 싼 보자기

를 끌러 놓았다. 유 노인이 모두들 같이 먹기를 극력 권하고 또한 여분도 넉넉해 보이는지라 봉삼도 장떡 한 개를 건네받았다. 두 딸 중에서 골격이 우람하여 남상지르고 숙성해 보이는 맏이가 봉삼의 의표를 눈여겨보더니 물었다.

「잠깐 드릴 말씀이 있습니다.」

봉삼이 고개를 끄덕이었다.

「송파 처소의 보부상들이 삼문 밖에 몰려와서 접장님을 방송해 달라고 정장을 올리고 돌아가지 않고 소란을 피우다가 나장이들에 쫓기어 더러는 몸을 상했다 하더이다.」

「낭자께서 나가시는 길에 혹여 그 사람들을 만나거든 삼문 밖에는 얼씬도 말라더라고 일러 주시오.」

「제 아비의 형용도 차마 눈 뜨고 쳐다볼 경황이 아닙니다만, 댁네들 신수도 바라볼 처지가 아니군요.」

「낭자로부터 들었던 안위의 말씀 평생 잊지 않겠습니다.」

궐녀가 잠깐 외면하고 얼굴을 붉히었다. 다시 장떡 한 개를 집어 봉삼에게 권하는 궐녀의 손이 떨리었다. 그때 유 노야가 묻지도 않은 한마디를 혼잣소리처럼 던졌다.

「저 자식놈의 연치가 스물하나가 되었으나 아직 정혼한 곳이 없소이다. 설사 청혼할 곳이 있다 하여도 제 아비의 형상이 늘상 이 꼴이니 도대체 집을 떠나려 하지 않소. 아비를 잘못 만나 자식놈 하나 애늙은이로 만들게 되었으니 시름만 겹친답니다. 차라리 소싯적에 설산(設産)에 힘쓰지 않고 시절이나 농하며 노량으로 살았더라면 지금 와서 이런 액회에 들지 않았을 것이고 내자를 나 먼저 저승으로 보내지도 않았을 터이지요. 또한 저것들이 과년하도록 아비의 뒷수발만 할 처지에 놓이지도 않았겠지요. 내 일생을 바쳐 설산하여 요족하게 살려 했던 뜻이 이런 죄업으로 뒤바뀌게 될 줄이야 진작에 알았겠소? 젊은이는 이제라도 늦지 않았소. 자식들의 말을 듣자 하니 임소의 접장이신 모양인데 버티지 말고 달라는 대로 속전을 바치고 나가서 제발 상리를 좇아 설산을 꾀하는 일 말고는 아무거나 하시오.」

「이제 저도 늦어서 딴 길을 물색할 처지가 아닙니다. 상리에 뜻을 둔 지 오래되었답니다.」

「젊은이의 외양이며 말본새를 보아하니 고집이 드세는 보입니다만, 천지가 뒤바뀌지 않는 한 젊은이도 나와 같은 길을 걸을 수밖에 없게 되오. 그래도 끝내 이 신고를 겪겠소?」

「좋다 마다할 겨를도 저에겐 없습니다. 이번 옥사로 하여 제가 장폐를 당한다면 할 수 없습니다만, 명이 붙어만 나간다 하면 역시 상로배로 살아갈 수밖에 없습니다.」

「고집불통이구려. 뼈추림을 당한 뒤에 설산하면 뭣 하오.」

「제게 세상이 깜짝 놀랄 만한 깨달음이 있어서가 아닙니다. 그 길만이 저와 제 동패들이 살아가는 방도일 뿐이란 생각을 좇아가는 것이지요.」

그때 유 노야의 큰딸이 봉삼의 손에 들렸던 물사발을 건네받았다. 그런데 물사발을 건네준 손바닥에 남는 것이 있었다. 마침 옥졸들이 와서 끼니 가져온 식솔들을 밖으로 내치자, 유 노야의 여식들도 조급히 함지박을 챙겨 간옥 앞을 떠났다. 그들이 떠난 뒤 똥장군 앞으로 가서 소피를 보는 체하면서 손바닥의 것을 가만히 펴보았다. 떠깽지가 꼬깃꼬깃 접혀 있었는데 그 속에 은자 다섯 닢이 들어 있었다. 은자를 싼 떠깽지에는 '꼰' 자가 박아 쓴 글씨로 씌어 있었다. 봉삼은 그것을 접어 괴춤에 찔렀다. 한 가지 짐작되는 게 있었다. 유 노야의 두 여식들은 저들의 아비를 방송시킬 만한 속전 마련에 지치고 말았다는 짐작이 그것이었다. 속전을 주변하였다면 길청의 아전들에게 갖다 바칠 일이지 이런 푼전으로 옥졸이나 구슬려 보라는 수작은 않을 것이기 때문이었다. 저들의 아비를 제쳐 두고 구태여 봉삼에게 이것을 맡긴 것은 봉삼이 그중 기력이 듬직해 보이고 주변머리도 있어 보였기 때문일 것이었다.

봉삼은 이 사실을 유 노야에게 가만히 말하였다. 유 노야가 고개를 숙이고 듣다가 대답하기를,

「이제 신기 멀쩡해서 나가긴 글렀구려. 내 소생들이 그나마 몇 두락 남아 있는 전장을 처분하여 작량(作兩)*을 하려고 백방으로 수배를 하였으나 그것이 여의치 못했던 것이오.」

「차제에 전장을 헐가로만 넘긴다 하면 작자가 나설 터인데요?」

「그렇다마다요. 작자가 나서야 하는 게 이치지요. 그러나 내가 내어 놓은 전답을 사들인 자는 어떠하겠소? 그 위인 역시 아전붙이들의 겨냥이 되어 나와 똑같은 닦달을 치를 게 뻔하지 않소. 그러니 전답이 탐난다 한들 함부로 나설 수가 없습니다. 다만, 아전붙이들이나 권세깨나 쥐고 있는 작자가 나서서 전장을 사들이려 하겠으니 이 위인들이 지금 내 신세가 하루가 절박하다는 것을 알고 내 옥답을 똥값으로 사들이려 하고 있는 것이오. 그러나 헐가로 팔아넘긴다 하여도 속전의 금어치에 미치지 못하겠으니 내 소생들이 굽도 젖도 못하고 있는 거지요. 내가 일찍이 처분했던 전장들도 모두 그리 하였다오.」

「그런데 광주 부중만 하더라도 노야와 같은 천석꾼이 여럿이었을 터인데, 노야와 같이 아전들의 토색질에 시달리기만 한다면 어디 천석꾼이 배겨 나겠소?」

「그것이 내 고집 때문이었다오.」

---

* 작량 : 엽전 백 푼으로 한 꿰미를 만들던 일.

「알 만하군요.」

「내가 그만한 전장을 일으킬 때까지 남을 괴롭힌 적이 없었고 또 한 남의 땅을 권세에 기대어 취탈하다시피 한 적도 없었소. 내가 떳떳하였으니 또한 관정(官庭)에 발을 디밀 까닭이 없었고 한여름에 건어 두름과 젓단지니 세밑에는 생선과 황육을 선사하거나 수시로 인정전을 바쳐 그들과 내통한 적이 없었소이다. 부사(府使)의 순력(巡歷)*을 핑계하여 잡세를 거둬들여 이청(吏廳)*의 잡용을 지탱한다 하나 그 내막이 모두가 아전붙이들의 사사로운 곳간으로 들어간다는 것을 알고 있는 내가 그때마다 거절하였지요. 작죄한 적이 없어 아부하지 않았고, 백성 된 양심에 거리낌이 없었으니 또한 거동이 떳떳하였소. 그러나 이제 와서 송금(松禁)*을 어겼다 하여 고초 중에 남게 되었으니 모두가 잘못된 일이 아닙니까. 세상에 비루한 것이 재물을 빼앗기지 않으려고 신고를 겪어 싸우는 몰골일 것이니 식자들의 눈으로 보면 얼마나 누추해 보이겠소. 이속배들이 겨냥하는 것이 또한 그것이오. 그 포은으로 옥졸이나 구슬려 간옥에 있는 동안이나마 편하게 지냅시다.」

「저놈들 버릇만 고약하게 만들 뿐입니다. 소행을 보아서 조처하지요.」

그런데 그날 밤 자고 일어난 사이에 괴춤에 찔러 넣었던 은자가 온데간데없어졌다. 그것이 어떤 위인의 소행이란 것쯤이야 금방 알 수 있었다. 좀도둑질로 연명해 왔다는 작자의 짓이 분명했다. 괴춤을 뒤지던 봉삼이 흩벽에 기대고 자는 시늉인 궐자에게 달려들어 당장 드잡이를 하였다. 궐자의 두 눈이 튀어나올 것만 같았다.

---

* 순력 : 관찰사가 도내의 각 고을을 순회하던 일.
* 이청 : 아전들이 근무하는 관사.
* 송금 : 소나무를 베지 못하게 법적으로 막던 일.

「이놈, 같이 옥사를 치르고 있는 판에 다시 패악한 버르장머리를 정습하지 못하다니. 네놈을 당장 물고를 내리라.」

천봉삼의 거조가 으름장 두어 마디로 끝장낼 것 같지 않아서인지 궐자는 하얗게 질리어 팔을 내저었다.

「네놈의 패악을 더 이상 묻지 않을 터이니 그것을 내놓아라.」

원래 체수가 잔나비처럼 보잘것없는 위인이라 봉삼이 드잡이한 손에 모가지가 대롱대롱 매달려 올랐다.

「여보시오, 노형. 부황에 든 내 식솔들을 보다 못하여 구메 도적질로 욕된 명을 부지해 오기는 하였소. 그러나 이제 잡혀 와서 장폐를 당할 지경에 이른 터에 내가 다시 그런 짓을 하리까. 노형께서 지니고 있던 것이 무엇인지도 알지 못하였소.」

「이놈, 그것으로 사쟁이들에게 인정을 쓰려 했다간 당장 모가지를 뽑아 놓으리라, 알겠느냐?」

「알겠소이다. 그러나 내가 노형의 괴춤을 뒤진 적이 없으니 결을 삭이고 잘 찾아보시오.」

「그 말이 적실하렷다.」

「내 모가지 하나 가진 것은 이미 광주 유수께 내놓았으니 딴 도리가 없게 되었소만, 하나가 더 있다면 노형께 걸겠소. 도범으로 잡혀 와서 이 복대기 치는 판에 또 무슨 반죽으로 도둑질을 하리까.」

궐자가 사리 분명하게 핵변을 늘어놓는데, 그때까지 바람벽 아래 쭈그리고 앉았던 죄수 하나가 나직하게 말하였다.

「여보시오, 아우님. 그러지 말고 고정하시게. 궐자만 애꿎게 닦달해 보았자 소용없는 일인 것 같네.」

「차제에 이 위인 말고 누굴 닦달하란 말이오?」

「어젯밤 첫닭이 울 무렵까지 물것에 시달려 사추리만 직사하게 긁고 있으려니 수직 서던 명색 사쟁이란 놈이 옥문을 따고 들어와서 점고를 한답시고 간옥을 뒤지고 다녔다네. 그때 아우님은 잠들어 있지 않았던감?」

「그럼 사쟁이란 놈이 내 괴춤을 뒤지더란 말이오?」

「그 위인의 점고하던 거조가 유난스럽다는 생각뿐이었으나, 이제 두 분이 옥신각신하는 걸 보니 사쟁이란 놈의 거조가 수상쩍었다는 생각이 들어 하는 얘기요.」

유 노야가 궐자의 말을 좌단(左袒)*하여 받았다.

「그 짐작이 그럴싸하오. 한 편은 죄수요, 한 편은 옥사쟁이라 하나 사람의 욕심이야 다를 게 무엇이겠소. 그놈들이 한 짓이 분명하오.」

「만약 그러하면 어떻게 조처할까요?」

「딴 방도가 있겠소? 우리가 옥정(獄丁)을 사문(查問)할 수야 없지 않소.」

사단은 그것으로 끝나지 않았다. 이튿날 조반을 가지고 들어온 유 노야의 딸들에게서 천만뜻밖의 말을 듣게 되었기 때문이다. 그 은자는 유 노야의 딸들이 구처한 것이 아니라 삼문 밖에서 만난 한 여인네가 건네준 것이란 말이었다. 그 여인네의 견양을 듣자 하니 짐작되는 것이 월이였다.

「여인네는 짐짓 괴상히 여기는 모양을 보이더니 총총히 되돌아서고 말더군요. 가근방에서 자주 보아 온 여인네는 아니었습지요.」

「다시 오겠다는 약조는 없었소?」

「그런 약조도 없었습니다.」

월이가 왔다 간 게 분명하였다. 그러나 장안에 있었을 월이가 봉삼이 광주 관아로 압송되었다는 기별을 이렇듯 빨리 알아챘을 리도

* 좌단 : 남을 편들어 동의함을 이르는 말.

만무하겠으니 그 또한 알 수 없는 일이었다.

그러나 그럴 만한 까닭이 있었다. 송파 처소에서 봉삼이 압송되는 것을 목도한 매월이는 똑바로 약고갯집으로 돌아가지 않고 장안의 탑골로 달려간 것이었다. 경황중에 조 소사를 해코지할 심사가 불끈 솟은 것이었다. 경난을 겪은 봉삼 당사자야 결기로 옥사를 참아 갈 수 있다손 치더라도 마음이 모질지 못한 조 소사가 이 소식을 듣는다면 아니래도 만삭으로 숨이 가쁜 판에 기절하고 말 것이 분명하겠기 때문이었다.

행랑채 봉노로 들어가 앉자마자, 동떨어진 말로 한마디 툭 던졌다.

「내 어저께 광주 땅 송파에 굿일을 갔다가 혼찌검을 당했다오.」

반짇고리를 끌어당겨 버선볼을 받고 앉았던 월이는 처음엔 무슨 흰소린가 하고 힐끗 매월이를 쳐다볼 뿐이었다.

「천 행수란 사람이 경영하는 마방에서 동사하던 동무 한 사람이 이승의 밥줄을 놓았는데, 동무의 원혼이 뜬것(浮行神) 되기 십상이라 진혼굿을 하는 마당이었다오.」

「동사하던 동무라니요?」

아니나 다를까, 월이의 신색이 하얗게 질렸다. 이에 매월이는 하기 싫은 대답을 억지로 하는 듯이,

「죽은 사람이 선돌이라 하더군요.」

끝내는 침선질이던 월이의 두 손이 떨렸다. 잘코사니야 싶은데 월이는 깁던 버선짝을 던지고 다급하게 물었다.

「안됐구려. 요사이 역병이 창궐한다더니 그 돌림병으로 죽었답디까?」

「그 사람이야 돌림병으로 죽었건 장폐를 당했건 간에 이미 죽은 목숨이었지만 상제하던 천 행수가 광주 관아로 잡혀가고 말았는데, 압송장교하며 사령놈들이 서슬이 퍼래 가지고 땅땅 벼르는데,

거조가 무사타첩되기는 어렵게 되었습디다.」

「그 행수란 사람이 무슨 죄안에 올랐기에 잡아간다 하더이까?」

「상리를 노린다는 사람들이야 죄 안 짓고 살아갈 수야 없지요. 아마 광주 유수의 분부를 거역하고 관원들을 능멸한 죄인가 봅디다.」

월이가 주저하더니 곧장 몸채로 달려갔다. 몇 각이 흐르지 않아 신발 끄는 소리가 뒤숭숭하더니 몸채로 드시란다는 조 소사의 분부를 가지고 왔다. 장지를 열고 들어선 매월이는 아랫목에 앉은 조 소사에게 딴청 펴며 물었다.

「아씨마님, 벌써 산점(産漸)*이 있습니까?」

「태중 만삭이라 숨이 가쁠 뿐이라오.」

「초산은 자칫하면 남의달을 잡게 된답니다. 복대를 늦추시고 마음에 거리낌이 없도록 조처하시고 시름을 멀리하셔야 합니다.」

매월이가 엄포 주고 약 주고 하며 꿩의 병아리같이 쪼르르 조 소사의 아래턱으로 기어드는 판에, 켯속을 알 리 없는 조 소사는 진득하니 참지 못하고,

「송파 마방에서 사람이 잡혀가다니, 그게 무슨 말이오?」

「무슨 죄안으로 잡혀갔는지 켯속을 쇤네야 알 재간이 없지요.」

「송파라면 광주 땅인데 거기까지 굿청을 보러 갔다는 말이오?」

「아마 숙무를 수소문하다 보니 쇤네가 영험하다는 명자(名字)를 얻어듣고 수소문하여 찾아온 모양이었습니다. 마침 굿을 마치고 신복(神服)을 벗으려 할 때 마방 앞에 매복하고 있던 십수 명의 장교·사령 들이 들이닥치더니 다짜고짜로 천 행수란 사람에게 오라를 먹이는데 거조가 매우 엄중하여 곁에 있던 결찌들도 악언상대(惡言相待)*는커녕 옛 상전 만난 종의 자식들같이 떨고만 섰더이

* 산점 : 해산할 기미.

* 악언상대 : 못된 소리를 주고받으며 서로 다툼.

다. 천 행수란 사람이, 역률을 범한 죄인이라도 감장(勘葬)* 전에
는 잡아가지 못한다고 대들긴 하였으나 이는 역률보다 더 중한 죄
인이니 말미를 줄 수 없다며 사령들이 꽁무니에서 방망이를 뽑아
들더니 복날 개 패듯 하여 초다듬이에 육장을 만들고 줄을 지워
질질 끌고 가는데, 그 경난이며 형상을 차마 눈 뜨고 바라볼 지경
이 아니었습니다.」

매월이는 없던 일도 있는 양하여 잡혀가던 때의 경상을 장황하게
늘어놓았다. 조 소사는 크게 놀라는 눈치였으나 매월이 앞에서는 태
연한 체하였다. 그러나 염량 빠른 매월이가 고초를 겪는 조 소사의
몰골을 놓칠 리 만무였다.

「자초지종을 자상하게 얘기해 주시오. 내 먼 일가붙이 한 사람이
그 마방에서 더부살이를 하고 있기에 묻는 말이오.」

「천 행수란 사람이 처음엔 오라를 받지 않으려고 발버둥을 치더군
요. 그러나 장교 · 사령 들이 사를 두어 사람을 다루려 하겠습니까.
무릿매에 입과 코는 물론이요 박이 터져 피가 낭자하게 흐르고 옷
은 찢기고 상투는 풀어져 형용이 여귀와 진배없었습니다. 오라를
지워 끌고 가니 기진맥진한 위에 돌니에 끌려 지나간 자리엔 피와
살점이 찢겨 묻어났으나 남의 염병이야 내 고뿔만 못하더라고 장
교 · 사령 들이 이에 조금도 상관하지 않고 나룻가로 나갈 때까지
참혹한 형국으로 끌고 가더이다. 그 천 행수란 사람이 워낙 장골
이고 과단성 있는 사람이라 지금까지 명은 붙어 있겠으나 엄형으
로 다스림을 받는다 하면 명 부지가 어려울 것 같았지요. 옥에 갇
힌 목숨이야 초로와 같다고 하지 않습니까.」

「저런 참혹한…….」

* 감장 : 장사 치르는 일을 마침.

「그러나 잡혀간 사람은 그뿐이지요. 아씨마님, 그 일가붙이는 무사하니 시름을 놓으십시오.」

공손한 거동에 얼굴엔 넘칠 듯 수심을 담으니 그때마다 두 여인의 형용 또한 갈피를 잡을 수 없게 되었다. 아니나 다를까, 손을 떨고만 앉았던 조 소사는 급히 매월이더러 내려가 있으라 말하고 월이를 가까이 앉히었다.

「네가 광주까지 좀 다녀오너라. 그 옥사가 왜 벌어졌는지 수소문하고, 내게 몇 푼의 은자가 있으니 옥리(獄吏)들에게 인정을 써서 그분 뵈올 수 있으면 뵙고 오너라.」

사색이 된 조 소사를 물끄러미 바라보던 월이가,

「광주까지 가서 옥사의 연유만은 수소문해 올 수는 있으나 뵙는 것은 안 됩니다.」

「뵙는 것은 안 되다니?」

「쇤네가 천 행수님을 뵙고 온다 하면 그 소문이 당장 나으리께 입문될 것이고, 그렇게 된다 하면 아씨마님이나 쇤네는 살아남지 못합니다. 전번 송파에 다녀온 일은 그런대로 면죄를 하였습니다만, 이번만은 절대로 용서받지 못할 것입니다.」

「내 죽는 꼴을 네가 보려 하는구나.」

「모른 체하고 지나치십시오.」

「모른 체하고 지나치다니, 그럼 나더러 아비의 얼굴도 모르는 아이를 낳으란 말이냐?」

「어쨌든 쇤네가 한번 다녀오긴 합지요. 제발 고정하십시오. 저 만신이 한 말이 거짓인지도 모르지 않습니까?」

「이씨녀가 내게 무슨 포원이 있기에 있지도 않은 일을 꾸며서 들이대겠느냐. 네가 가지 않겠다면 이제부턴 의절이다. 지체할 것이 없지 않느냐.」

그 말을 뱉고 난 조 소사는 문득 안색이 아득해지는가 싶더니 보료 위에 엎어지고 말았다. 혼절까지 가지는 않았으나 깜박 정신을 잃을 뻔하였다. 냉수 한 그릇을 마시고 일어난 조 소사는 다만 어서 가보라고 월이에게 손짓만 할 뿐이었다. 허겁지겁 화각함을 내려 뒤졌으나 패물이 남아 있을 리 없었다. 전자에 맹구범을 달래고 부추기는 데 다 써버렸으니, 패물로써 속전을 마련할 가망도 조 소사에겐 없었다.

월이가 단신 광주로 내려가 봉삼에게 슬며시 방송이 될 방도를 찾고 있다는 기별만은 전하고 온 셈이나 그다음 일이 난사였다. 아직도 취박되어 간 연유도 모른 채 형문(刑問) 맞을 날만 기다리고 있다 하니 조 소사의 초민(焦悶)*한 마음은 애간장을 녹이는 듯하였다. 삼문 밖에 서성대는 쇠전꾼들의 말을 듣자 하니 옥 수발은 물론이요 조석 끼니조차 차입(差入)하지 말라는 분부를 내렸다는 것이었다. 처소의 행매전(行賣錢)을 풀어 속전을 바칠 요량도 아예 말랬다는 말이고 보면 미상불 장하(杖下)에서 명을 다할 각오까지 되어 있다는 뜻일 것이었다.

조 소사는 이제 산일(産日)을 코앞에 두고 있었다. 산모가 상서롭지 못한 것을 가까이할 수 없다 하여 문밖까지 금잡인을 시킨 지도 오래요, 그로 인하여 스스로 울 밖 출입을 삼간 지도 오래였다. 자연 심기가 뒤숭숭하여 다급한 마음 둘 곳이 없고 눈앞만 아득해 왔다. 앉아서 사단의 귀추만을 기다리고 있을 경황이 아니었다. 월이가 광주에 다녀온 지 사흘째 되던 날 밤, 조 소사는 더 이상 참지 못하고 신석주에게 아뢰었다.

「나으리께선 송파에 있던 사람들이 무고로 광주 관아로 압송된 일

* 초민 : 속이 타도록 몹시 고민함.

의 내막을 알고 계시는지요?」

아니래도 밀매 아편을 적당들에게 취탈당한 이후 설분할 곳이 없어 성깔이 꽤나 괴팍해진 신석주가 마뜩찮은 상판이 되어 물었다.

「웬 인사가 무고로 잡혀갔다는 것인가? 네 연사 간에 누가 근기지경에 살고 있었나?」

그것이 천봉삼이라고 말하기엔 당장 주저되는지라 얼른 둘러댄다는 것이,

「아니래도 심기 편치 않으신 요즈음에 외람된 말씀이오나, 송파에 있던 천 행수가 옥사에 떨어졌다는 소식이 있습니다.」

말인즉슨 천봉삼을 지칭하는 말이라 적이 놀란 신석주가 한참 동안이나 조 소사를 노려보다가,

「내 앞에서 감히 궐자의 이름을 거침없이 내뱉다니, 그런 소문은 어느 화상이 말전주를 하고 다니던가?」

흠칫 놀라 말문이 막힐 줄로만 알았던 조 소사가 고개만은 숙이고 있었으나 언사만은 분명하게,

「송파에 굿일을 보러 갔던 약고개의 이씨녀가 우연히 보고 와서 한 말입지요.」

「그 앙급을 할 것이 눈깔로 보았으면 그것으로 끝낼 일이지 하필이면 내 집에 와서 낱낱이 고변하는 것은 무슨 수상쩍은 일인가?」

신석주는 말꼬투리만을 잡고 기어드는데 조 소사는 조금도 흐트러짐이 없이 아금받게 말을 받아 내었다.

「소첩과 별다른 인연이 있어서가 아니라 무고한 사람이 옥사에 떨어지는 꼴을 처음으로 목도한 뒤 놀랍고 범상한 일이 아닌지라 얘기 삼아 일러 주고 간 것뿐입니다.」

「내가 항용 금잡인을 시키라고 일렀거늘, 그 화상은 왜 침방까지 불러들인단 말인가?」

「먼젓번에도 구처하기 쉽지 않은 벽재(僻材)까지 갖다 준 터라, 박절하게 대할 수 없어 건성으로 상종해 주었을 뿐이지요.」

「네 어취로 보아하니 애매하게 옥사에 떨어진 궐자를 속전을 바쳐서라도 방면되도록 조처해 달라는 것인가 본데, 그러하랴? 기왕 발설한 일이니 흉회를 곧이곧대로 털어놓는 게 좋을 것이다.」

「외람되나, 그러하옵니다.」

거기에 이르러 신석주는 방구들이 꺼지는가 싶게 한숨을 토해 놓으며,

「내가 네가 판 허방에 빠지게 되었구나. 네가 일찍이 강단이 있고 아금받은 계집이란 것은 알고 있었다. 차태를 하긴 하였으나 명색으로는 내 가문의 후사를 점지하여 이제 만삭에 이르렀으니 무슨 말을 하여도 참(斬)을 당하지 않으리란 것을 미리 알고 지금에 이르러 궐놈을 구명하라고 으름장까지 놓고 있는 것이야. 내가 시재 당장으로는 네게서 이런 수치를 당하고 있을지 모르지만 네 배 안에 든 소생을 내 팔 안에 안아 드는 그참에 이르러서는 막보기로 한다면 속셈이 또한 달라질 수도 있다는 것은 왜 모르느냐?」

「소첩이 미거하고 아둔하기로서니 그것을 짐작 못할 리가 있겠습니까. 그러나 아직은 출산을 않았으니 살풍경한 꼴을 당할 날이 아니옵고 또한 숙맥을 가리지 못하는 계집이라 하더라도 애비 없는 자식을 낳고 싶지 않은 것은 인지상정이 아닙니까.」

조 소사는 버선발 위에 올린 신석주의 두 손이 떨리고 있는 것을 바라보고 있었다. 등골에는 땀줄기가 내리고 장판 바닥에 어른거리는 불빛이 눈앞에 어지러웠다. 퇴창 밖에서 마침 후드득 하고 빗낱이 듣는 소리가 들려왔다. 봉두난발을 한 천봉삼의 얼굴이 눈앞에 잡힐 듯하여 궐녀는 고개를 들어 불똥이 튀는 촛불을 바라보았다.

「내가 달포 전에 적환을 당해 어이없게 재물을 까불려 버린 것을

알고 있느냐?」

「나으리께선 혹여 소첩이 놀라실까 쉬쉬하시었습니다만, 드난하는 월이에게서 들어 알고 있습니다.」

「그때 입은 적환으로 연유하여 까불린 재물이 불소하지 않거늘, 명색이 내 소실 되어 호사를 누리는 네가 그땐 한마디 안위의 말도 없었다는 것을 기억하고 있으렷다?」

「그러나 무고로 잡혀가서 뼛골이 어긋나는 혹장을 당하는 것은 인명에 관한 일이요, 재물이란 종내엔 한 줌의 흙보다 못한 것이 아닙니까. 흙을 써서 장폐를 당할지도 모르는 인명을 활인할 수 있다면 그 또한 덕을 쌓는 일입니다.」

「네가 비위짱 좋게 말마디깨나 뇌까리고 있는 것은 내게 수치를 주자는 것이냐, 아니면 다만 궐자를 액회에서 건져 주고 싶다는 정분에서뿐이냐?」

「사람을 구하자는 심사일 뿐 언감생심 나으리께 수치를 돌리자는 강짜만은 품고 있지 않습니다.」

「내가 만약 차일피일 이 일을 천추하면 어떡하겠느냐?」

「원한이 구천에 사무칠 것이니, 소첩이 애써 명을 부지할 까닭이 없겠습니다.」

신석주는 더 이상 채근하여 묻지 않았다. 다만 놀랍고 경황없을 따름이었다. 젊디젊은 총첩의 살기 있는 마지막 한마디에 신석주는 문득 두려움을 느꼈다. 위로는 사대부며 내로라하는 조정 대신에 이르기까지, 아래로는 육의전의 행수들이며 시정배에 이르기까지 대행수 신석주의 말 한마디에 대적할 자가 흔치 않았다.

역률을 범하지 않은 자라면 의금부 한 번 걸음에 방면을 시킬 수도 있었고, 그의 수결이 된 어음 한 장이면 조정은 물론이요, 외방의 포주인들까지도 두말없이 거두어 주는 거부였다. 그러나 지금에 이르러 밀매품이었다고는 하나 적환을 입은 물화를 찾아낼 방도가 없었고, 일개 연약한 첩실의 서슬에 기가 꺾이고 두려움이 앞서게 되었으니 신세가 쓰다 버린 지팡이에 비견될 만하였다.

지금이라 한들 신석주의 분부와 호령이 종가(鐘街)에서 행세하지 못하는 건 아니었다. 이제 강단 있게 밀고 나갈 만한 기력이 없다고 스스로 생각하기에 이르렀다. 알고 보면 천봉삼이란 위인을 쥐도 새도 모르게 물고를 내버리지 못한 것이 이런 곤욕을 안게 된 원인이었다. 한번 느슨하니 생각했던 화근이 이 모든 앙화를 부른 시초가 된 것이었다. 핏덩이를 받아 낸 후 연놈을 낙명시킨들 만사가 형통하란 법도 없었다. 아이로 인하여 그 어미를 요정 낸다면 가문의 앙화는 더욱 커갈 뿐일 것이었다. 밤새도록 전전긍긍하며 뒤치락거리다 보니 어느덧 첫닭이 울었다. 잠을 청하긴 이미 글러 버린 일이라 부스스 일어나려 하였더니 조 소사 역시 잠기 없는 맑은 목소리로,

「나으리, 아직 기침하실 때가 아닙니다.」

「첫닭이 울었지 않느냐.」

「뒷집 닭이 묵은 닭이라 변덕이 나서 우는 때가 들쭉날쭉한 지가 이미 오래되었습니다.」

조 소사야 문득 생각나서 한 말이겠으나, 신석주에겐 흡사 자기를 빗대어 비양거리는 말투로만 여겨지는 것이었다. 심사가 편치 못한 김에 되받아 한다는 말씀이,

「뒷집 닭이 오래 묵어서 요량 없이 운다 하면 그 닭이 봉(鳳) 될 날도 머지않았겠구나.」

「그 댁네 웃어른의 생신이 마침 내일이라 봉 되기 전에 잡아 없앤다 합니다.」

「언사가 상서롭지 못하구나. 네가 나를 묵은 닭에 빗대어 은근히 욕뵈려 든다마는, 내 오늘 종가에 나가는 길에 광주로 척후(斥候)

를 내려 보내서 형문의 되어 가는 켯속부터 알아보리라.」

9

꼭두새벽에 종가 입전 행랑에 내려가는 길로 서사 둘을 조발하여 광주로 풀어놓았다. 서사들이 서둘러 치행하여 광주에 득달한 것은 한나절이 약간 기운 뒤였다. 관아에서는 마침 잡아들인 죄수들을 동헌 마당으로 끌어내어 공초(供招)를 받는 중이라 아문 언저리께가 뒤숭숭한 판이었다. 삼문 밖에 수직하고 있는 사령들의 경계가 자못 삼엄하여 감히 관아로 들어갈 엄두를 못 내는 인근의 백성들이 관아 옆으로 난 고샅으로 들어가서 담장에 늘어붙어 동헌 마당에서 들려오는 호령 소리들을 엿듣고 있었다. 당장은 서사들 역시 변통수*가 없는지라 고샅으로 들어가서 담장을 기웃거렸다. 추심하고 대답하는 목소리가 어쩌다 한두 마디씩 담 밖으로 흘러나올 뿐이었다. 광주 유수는 서울 장안의 사저에서 돌아오지 않아서 판관이 대신하여 추심을 집행하는 중이었다. 광주 고을 백성들은 고을 관장이 누구인지 알고 있는 사람들이 드물었고, 광주 유수 역시 부임은 흉내만 냈을 뿐 서울 장안에 앉아서 차일피일하다가 다급한 공사가 있거나 옥사가 일어나면 판관이 전자하게 고을을 맡도록 하고 있었다. 대개 포촉하여 온 죄수들을 잡아내어 공초를 받기 전에 달포간은 간옥에다 방치하였으니 이는 속전을 주변해 올 말미를 주려 함이었다. 그 말미 동안에 길청의 이속배들이 적어 올리는 속전의 형세를 가늠하여 결옥(決獄)*을 가름하는데 송금(松禁)을 어긴 자, 사소한 관령을 어긴 자, 세렴을 어긴 자, 방화한 자나 세곡을 도적질한 자나 송사(訟

* 변통수 : 일을 융통성 있게 잘 처리하는 방법이나 재주.
* 결옥 : 죄인에 대한 형사 소송 사건을 판결하던 일.

事)에 휘말린 자였으니 대개는 그로써 방면이 되었다.

그렇지만 이번 옥사에는 어쩐 셈인지 속전을 마련하였다는 죄수들이 단 한 놈도 없으니 판관의 심기는 개운치 않았고 길청에서 수배(隨陪)*를 한답시는 이속배 명색들 또한 체면이 못 되었다. 당초부터 배알이 뒤틀려 있는 옥사에 공초를 하잡시니 판관의 언사가 고분고분할 리가 없었다.

「이놈은 또 웬 놈이냐?」

동헌 마당으로 끌려나와 잡아 꿇린 천봉삼의 몰골을 한동안 내려다보던 판관이 앞에 국궁하고 선 형방에게 씹어뱉듯이 묻는 말이 그랬다.

「송파 사는 천가 성 가진 난전붙이온데, 능욕 관장(凌辱官長)*이 다반사요, 이번에 저희들의 공사일에 또한 관령을 거역하여 접장으로 차정이 된 자입니다.」

「저 위인의 범증이 무엇이냐?」

「경향 각지에서 우금(牛禁)*을 어기는 자가 많아 조정에서 이를 염려하여 엄지(嚴旨)*로써 우금한 바가 있습니다. 이 죄인은 송파 장시에서 명색 마방 낸 것을 빌미 삼아 인근 쇠전의 시세를 마음대로 농할 뿐만 아니라, 심지어는 북상들과 은밀히 내통하여 농우소 도살하기를 일삼고 우피를 밀매해 오던 자입니다. 아문에서는 이 자의 작폐를 진작부터 알고 있었으나 위인이 이를 스스로 깨달아 폐단이 정습되기를 기다리던 중, 이번 저희들의 공사일엔 관령까지 거역하고 주연을 베풀어 접장에 차정될 것을 은밀히 꾀하니 이

---

* 수배 : 고을 원을 따라다니며 수발하던 아전.
* 능욕 관장 : 고을 원을 업신여겨 욕보임.
* 우금 : 소를 잡는 것을 금함.
* 엄지 : 임금의 엄중한 명령.

죄인을 그냥 두면 장차 장시에 큰 폐단이 생겨날 것은 뻔한 이치라 잡아들인 것으로 압니다.」

「저놈이 우피 밀매로 모리를 취했다는 뚜렷한 범증이 있고 또한 그것을 빙거(憑據)할 만한 물증이라도 있느냐?」

「이 죄인의 처소인 마방을 뒤진 끝에 마침 곳간에 숨겨 둔 우피 여섯 영을 압수하였습니다. 이는 비킬 데가 없는 범증이 아니겠습니까?」

이에 판관은 형방의 말을 귀 기울여 듣다가 이방에게로 시선을 돌리며 자못 의아스러운 어조로 물었다.

「저 위인이 우피 여섯 영을 곳간에다 은닉시켰다 하되 마방을 경영하는 접주인이라면 외방의 난전것들의 안면에 부대끼어 일시 보관할 수도 있을 것이고, 또한 저 위인을 폄하고자 노리고 있던 자가 액회에 빠뜨리기 위해 위계를 부려봄 직도 하지 않느냐. 공연히 애매한 백성을 잡아들여 엄형으로 다스린다 하면 원성만 날로 늘어날 것이니 이는 목민관이 할 도리가 아니지 않느냐. 애매한 두꺼비 떡돌에 치인다는 속언도 있다는 걸 모르느냐?」

이에 이방이 자지러지게 놀라며,

「물론 그럴 수도 있습지요. 그러나 난전것들이 접주인에게 물화를 맡길 적에는 접주인 된 자가 반드시 임치표(任置票)를 명토 박아서 써주기로 되어 있고, 이 물화의 임자가 하매자가 나설 때까지 마방 봉소에서 끼니를 파먹으면서 묵새기게 되어 있습니다. 처소에 있던 초일기(草日記)며 장책을 뒤져도 임치표를 써준 흔적이 없고 또한 하매자를 기다리던 작자도 없었습니다. 다른 한편으로 이 죄인을 무고하여 옥사에 빠뜨리고자 위계를 쓴 것이라면 당사자는 물론이요, 그와 동무하던 자들의 공초를 받아 보면 그런 일을 저지를 만한 자가 드러날 만한데, 동무하던 위인들을 사실하였으나 도대체 척을 지고 있는 위인이란 없다고 이구동성으로 말하였고 저 죄인 또한 그러한 자가 있다 하면 고변하지 않고 이 고초 중에 은휘하고 있을 까닭이 없겠습니다.」

형방이 낱낱이 개어 올리는 죄상을 듣고 있던 판관이 그참에 이르러 크게 눈을 굴리며,

「사단의 시말이 그러하다면 저놈에게 중벌을 내려 마땅하구나. 게다가 백성 된 도리로 지엄한 관령까지 예사로 어겼다 하니 저놈을 엄형으로 다스리지 않았다간 장차 송파 장시의 풍속이 피폐할 건 물론이거니와 나라의 재용에도 큰 손실을 끼칠 놈이 분명하다.」

판관의 문초가 시작되었다.

「네놈도 이제 내가 형리와 이방과 나눈 죄상의 전부를 귓구멍으로 듣고 있었거늘, 그 우피의 소종래를 밝히고 또한 이번에 우피 숨긴 것이 드러나기 전에 우금(牛禁)을 또한 몇 차례나 어겼는지 낱낱이 밝히어라. 만약 여기서조차 네놈의 죄상을 은휘하려 든다면 크게 욕을 보리란 것도 알고 있으렷다.」

「시생은 추호도 우금을 어긴 적이 없습니다.」

「시생이라? 이놈, 뉘 앞에다 스스로 존댓말을 내다 붙이느냐?」

「시생이 우금을 어긴 일이 없으니 설령 관장의 앞이라 한들 엎드려 죄를 빌 까닭이 없습니다.」

「그놈, 당당도 하구나. 관아에서 사실하고 초사(招辭)*를 받는 것이 전부 거짓이요 꾸며 댄 것이라면, 그럼 네놈은 어느 땅의 물을 마시고 어느 땅의 곡식을 거두어 그 꼴같잖은 명을 부지해 간단 말이냐. 관의 일을 네놈처럼 끝끝내 몰라라 한다면 지금까지 네놈의 손으로 거둔 장시의 징세는 보부청으로 올리지 않고 네놈이 착

* 초사 : 죄인이 범죄 사실을 진술하던 일.

복하였다는 거냐?」
「나랏일 전부가 잘못되었다는 것이 아니라 이번의 옥사가 거짓되었다는 것입니다.」
「그럼, 네놈의 집에서 나왔다는 우피는 하늘에서 떨어진 것이냐?」
「시생으로서는 알 길이 없습니다. 다만 시생에게 죄상을 날조하여 무고로 옥사를 일으키려는 자들의 소행임이 분명할 것이니, 그 우피의 소종래를 밝히려 든다 하면 길청의 곳간에서겠지요.」
「길청의 이속들은 관장의 수하에서 공사와 징세를 집행하고 있거늘 길청의 일을 날조라 한다면 그것이 곧바로 능욕 관장이요, 나아가서는 나라님께 욕을 돌리려는 행사가 아니냐?」
「나라님께 욕을 돌리고 있는 것이 지금 형문을 당하고 있는 시생인지, 아니면 시생을 추달하고 있는 나으리인지 시생은 안맹*의 소치로 알지 못하겠습니다. 백성 된 자가 무고에 떨어져 옥고를 치르고 있다 하면, 이것이 어찌 지존하신 나라님의 성은을 입고 사는 백성의 형용이라 할 수 있겠습니까. 선관(善官)의 도리가 백성에게 죄안을 날조하여 댓돌 아래에 꿇리고 본색을 감추고 서 있는 길청의 아전배들 뱃구레나 불리고 또한 그들의 등에 업히어 명찰의 눈을 잃고 갈피 없이 허둥대는 관원이 있을 제, 이는 결코 나라님이 바라는 정사가 아닐 것입니다. 백성과 벼슬아치가 한 고을에서 한 냇물을 마시고 살면서도 서로 두려워하고 경원한다면, 그러한 연유가 어디서 발단된 것인지를 찾아내어 치유함이 목민관이 취해야 할 도리가 아닌가 할 뿐입니다. 세상의 밝고 어두움을 어찌 해와 달에만 맡겨 두려 하십니까. 백성들의 심성에 드리워진 어둠은 대저 해와 달이 밝혀 낼 것이 아닙니다. 원컨대, 나으리께

* 안맹 : 눈이 멂.

선 명찰하십시오.」

「저놈의 어투가 어째서 저렇게 도저하단 말이냐. 이 발칙한 놈, 네 놈의 변설을 듣자 하여 관청으로 끌어낸 것이 아니니다. 네놈이 되레 무고를 날조하여 관원을 모함하려 함이다. 네놈의 죄상은 무빙가고(無憑可考)*가 아니냐. 이를 증거로 하여 문초할 뿐이다. 그 우피의 소종래는 어디냐?」

「시생은 우금을 해친 일이 없다고 아뢰었습니다.」

「저놈을 다듬어 가지고 만져야겠다. 곤장 삼십 도를 한바탕 톡톡히 내려라.」

이에 천봉삼을 장판에 엎치고 버드나무 곤장을 내리는데 신음 소리가 결코 담 밖을 넘지 않았다. 이에 삼십 도를 다 맞으니 천봉삼은 장판에서 혼절하고 말았다. 집장사령이 동이물을 퍼다가 덮어씌워서야 겨우 고개를 가눌 정도가 되었다. 그만큼 맛을 보였으면 속을 내올 가망도 없지 않은지라 판관이 형문을 마치고 토옥으로 내려 가두게 하였다. 하루를 쉬게 하였다가 다시 끌어내어 형문 맛을 톡톡히 보이는 것이 서너 차례 반복되었다. 그러나 봉삼은 그때마다 관장을 능멸하는 대답과 아전들의 소행을 욕하는 말만 내뱉을 뿐 도통 휘어지는 기색이 없었다. 게다가 수하에 있는 동무란 것들도 속전을 가져오기는커녕 광주 부중에다가 무고한 사람을 잡아들여 호된 형문을 내리고 있다고 애꿎은 소문을 퍼뜨려 광주 부중 인심이 뒤숭숭하였다. 이젠 형문을 풀고 방면을 시킨다면 정말 무고한 사람 잡아들인 관아가 될 판이요, 그렇다고 결말도 나지 않는 형문을 질질 끌고 있을 수도 없었다. 범하지 않은 우금을 저질렀다고 덮어씌우긴 하였으나 예상했던 것이 도통 빗나가는 판에 뾰족한 재간이 없었다.

* 무빙가고 : 증거로 삼아 상고(詳考)할 만한 것이 없음.

세 번째 형문을 마친 날 판관이 내아의 처소로 이방을 불러들이었다. 이방과 형리란 것들이 됨됨이가 부실하여 옥사의 마무리가 시원스럽지 못하매 판관의 눈시울이 고울 리가 없었다. 방 안으로 들어온 이방이 앉지도 못하고 국궁하고 서 있는 것을 판관이 곱지 않게 흘기며,

「그 천가란 죄인은 금부(禁府)로 압송을 시킬 것인가, 그렇잖으면 아주 폐인으로 만들 것인가?」

「소인들의 소견이 소명치 못하여 나으리께 욕을 끼치게 되었습니다. 그놈이 진작 작죄한 것을 발고하고 속전이나 바치고 나설 줄 알았는데, 쇠심줄처럼 질길 줄은 미처 생각지를 못한 것이 불찰이었습니다. 약차하면 금부로 압송시킬 수밖에 없게 되었습니다.」

「이런 질정찮은 사람들을 보았나? 금부 압송이야 장계 한 장이면 되지만 그놈이 끝끝내 결백한 것을 주장하고 나선다면 금부에서 범증을 사실한답시고 분주를 떨 터인데, 그때 모함 잡힌 것이 드러나면 일은 만들지 않았던 것보다 못하지 않은가? 게다가 광주 유수의 체통은 뭣이 되겠나?」

이방은 오랫동안 고개를 처뜨리고 생각하였다. 판관이 모르고 있어 그렇지 사실은 형문이 벌어질 적마다 삼문 밖에는 1백여 명이 넘는 보부상들과 인근의 백성들이 모여들어 정소를 한답시고 웅성거리고 있었다. 자칫하면 백성들이 난리를 일으킬 가망조차 없지 않았다. 기다리기에 진력난 판관이 물었다.

「애당초 이런 난처한 지경을 예상이나 하였다면 부리나 헐지 말 것을. 일은 길청에서 저지르고 마무리는 내가 해야 하는데 기댈 언덕이 있어야 비벼 보지 않겠나. 역률에 처할 것도 아닌 죄수를 금부 압송까지 한다는 것도 싱거운 일이 아닌가.」

「안전께서 이틀간만 수유(受由)를 주신다 하면 양단간에 결말을

짓겠습니다.」

「이틀간의 말미를 줄 것이니 목민관의 체통에 손상이 없도록 각별 유념해서 조처하게나. 무슨 좋은 방도라도 있겠나?」

「길청에 내려가서 중론을 모아 봅지요.」

죄안을 조작하긴 하였으되 죄인이란 놈이 쇠심줄처럼 질겨 모진 형문에도 난초(亂招)*가 거듭되매 조급하게 된 것은 오히려 관아 쪽이었다. 그런 가운데 공교롭게도 내아에서 나서는 이방에게 수통인이 다가와서 연통을 놓았다. 장안의 육의전에서 왔다는 서사 한 놈이 이방을 은밀히 뵙자 하고 청을 들이었다는 것이다.

「그 위인이 지금 어디 있나?」

「객사에서 멀지 않은 보행객주에서 하회를 기다리고 있습지요.」

「그런데 나를 찾고 있는 연유가 무엇이라고 하던가?」

「소상하게는 알 수 없으나, 위인이 슬쩍 퉁기는 수작을 듣자 하니 이번의 옥사와 무관하지 않은가 봅디다요.」

미상불 며칠째나 삼문 밖에서 분탕질이던 송파 저자 쇠전꾼들의 전청(轉聽)*을 넣으려는 객주나 여각의 포주인일시 분명하다는 생각이 뇌리를 스친 이방이 그때 중문 밖을 나서는 통인을 다시 불러 길청의 맨 상방으로 위인을 들이게 하였다. 통인이 하회를 가지고 나간 지 향 반 대 피울 참이나 되었을까, 이마에 갓철대가 제대로 붙어 있고 입성이 말쑥한 사내 하나가 미닫이를 열고 방 안으로 들어섰다. 이방이 보자 하니 난전꾼의 부류가 아니었다. 초인사 공손하게 올린 다음 궐자가 먼저 부리를 헐었다.

「시생은 장안의 육의전 대행수인 신석주 영감의 분부를 받아 이방 어른을 뵙고자 하였습니다.」

---

* 난초 : 죄인이 신문을 받을 때 거짓말로 꾸며 댐.
* 전청 : 다른 사람이 옮기는 말을 통하여 들음.

입전 대행수의 청지기 따위가 내뱉는 언사가 꽤나 도저하다 싶은데, 궐자는 꾸지람을 내릴 겨를을 주지 않고 내친김에,

「은밀히 뵙자고 한 것은 지금 옥사에 떨어진 송파 저자의 접장인 천봉삼을 대신하여 속전을 바치려 함입니다.」

육의전의 대행수로 행세하는 신석주가 그깟 보잘것없는 난전붙이의 옥사에 속전을 바치려 한다는 게 꽤나 엉뚱한 일이라 이방이 잠시 갈피를 못 잡고 눈자위를 굴리고 있는 판에, 궐자는 괴춤을 뒤져 봉서 한 통을 내밀었다. 그제야 닫혀 있던 이방의 입이 열리었다.

「속전을 바친 죄인을 방면하고 안 하고는 고을 관장의 소간사일 뿐, 나야 길청의 수배(隨陪)에 지나지 않는 사람이오. 하나 신 행수와 죄인과는 어떤 연비인지 알아서 나쁠 건 없소.」

「시생 역시 영감마님 수하에서 장책이나 챙기고 접객이나 하는 주제에 불과합니다. 하여 소상한 내막은 알지도 못합지요.」

「그 천가란 죄인으로 말하면 범증이 너무나 뚜렷한 자인 데다가 안전께 나아가 취조(取調)를 받을 때마다 자복은커녕 죄안을 은휘하려 함은 물론이요, 시종 관장을 능멸하고 깔보는 언동이라 안전의 촉분이 이만저만이 아니외다. 참다못한 안전께서 이틀지간에 금부로 압송하라는 엄명이 내렸으니 사오백 냥의 속전으로는 무사타첩되기 어려울 것이오. 그런 사정이야 알고 있겠지요?」

이방이야 바라는 것이 고액의 속전일 뿐 두 사람의 사이가 과갈간이든 반연이든 알 바 아니란 생각이 들어 으름장부터 놓고 난 다음 천천히 봉서를 뜯었다.

과연 장안의 거부답게 수결(手決) 박아 쓴 어음이 3천 냥짜리였다. 이방이 놀라 주체를 못하고 있는 사이에 거동만 살피고 앉았던 서사가 대뜸 건네는 말이,

「그만하면 한에 차시겠습니까?」

그렇게 묻고 있는 사이에 이방의 얼굴이 하얗게 질리고 있었다. 어음 뒤에 붙어 있던 서찰과 서사의 얼굴을 번갈아 보던 이방이 물었다.

「이 서찰은 누가 쓴 것이오?」

「그 서찰은 영감님이 쓰신 것으로 시생은 내막을 알지 못합니다.」

「뜯어보지 않았단 말이오?」

「그런 방자한 짓을 저질렀다간 시생이 살아남지 못합니다. 그렇지 않다 하더라도 봉서를 뜯어본다는 것은 인륜의 도리가 아니지 않습니까.」

「그렇다면 이 어음만으로는 서찰의 내용대로 시행할 수 없다고 이르시오.」

「그것이 한에 차지 않으시면 휘할 것 없이 털어놓으십시오.」

「삼천 냥짜리 한 장이 더 있어야겠다고만 기별하시오.」

이번엔 서사의 눈자위가 하얗게 까뒤집히었다. 한참이나 엉덩이밀이만 하고 앉았던 서사놈이 그러마고 떠나더니 이튿날 해거름에 3천 냥짜리 어음 한 장을 더 가지고 길청의 이방에게 찾아왔다. 어음을 받아 넣는 이방에게 서사가 말하였다.

「영감마님께서 서찰의 내용대로 시행하시겠다는 이방 어른의 답서를 꼭 받아 오란 분부가 있었습니다.」

「역시 육의전의 행수다운 분부이시오. 그것이야 어려울 것이 없소이다.」

이방이 지필묵을 내려 서찰과 6천 냥의 어음을 잘 받았다고 적고 난 다음 적어도 일순 안으로 죄인이 시름시름 앓다가 죽도록 조처하겠다고 적어 서사에게 건네었다. 그깟 일이야 도대체 어려울 것이 없었다. 천봉삼 스스로야 아무리 발뺌하려 들자 하여도 범증이 그만치 뚜렷하도록 조처한 터이니, 혹장에 이기지 못하여 장폐를 당한다

한들 고을 관장이 추고(推考)를 당해 낭패를 볼 염려는 없었다.

압슬에 포락을 걸판지게 안기어 숨이 끊어지기 직전에 방면을 시키면 집에 닿아 장창을 다스리고 첩약으로 보신한다 하여도 불과 보름을 넘기지 못하여 이승을 하직할 건 뻔한 노릇이었다. 결과는 관아에서 옥사 중에 죽은 것이 아닐 터이니 일가붙이며 살붙이들이 들고일어나 소동을 피우고 분탕질을 놓는다 하여도 관장의 뒤가 끊길 것이라곤 한 푼어치도 없었다. 관아에선 모른 체하고 차일피일하는 중에 일은 흐지부지되고 말 것이었다.

6천 냥의 어음을 받고 죄인의 목숨 하나를 요정 내어 주기로 작정은 하였으나, 그 또한 여의치 않게 되었다. 이방이 퇴청하여 집에 돌아오니 마당 쓸고 있던 사노 한 놈이 대문간까지 쭈르르 미끄러져 나오며 바로 한발 앞서 한 객손이 찾아와 사랑을 차지하고 붙박여 앉았다는 것이었다. 여러 날째 삼문 밖에 몰려와서 천가놈을 방면해 달라고 정소를 올렸던 송파 쇠전꾼들과 동무라는 그 작자는 복색을 제대로 갖춘 선비 행색의 사내로 눈발이 날카롭게 보이는가 하면 또한 풍골이 제법 준수하게도 보이었다. 스스로 그 이름을 대어 초인사를 올리는데 유필호라 하였다. 이방이 첫고등에 호령을 내려서 내쫓을 심산이었으나 그 거동이 상것의 부류가 아닌지라 거북한 대로 두고 보는데 다짜고짜로 파고드는 품이 예사롭지 않았다.

죄수를 당장 방면함에 있어 주선을 게을리 한다면 송파 저자의 모든 난전붙이들이 들고일어나서 그간 구휼미와 세곡(稅穀)을 농한 광주 유수 민영목의 폐정(弊政)과 아전들의 발호(跋扈)를 낱낱이 고변한 치보(馳報)를 금부와 보부청으로 올리는 일변, 송파장의 난전을 황폐하게 하여 인근 백성들의 원성이 또한 관장에게 몰리도록 하겠다고 대판으로 으름장을 놓았기 때문이다.

이방으로 보아선 6천 냥의 돈도 불소한 것이 아니었지만 궁궐의 코밑이나 다름이 없는 송파에서 난전붙이들이 소동을 일으킨다 하면 그 또한 낭패이긴 마찬가지였다. 유필호란 위인이 내뱉고 있는 언사에 앞뒤가 소명하고 또한 예사롭지 않아 한마디로 꾸짖어 내쫓을 일이 아니란 것쯤이야 반지빠른 이방이 모를 리 없었다.

「나라의 재용이 바닥나고 병졸들을 호궤할 양식에 변통이 어렵다 한들 양민을 무고로 잡아들여 속전을 받아 이를 나라의 재용으로 쓴다는 말은 일찍이 듣지 못하였소. 죄수들의 속전을 받아서 댁네들 같은 이속배들이 한몫을 갉아먹고 고을살이하는 관원들이 또한 제 곳간을 채우기 위해 축내고 나머지를 나라의 재용으로 돌린다 한들 그것이 나라의 힘이 될 수는 없소. 명분이 좋다 하나 절차가 이처럼 아름답지 못하면 국기(國基)가 흔들릴 건 뻔한 이치가 아니겠소? 속전을 받아 나라의 재용으로 쓴다고 댁네들이 장담은 하고 있으나 그것이 전부 뇌물이 되어 벼슬아치가 사사로이 착복하고 있다는 사실은 내 일찍이 장안의 사대부 집 혈숙청에 오래 기식한 적이 있어 이 눈으로 수차에 걸쳐 목도한 일이외다. 하치않은 난전붙이들이라 하여 호락호락하게 보았다간 큰 낭패를 볼 것인즉 차제에 정신을 차리시오.」

「노형께서는 선비의 지체로 어찌 상로배들의 사주에서 헤어나지 못하고, 감히 여기에 뛰어들어 용납하기 어려운 언동을 함부로 하시오?」

「내 비록 망족(望族)*으로 태어나 명색 양반으로 행세하였으나 그동안의 생활이 부질없고 비루하기 그지없었소. 차라리 하치않은 상것들 편에 싸잡히어 죽은 듯이 살기로 작정한 터이나 오늘에 이르러 이속배들의 행패를 보자 하니 그 또한 가만히 앉아서 보고만

* 망족 : 명성과 신망이 높은 집안.

있을 수도 없게 되었소.」

「이속배들의 행패라니, 길청의 사람들이 무슨 행패를 저질렀단 말이오? 여기가 뉘 집이라고 범접하여 언사에 그토록 기탄이 없으시오? 양반의 엉덩이면 곤장이 튄답디까?」

「곤장이 무섭다 하였으면, 내 오늘 이방의 집으로 발길을 놓지 않았을 거요.」

「나는 모르니 고을의 관장인 안전께 찾아가서 몸소 정장이나 올리도록 하시오.」

「그것을 몰라 이방을 먼저 찾아온 건 아니외다. 그러나 관장을 현신하여 사정을 토파하기 전에 구태여 이방을 먼저 찾아온 것은 그만한 연유가 있었기 때문이 아니겠소?」

「그 연유가 무엇이기에 노형의 언사가 그리 도저하시오.」

「우리 처소의 천 접장이 우금을 범했다는 범증을 조작한 것이 이방의 술계에 의한 것이 아니겠소? 그 우피는 어디서 났소?」

「내가 우피를 내걸어 옥사를 날조했다는 거요?」

「그렇지 않으면 그 우피 여섯 영은 하늘에서 떨어졌단 말이오?」

유필호가 두 눈을 부릅뜨고 이방을 노려보매, 이방은 오히려 불쑥 웃어 맹랑치도 않다는 표정을 지었다.

「이런 고이연 위인이 있나. 길청에서 이 옥사를 날조하여 얻는 소득이 무엇이란 말이오? 속전을 거둬들일 것을 겨냥하였다면 속전이 쏟아져 들어야 했을 것이고, 죄인의 모가지를 겨냥하였다면 대강 공초를 받는 길로 기왕의 범증을 빙거로 하여 금부 압송을 했어야지, 오늘에 이르기까지 질질 끌고 있을 까닭이 없질 않소?」

이방이 하게를 던지다가 또한 위하는 말로 둘러대는 발명을 듣고 있던 유필호가 게트림하면서,

「내게 한 장의 서찰이 있소이다.」

「서찰이라니?」

「이방이 서울 육의전 신 행수에게 육천 냥짜리 뇌물을 받고 서사 놈에게 써준 영수서(領收書)와 답서요.」

유필호의 그 말 한마디에 이방은 눈앞이 아득해졌던지 한 손으로 방바닥을 짚고 몸을 가누었다. 이방의 몰골이 금세 참혹하여 쳐다보기 민망한데, 사이를 두지 않고 유필호가 오금을 박고 들었다.

「그런데도 이번의 옥사가 날조된 것이 아니라고 부득부득 잡아떼고 나오시려오?」

송파의 쇠전꾼들이 삼문 밖에 매복하고 있다가 길청을 들락거리는 그 서사를 잡아서 이방이 답서로 써준 서찰을 낚아챈 것이 분명하였다. 아차 실수였구나 싶었지만, 때는 이미 늦었다. 돌로 가슴을 짓찧을 일이나, 애당초 6천 냥 거금 속전에만 마음이 다급하여 앞뒤 살필 겨를 없이 써준 답서가 중도 취탈되어 발목이 잡힐 줄이야 미처 생각할 수 없던 일이었다. 까딱 잘못 처신했다간 이참에 이르러 삭직(削職)은 고사하고 모가지가 달아날 지경에 이른 것이었다. 유필호의 말 한마디로 서로 사정이 판이하게 된 것이야 아둔한 이방인들 모를 리 없다. 당장의 발뺌이 다급해진 이방이 경황중에 콩소매에 넣었던 어음표 두 장을 유필호에게 내밀고 말았다. 유필호가 어음표를 낚아채었으나 이방은 넋을 빼고 우두망찰할 뿐이었다. 이에 이방이 제가 살아날 방도를 유필호에게 물었다.

「이방께서 살아날 방도가 없지 않습니다. 우리 처소의 천 접장을 방면만 한다면 어려울 것이 없지요.」

「어렵지가 않다니요? 이미 범증을 만들어 도대체 빠져나갈 구멍이 없게 닦달을 해둔 터수가 아닙니까?」

「천 접장의 범증이 되는 우피 여섯 영을 없애고 난 뒤 판관에겐 도둑맞았다고 말하시오. 범죄를 빙거할 물증이 없어졌으니 제아무리 촉분 돋은 판관이라 한들 위증을 하여 죄안을 만들라는 분부만은 내리지 못할 것이오. 또한 물증이 없어졌으니 금부 압송도 안 될 터요, 죄인을 오래 뇌옥에 가두고 있을 명분 또한 없어지는 게 아니겠소. 증거할 물건을 도둑맞았다 하면 형리가 낙척을 당할망정 이방에게까지 욕이 돌아올 리 없질 않소?」

「그것이 그럴싸한 꾀이긴 합니다. 그러나 범증이 없어졌다 하여, 일을 만들어 잡아들이고 구초 받던 죄인을 호락호락하게 옥사에서 풀어 줄 안전이 어디 있습니까?」

「아둔한 위인이란 이방을 두고 이르는 말이오. 그것을 내게다 물으면 어쩌란 말이오? 결자해지란 문자도 들어 보지 못하였소? 천 접장을 잡아들이자고 발설하고 위계를 꾸며 낸 당사자는 바로 이방이 아니었소? 잡아들이는 술계에는 이골이 난 위인이 풀어 주는 일엔 손방이라니, 이런 박절하고 망측한 위인이 어디 있단 말이오.」

「명분이란 게 있어야 용빼 재간이 나서질 않겠습니까?」

「엄살떨지 마시오. 잡아들일 명분을 날조할 수 있었다면 놓아줄 명분도 먼저 점지해 두었어야 하지요. 그게 명색 이서배들의 꾀라는 것이오. 나는 일찍이 서리가 될 분복이 못 되어 그런 꾀를 만드는 데는 손방이니 이방이 알아서 조처하시오. 그러나 이틀 말미 동안 기다려서 내 동무님이 방면되지 않는다면 그땐 이 서찰을 물증으로 하여 이방을 금부에 발고할 것이니, 그땐 내게다 원망 두지 마시오.」

자리를 박차고 분연히 일어난 유필호는 소매를 휘어잡는 이방을 매몰스럽게 뿌리치고 대문을 나섰다. 고샅을 벗어나 후미진 한터에 이르니 담벼락에 붙어 서서 기다리던 임소의 쇠전꾼 셋이 불쑥 고개를 내밀었다.

「우선 어디 가서 목들이나 축이고 보세나.」

「우선 그 이방놈 만나고 난 하회부터 알려 주십시오.」

「이 사람들, 아둔하긴, 그 이방 구실 사는 위인과 한 치 다를 바 없군. 내가 목이나 축이고 보자는 것이 무슨 뜻인가? 앞일이 막막하다면 목 축이잘 경황이 있겠는가?」

유필호가 나무라듯 퉁기었다. 쇠전꾼들이 바쁘게 행보를 떼어 비석거리에 있는 술국집으로 유필호를 안동하였다. 초저녁 어름이라 술청에는 벌써 주등을 밝히었고 긴 목로 한편 언저리엔 엽사 차림을 한 두 사내가 바랑을 등에 진 채로 마주 앉아 술국을 달게 퍼먹고 있었다. 네 사람은 모주 한 방구리를 시켰다.

「이방이란 위인의 오금에 쥐가 내리도록 대판으로 꾸짖어 잡도리했으니 그놈은 천 접장이 방면되는 날까지는 새우잠에 꿈자리가 대단 뒤숭숭할 것이네.」

술사발을 들이켜고 난 곰배가 술 담긴 입으로 게게 웃으며 유필호의 말을 받았다.

「삼문 밖에다 척후를 놓아 지키고 있었던 것이 천만뜻밖의 수확이 있었습니다. 그 서사놈만 놓쳤더라면 우리가 시방 여기 앉아 목 축일 경황이 있었겠습니까?」

「그놈을 도망하지 못하도록 잘 지키고 있겠지?」

「동무 셋이 비석거리 맨 아래쪽 숫막의 협방을 얻어 들어 지켜보고 있으니, 그 일에야 염려 붙들어 매십시오.」

「일은 여기서부터가 난사일세. 그 서사놈을 놓아주기 전에 일을 마무리지어야 후환이 없지, 그렇지 못하면 숱한 목숨 요정 나야 할 것일세. 여기서 노닥거릴 틈이 없네. 얼추 두어 순배가 돌았으면 일어나세.」

「땅거미 진 지가 금방인데 너무 조급히 서둘 것이 아닙니다.」

「오늘 밤중으로 못 가도 시구문 밖까지는 길을 대어야 하네. 곰배

자네는 우리보다 한발 더 놓아서 삼전도에 닿는 길로 거룻배 한 척을 변통하여 우릴 기다리도록 하게.」

유필호가 소매에서 꿰밋돈을 꺼내어 곰배에게 건네었다. 곰배는 한 손으로 꿰밋돈을 받아 드는 일변 다른 한 손으로는 철철 넘치게 부은 술잔을 받아 들이켜고 짠지쪽 하나를 입에 털어 넣고는 부리나케 숫막의 삽짝을 빠져나갔다. 남아 있던 세 사람은 뜸을 들이며 어둑발이 완전히 내리기를 기다리고 앉았다가 술시 말이 가까워서야 산성리(山城里)의 남문 쪽으로 노정을 잡았다.

남문은 수문군이 지키고 있을 게 뻔한 일이었다. 그러나 한발 앞섰던 곰배가 인정전을 찔러 주었으므로 유필호가 회양목 호패를 슬쩍 내보이자 수문군의 졸개는 보는 둥 마는 둥 두말없이 길을 열어 주었다. 졸개는 곰배가 찔러 주었던 인정전에 한이 차지 않았던지 길을 내주면서 유필호의 옆구리를 꾹 누르는 것이었다. 유필호가 다시 몇 닢 쥐여 주자 한술 더 떠서 학바윗골〔鶴岩洞〕로 내려가는 지름길까지 자상하게 일러 주었다. 학바윗골까지 내려가는 길에서는 목을 찾지 못해 곤욕깨나 치르었으나 창거리〔倉洞〕와 장지골〔長旨洞〕로 해서 가락골〔可樂洞〕에 이르는 길은 숲이 많아 그렇지 사방이 구릉지여서 행보들이 더욱 재빨라졌다. 삼전도나루에 닿았을 때래야 해시가 넘지 않았다. 삼전도의 낯익은 사공막 근처를 서성대고 있으려니까 어둠 속에서 불쑥 곰배가 나타났다.

「생원님, 행보가 빨랐습니다.」

알은체를 하는데 입언저리에서 감 썩는 냄새가 물씬 풍기었다. 곰배팔이 궐자는 낭떠러지 끝에 매달아 놓는대도 술을 변통해 마실 수 있을 것 같은 재간꾼이었다. 도대체 들병이들도 없는 이 야밤 사공막 근처 어디서 또 술을 구처해 마신 것일까. 또한 기특하고 신기한 일은 취중이라 하더라도 제가 해야 할 몫의 일은 빈틈없게 해치운다

는 것이었다. 그러나 차제에 무슨 술추렴인가 싶어 유필호가 꾸지람을 내릴까 하다가 한 수 접어 참고,

「거룻배는 변통하였는가?」

「여부가 있겠습니까. 삼전도라면 손바닥보다 더 환한 곳인데, 그깟 격군 한두 놈 꼬드겨 내는 것이야 여반장이지요.」

「거룻배를 구처하는 것이 어려운 일이 아니라 그놈들 입을 닥치게 하는 게 더 중하다네.」

「입이 곰의 발바닥 같은 놈으로 꼬드겨 놓았으니 걱정 놓으시고 시생을 따라오십시오.」

곰배를 선머리에 세우고 모래톱을 한참 밟아 내려가려니 어둠 속으로 희미하게 떠 있는 거룻배 한 척이 바라보였다. 뱃전 가녘에 장승같이 껑충한 격군 한 놈이 앉았다가 네 사람이 다가가자 얼른 사앗대를 저어 이물간을 모래톱으로 들이댔다. 야밤에 배를 내어 도강하다 보면 잠상꾼이나 송금(松禁)을 어긴 벌채꾼으로 오인받아 기찰당하기 십상이므로 선등을 켜지 않고 배를 강심으로 몰았다. 늦여름이라 강바람이 시원하였고 대안 잠실도(蠶室島)의 불빛이 어둠 속에 까물거렸다.

배가 움직이자 갈밭에 깃을 들였던 물새들이 잠시 지저귀다가 배가 강심 쪽으로 멀어지자 잠잠해졌다. 비 멎은 지가 사흘밖에 되지 않아 물살이 제법 거칠었으나 배는 잘 미끄러져 나갔다. 구름 속을 벗어난 밤별이 수면에 곤두박이어 흐드러지고 놋좆의 이음새에서 간헐적으로 흘러나오는 마찰음이 강심 위로 앙증스럽게 번져 나가고 있었다. 배는 잠실의 부리도(浮里島)를 오른편으로 휘그르르 돌아서 무동도(舞童島) 앞으로 빠져나왔다. 무동도 앞을 벗어나면 한강의 본류와 만나게 되므로 물살이 제법 격해졌다. 작은 배에 다섯 사람이 올랐으므로 뱃전으로까지 물살이 넘칠 때도 있었다. 거룻배

는 압구정까지 유속(流速)을 따라 밀려가다가 압구정 앞에서 뱃머리를 천천히 강심 쪽으로 곤두박고, 대안의 두뭇개〔豆毛浦〕 수철리(水鐵里) 앞 갈밭 쪽으로 조급히 몰아붙여졌다.

네 사람은 수철리 앞 갈밭에서 배에서 내려 조도로 하여 광희문의 해자 앞에 당았다. 해자 앞 마을에는 전자에 안면을 터놓은 갖바치 석쇠의 집이 있었다. 첫닭이 홰치기 전에 해자로 빠져 문안으로 들어가 보았자 일이 여의치도 않을 것이기에, 네 사람은 석쇠의 집에서 한숨을 돌리고 노독을 들이기로 하였다.

갖바치 석쇠는 나이 50에 가까운 사람으로 시구문 밖에서 잔뼈가 굵어 그대로 붙박여 살아가는 사람이었다. 근본이 상것이고 체수도 잔망스러운 데다가 또한 절름발이라 상종할 것이 못 되었으나 갖바치의 상종이 장안의 대갓집들인지라 장안 소식에는 밝았다. 때로는 좀도적들에게 장안의 기구 차리고 살아가는 집의 형세를 일러 주기도 하였고 방물장수들의 와주 노릇도 하였다.

그러나 천성이 그릇부터 잘못된 위인만은 아닌지라 때로는 사정이 딱한 동냥아치를 재워 보내는가 하면 밑천 날린 등짐장수들에게 곧잘 끼니 대접 해서 보내기도 하는 위인이었다. 송파 쇠전꾼들이 석쇠를 알게 된 것은 곰배 때문이었다. 곰배와 석쇠는 나이 차만도 10년이 넘었으나 어쩐 셈인지 서로 격의 없는 너나들이로 상종하는 것이었다. 장안 소식을 얻어듣는 재미로 송파 쇠전꾼들이 자주 들르곤 하는 집이었다.

민겸호와 민영익이 수의(收議)하여 보부청을 저희들 수하에 불러들이고 한성부에 분부하여 차후부터 외방 저자의 난전꾼들에게도 발호가 심한 시골 아전들과 하급 관원을 고변하고 징치할 수 있는 권한을 부여하고 장시에서 무뢰배들을 몰아내는 일변, 사대부 집안의 청지기나 노복들이 보부상을 가장하여 행매하는 폐단을 엄금하는 한편, 전국의 보부상들에게 새로운 채장〔驗票〕을 내려 보부청과 각도 임방(任房)의 면모를 바로잡으려고 일을 꾸미고 있다는 것도 갖바치 석쇠에게서 들은 소식이었다. 일행에게 제각기 목침을 내려주고 잠을 청하려던 석쇠가 물었다.

「아니, 이 야밤에 웬일들인감? 작당해서 계집 동이러 나선 사람들처럼 보이는데그려?」

유필호를 상대할 수는 없는 처지라 고개를 곰배에게 삐뚜름하게 돌려 대답 나오기를 기다리는데,

「원, 저런 숙맥이 있나. 누굴 잡으러 간다는 사람들의 차림새가 이렇게 허술하던감?」

「그럼 야밤에 도둑괭이들처럼 뛰어든 건 뭣이여?」

「갖바치 주제에 뭣이 그렇게 궁금한 것이 많나그려. 굿이나 보고 떡이나 먹지.」

「남의 굿 덕에 떡 얻어먹을 수 있어 좋지만, 켯속이나 알아야 떡을 얻어먹지.」

「시끄러워, 젠장, 나가서 탁배기나 한 방구리 걸러 와. 좀이 쑤셔서 잠이나 자겠는가, 원.」

「보리술 담가 놓은 것이 바닥에 남긴 하였는데 목이나 축일라나.」

「보리술 담가 놓은 것이 벌써 바닥이 났다구? 내가 알기로는 어제쯤부터 술이 괼 때가 되었는데 그사이에 괴지도 못한 술을 웬 놈이 벌써 퍼먹었단 거여?」

「저런 모주꾼하구선, 남의 집 안방에 술 괴는 것은 어떻게 잘도 알아맞히네.」

「내 평생 챙기는 것이라곤 술뿐인데, 그걸 내가 심상하게 보아 넘길까. 송파 처소에 누웠어도 이 집 안방 술독에 술 괴는 소리가 귀에 들리는 판인데.」

석쇠가 낄낄 웃고 아랫방으로 내려가더니 파김치가 되어 치마를 뒤집어쓰고 쓰러져 자는 내자를 들깨워 술 한 동이를 걸러 가지고 나왔다. 팔베개하고 누웠던 곰배가 부스스 일어나 앉으면서,

「수캐 본전 자랑한다더니 탁배기 한 동이 걸러 온 걸 가지고 그토록 자랑이 심했던가?」

석쇠가 동이에다 바가지를 넣어 술을 젓더니 제 먼저 동이를 헐어 마시고 난 뒤 곰배에게 권하면서,

「그렇지만 내 자랑이 옛날에 신가(辛哥) 성을 가졌던 위인에 비한다면 한 수가 처진다네.」

「신가 성 가진 위인이라니?」

「전자에 신가 성 가진 작자가 광통교에 살고 있었다네. 위인이 저지르는 짓이 항용 배때 벗고* 추잡하고 허황하기 그지없었다네. 작자의 애비가 재산깨나 물려주고 뒈진 터라 신가는 별다른 생화 없이도 호강을 누리며 살았는데, 작자가 재물 가진 것을 자랑하지 않으면 몸살이 날 지경이었다네. 하루는 쌀 한 주먹을 가지고 나가서 대문간에다 뿌린 뒤 손님을 맞아들이지 않았겠나. 손님을 맞아들이면서 손님이 들으라고 노복들을 꾸짖기를, 어찌 하늘에서 내린 곡식을 이처럼 마구 버리느냐, 그저께 충청도에 있는 마름이 쌀 2백 곡(斛)을 실어 왔고 지금 전라도의 마름이 또한 3백 곡을 실어 왔다 하여 이처럼 대문간을 어지럽힌단 말이냐고 소리쳤다지 않은가. 또한 데리고 사는 첩실의 용모가 출중하다는 것을 자랑하려고 바람벽과 사창에다 지분(脂粉)을 뿌려 바르고 손님을 맞아들이는데, 그때도 아랫것들을 보고 큰 소리로 꾸짖기를, 어째서 방구석을 이다지도 더럽히느냐, 아무것이 이 방에 와서 자더니 이

* 배때 벗다 : 행동이나 말이 아주 거만하고 건방지다.

것이 새벽에 성적할 때 한 짓이구나 하였다지 않은가. 또 제 교유를 자랑하려고 손님이 오기 전에 미리 주문가(朱門家)*로 일컫는 재상의 명함을 써서 노복에게 쥐여 주었다가 손님이 들어오자마자 노복이 명함을 가져와 바치면 신가는 그것을 건성으로 받아선 발치에다 두었거든. 손님이 이것을 집어 보고는 달관(達官)*의 이름이라 놀라서 일어서려 하였다네. 신가는 분연히 일어나 소매를 당기면서 재상은 내 소싯적부터의 친구이니 어려워할 것이 없다고 만류하였지 않았겠나. 그런데 조금 뒤에 노복이 들어와서는, 찾아왔던 재상이 진력나서 그만 돌아가고 말았습니다라고 아주 새빨간 거짓말로 너스레를 떤단 말씀이야. 그러면 신가는 웃으면서 내가 그 사람을 상면치 못해 궁금하던 차에 이번에 보고자 하였더니 어찌 그렇게 조급하게 떠나갔는가 하고 타박하는 조로 얘기하였지.」

낄낄 웃던 곰배가 또한 얘기를 받아 비루한 벼슬아치의 얘기를 꺼내 놓았는데 얘기인즉슨 이러하였다. 변가(邊哥) 성을 가진 비변사의 벼슬아치가 연행 사신을 배행하였다. 사람됨이 순박한 반면 용모가 추하고 촌스러웠다. 그러나 용색(用色)의 도리만은 남달리 깨친 바가 있어 설사 마목(麻木)에 들었더라도 치마 두른 계집이라면 짬없이 좋아하고 음사를 벌일 제 그 음탕하기가 행여 바라볼 지경이 아니었다. 행차가 평양에 당도하였을 때 노문(路文) 받은 감사가 배에 기생들을 싣고 나와 행차를 맞이하였다. 변가가 처음엔 감히 눈이 부셔 눈길을 내리깔고 있다가 불현듯 고개를 들어 보니 뱃머리에 한 기생이 오도카니 앉아 있었는데, 그 용모가 사내로서는 홀딱 반할 만하였다.

---

* 주문가 : 권세 높은 벼슬아치의 집.
* 달관 : 높은 벼슬이나 관직.

변가는 동행한 일행을 꾀어 그 기생을 자기에게 수청 들게 하는 데 거들어 줄 것을 졸랐다. 객사에 돌아와 이제나저제나 하고 넋을 빼고 앉아 있는데 지분을 다스리고 몸가축을 정히 한 계집이 방시레 교태를 담고 방으로 아기작거리며 들어오는데 낮에 뱃머리에 앉았던 그 기생이었다. 변가가 천장 높은 줄 모르고 펄쩍 뛰어 좋아하고 궐녀를 맞아들여 농탕을 치는데 측간 걸음도 같이할 정도였다.

기진맥진한 궐녀의 벗어 둔 옷을 뒤지다가 그 속에서 서찰 한 통을 보게 되었는데 그것은 궐녀의 기둥서방이 보낸 애절한 연서였다. 변가는 그것에 개의치 않고 궐녀를 도차지하고 오히려 그 음탕한 사랑이 깊어 갈 뿐이었다. 매일 새벽에 일어나 궐녀의 때 묻은 자리옷을 손수 입혀 주면서, 객중의 재미가 이토록 기쁘니 사내로 태어난 보람이라 하고 낄낄 웃었다.

행차가 발행하는 날 함께 끼고 가려고 말과 안장을 변통하였는데 밤마다 벌이는 옹골진 색사에 배겨 나지 못한 기생이 틈을 타서 장달음을 놓아 버렸다. 순안(順安)에 이르러 길가 주막의 어여쁜 계집을 보고 또한 대혹하여 어거지로 방 속까지 끌어들이기는 하였으나, 한번 색사에 땀이 흘러 뼈까지 젖을 지경이던 계집은 변가가 술 취한 틈을 타서 또한 도망해 버렸다. 안주(安州)에 당도하니 다릿목에 들병이들이 술통을 놓고 벌여 앉아 있었다. 그중에 맞춤한 계집을 얻어 수청을 들이니 그 맛이 조청이었다. 마침 날이 흐린지라 변가는 계집의 등을 어루만지면서 내일 비가 내리면 행차가 머물 것이니 하늘이 내 마음을 헤아려 제발 비가 노드리듯 주룩주룩 내려 주기를 기원하며 꽤 여러 번 한숨짓는 것이었다.

변가가 정주(定州)에 당도하기 전 초입에서부터 정주의 백가 성을 가진 기생이 예쁘다는 소문을 듣고 온갖 계교를 써서 궐녀를 얻으려 하니 동행한 사람들이 위인이 저러다간 음종(淫縱)*으로 신세를 망치고 객사할까 두렵기도 하고 또한 행티가 밉상이기도 한지라, 마침 고을에 계집처럼 아담하게 생긴 한 유생(儒生)을 불러 단장을 곱게 하고 백가 성 가진 기생이라 하고 틈에 앉히었다.

옷깃에서 풍기는 향내와 교태가 자지러지는 눈매가 가히 백가 성 가진 기녀를 능가하는 것이었다. 변가가 한 번 쳐다보고 두 번 쳐다보매 천하에 둘도 없는 가인이라 갑자기 손을 잡고 방으로 끌어들이려 하니 유생이 일부러 손을 뿌리치고 달아날 듯 당황하였다. 이에 변가는 때로는 꾸짖고 또한 달래며 어찌할 바를 몰라 하였다. 때마침 행수 기생이 촛불을 들고 다가와 변가에게 은근히 타이르기를, 이 계집아이는 아직 남자라고는 상대해 본 적이 없으니 천천히 길들이시고 다독거리시되 만약 조급히 서두르시다가는 꿩의 병아리같이 달아나 버릴 것이니 그땐 낭패를 보십니다, 하였다.

변가가 그 말을 첫곧이듣고 방으로 들어와 유생의 허리를 아프지 않게 껴안고 나직이 말하였다. 네가 만약 내 말을 잘 들어 조빼지 말고 고분고분하게만 굴어 준다면 너의 살림 두량을 지성껏 돌봐 줄 것이다라고 하였다. 이 말에 서로 양해되어 불을 끄고 침석을 내리려는 찰나에 일행 중에 괄시할 처지가 아닌 사람이 급히 찾아와서 변가를 밖으로 불러내었다. 본 고을의 목사가 술자리를 베풀어 우리 일행을 위안하고자 하니 그대로 일찍 쉴 것부터 작정할 것이 아니라 기생을 데리고 나가서 참석하는 것이 올바른 도리라고 꾸짖듯 말하였다. 변가가 마음은 조급하되 이에 따르지 않을 수 없었다.

변가가 유생의 손을 잡아끌고 동헌의 술자리로 갔다. 이에 목사가 대뜸 유생을 보고 거행 불민하다고 꾸짖었다. 너는 관청에 속해 있는 물건으로서 고을을 찾아온 객에게 불손하게 굴었으니 그냥 둘 수

＊음종 : 음란하고 방탕하여 하고 싶은 일을 제멋대로 함.

는 없다. 차제에 엄형으로 다스릴 것이니 그리 알라면서 별반거조를 차릴 조짐을 보였다. 이에 변가가 대경실색하여 목사 앞으로 나아가 손을 모으고 대신 애걸하였다. 이 아이가 언감생심 내게 불손한 일을 저지른 적이 없었는데, 이는 기필 전한 사람의 불찰인 듯합니다. 나로 인하여 이 아이의 벌이 매에 이른다 하시면 이는 곧 나를 허물함이 아닙니까. 가만 듣고 있던 목사가 용서하였다. 술자리가 파한 뒤에 다시 객사로 돌아와서 서로 붙잡고 희롱하다가 옷을 벗고 누워서야 유생이 사내임을 알고 일어났으나 사단의 앞뒤를 곰곰 생각하니 이는 일행이 꾸민 짓이라 한마디 원망이나 투정을 늘어놓을 일이 아닌 것을 깨달았다.

이튿날 행차가 고을의 오리정에 이르렀을 때, 어젯밤의 그 유생이 남자 복색을 하고 나와 변가에게 한잔의 술을 권하고 옷깃을 부여잡고 눈물을 머금으며 떠나감을 만류하면서, 밤새 공(公)과 재미있게 보낸 것은 오직 저의 궁박한 가계를 모면하고 공의 도움으로 요족하게 살아가기 위함이었는데 한 닢의 화대(花代)도 내리지 않고 떠나시다니 이런 박정이 어디 있습니까 하고 매달리자, 변가는 먼산바라기로 묵묵부답이었으나 경마 잡던 졸개와 아랫것들조차 박장대소하였더란 것이었다.

10

한 순배씩 행주(行酒)*할 때마다 한 토막씩의 이야기를 주고받는 중에 어느덧 새벽별이 뜨고 창문 밖은 희붐하니 밝아 왔다. 술 한 동이를 두 사람이 앉아서 바닥을 냈을 때는 파루 친 후인 묘시였다. 일

*행주: 잔에 술을 부어 돌림.

행은 석쇠의 집을 떠나면서, 중화 전에 되짚어 올 것이니 집을 비우지 말아 달라고 석쇠에게 단단히 일러 두었다. 네 사람은 광희문으로 하여 하도감(下都監) 터를 가로질러 개천을 건너 훈련원 뒷길로 해서 장안으로 들어섰다. 마전다리에서 수표다리까지의 근 시오 리 길을 사뭇 개천의 천변 길로만 걸어, 수표다리에서 길을 곧장 오른편으로 꺾어 종가를 가로질러 탑골로 들어갔다. 그들은 탑골 초입길에서 잠시 지체하였다가 곧장 조 소사의 집 앞에 당도하였다. 고샅에 행인이 없는 틈을 타서 곰배가 통자를 넣으니 월이가 곧장 빗장을 떼고 대문을 여는데 난데없이 나타난 곰배를 눈앞에 두고 월이는 금세 놀라는 빛이었다.

「하님은 날 알아보시겠소?」

곰배가 먼저 수작을 던지니 월이가 한참 만에야 웃고 웬일이시냐고 물었다. 먼젓번 송파 길에서 조산 깍정이 한 놈에게 겁간을 당할 뻔하였을 때 궐녀를 구해 준 일행들 속에 곰배가 끼여 있던 것을 월이는 기억하고 있었다.

「시방 광주 관아의 옥사에 떨어진 천 접장의 일로 찾아왔소.」

궐녀로선 천봉삼의 일이라니 우선 반가웠으나 곰배의 입언저리에 허연 버캐가 끼어 있고 문뱃내가 등천을 하는 데다 뒤에는 의관이 분명한 깎은 선비 한 사람이 버티고 서 있는지라 주저하며 머뭇거리고 있는데,

「댁의 마님을 뵈려고 광주에서 밤을 도와 걸었소. 보통 일이 아니니 우리 생원님께서 마님을 뵙고 사정을 알리도록 해주시오.」

「불각시에 들이닥치어 무슨 엉뚱한 말씀들이십니까. 지금 나으리께서 집에 계시니 함부로 덧들이지 마십시오.」

「말귀가 아직 안 터졌소? 신석주가 종가 쪽으로 나가기를 기다렸다가 찾아왔소이다.」

「도대체 무슨 일들이신지?」

매몰스럽게 뿌리치려던 월이가 다소 누그러져서 그렇게 묻자,

「사람의 모가지가 매달린 일이니 문밖에서 지체하고만 있을 처지가 아닙니다.」

곰배의 말버슴새가 워낙 다급한 일 같고 또한 해코지하러 온 사람들이 아니란 짐작만은 하고 있던 터라, 월이는 잠깐 기다리라 하고 바쁘게 몸채로 뛰어올랐다. 연이어 유필호를 몸채의 사랑으로 모시는 것이었고 태중 만삭인 조 소사가 건너왔다. 이에 유필호는, 신석주가 광주 길청의 아전에게 인정을 써서 천봉삼의 목숨을 요정 내라는 청질을 하였다는 것에서부터 저간의 사정을 차근차근 토파하였다. 그리고 물증인 이방이 쓴 서찰도 내보이었다.

「사정이 이렇게 되었다면 역시 명 보전에 기약이 없게 되었소. 우리 역시 신석주가 저지른 악행을 수탐하게 된 이상 댁네를 신가의 문중에다 둘 수는 없게 되었습니다. 하나를 보아 둘을 안다 하듯이 신가가 산후(産後)의 댁네를 가만둘 성부르지가 않습니다.」

「전후 사정을 따지자 하면 선비님을 따라나서는 것이 옳겠으나 그간의 호의호식이 모두 나으리의 덕분이었으니 이를 어찌하면 좋습니까. 저의 사주가 이처럼 기박한 것은 하늘의 뜻으로 알고 있으나 이제 선비님의 말씀 듣고 오 척 단신 자량(自量)*해서 처결함이 이토록 어렵습니다.」

「경각을 다투어야 할 조급한 판에 신세 한탄이 가당치 않소. 그간 댁네의 일신을 신가에 의탁하여 호강을 누렸다 할지라도 그것이 올바른 사람으로서의 대접은 아니었소. 허방에 빠지기 전에 어서 일어서십시오.」

---

* 자량 : 스스로 헤아림.

「좀 기다려 주십시오.」

「일각이라도 벌어야 합니다. 더군다나 태중 만삭이니 한 목숨만을 생각할 처지도 아닙니다. 어떡하시겠소? 여길 떠나서 당장 몸을 숨기고 있을 만한 은신처는 수배해 둔 터이니 과단성 있게 결단을 내려야 할 것이오.」

한참 동안 고개를 숙이고 앉아 있던 조 소사가 분명한 한마디를 던졌다.

「저의 마음에 정한 분의 분부라면 그에 따르겠습니다.」

「결단을 빨리 내려 주어 고맙소. 행구를 차릴 것도, 가져갈 것도 없이 빈 몸으로 일어서십시다. 지체하다간 신가가 들이닥칠지도 모릅니다.」

「제가 어릴 때부터 곁에서 드난하던 아이가 있으니 부득불 동행해야겠습니다.」

「여부가 있겠소.」

조 소사는 까물까물 사그라질 듯한 시선을 가누고 일어섰다. 이제 이 집을 하직하게 되다니, 미련이 남아서가 아니라 이런 헤어짐을 일찍이 예상하지 못했으므로 가슴이 미어졌다. 신석주 곁에서 누렸던 양광이 한낱 뜬구름 같다는 것을 태중의 아이가 자랄수록 더욱 절실하게 궐녀의 가슴을 쳤던 건 사실이었다. 그러나 연약한 아녀자의 몸으로 어찌할 바를 모르고 안달만 해온 터였다. 이제 사단이 여기에 이른 이상 더 이상 주저할 것이 없었다. 그러나 마디에 공이가 들더라고 거기에 사단이 생겨났다.

그것은 사단의 앞뒤를 대충 알려 주고 같이 떠날 것을 분부하였으나 월이가 끝내 버티고 듣지 않았기 때문이다. 그것이 상전을 모시는 노복으로서의 도리를 다하자는 데 있었으니 곁에 있던 유필호도 놀라울 뿐이었다. 유필호가 지켜보는 가운데 월이가 말하였다.

「종가의 처소로 나가신 나으리가 언제 돌아오실지 예측하기 어렵습니다. 땅거미 진 뒤라면 몰라도 아씨가 장안을 벗어나기 전에 돌아오신다면 당장 겸인들을 풀어서 추쇄할 건 뻔하지 않습니까. 그렇게 되면 아씨는 살아날 가망이 없게 됩니다. 아씨가 안심할 수 있는 곳에 득달할 때까지 나으리를 잡아 두자 하면 쇤네만이라도 집에 남아 있어야 합니다.」

「네 말에도 일리가 있고 또한 네 속내도 가상하다만 네가 여기 남아 있게 되면 너도 죽고 또한 나 역시 그렇게 되지 않겠느냐.」

「나으리께서 혹독한 형문을 내리시겠지요. 그러나 불로 배를 지진다 할지라도 쇤네가 주둥이를 함부로 놀리지는 않을 것입니다. 한 목숨을 버려 두 목숨을 구한다면 그만한 다행이 어디 있습니까. 만약 우리가 뛰다가 중도에서 잡히는 날엔 세 목숨이 결딴나지 않겠습니까?」

「너는 어찌 잡힐 것을 먼저 생각하느냐. 이분들도 생각이 있을 터, 빨리 여길 뜬다면 세 목숨이 모두 살아날 방도가 있지 않느냐.」

「만에 하나 잘못될 경우를 먼저 생각하여 방책을 구하는 것도 나쁘지만은 않습니다.」

「그 만에 하나 때문에 네 목숨을 내어 놓겠다면 나도 가지 않겠다. 우리는 남아 있어도 죽을 목숨이 아니냐. 이판사판에 앞뒤 견줄 경황이 있느냐. 꾀까다로움 부리지 말고 냉큼 앞서거라. 너 또한 가져갈 소용도 없을 터 쓰개치마나 갖고 나오너라.」

조 소사의 분부를 끝내 뿌리칠 수 없어서였는지, 아니면 심지가 돌아섰기 때문인지는 몰라도 월이는 태도를 바꾸어 분부 따라 거행할 조짐이었다. 월이의 말대꾸가 옹골차고 또한 그 상전을 우러러 나오는 마음으로 모시려 함에 유필호는 적잖게 놀랐다. 가문에 이름이 있고 또한 서적을 읽었단 규수라 할지라도 그 마음이 저와 같지는 않으리란 생각 때문이었다. 근본이 천례일 것은 분명하나 언행이 참하고 대담하니 유필호는 문득 심지가 동하는 것을 느꼈다.

치행하여 나선 조 소사가 자줏빛 끝동이 달린 쓰개치마에 북덕무명으로 지은 치마로 복색하였으니 문득 보아서는 기구 있는 집의 아녀자로는 보이지 않았다. 일행은 지체 없이 대문을 나섰다. 송파서 온 일행들과는 동행으로 보이지 않게 하기 위해 그들을 활 한 바탕만큼 앞세우고 뒤따라서 탑골을 빠져나왔다. 다시 종가를 가로질러 종가 행랑 뒷길을 따라 동쪽으로 한참 걷다가 좌포청이 건너다보이는 어름에서 오른편으로 돌려 천변 길로 꺾어들었다. 천변 길로 들어서서는 꼭 곧은 길로 올랐던 것이나 마전다리를 채 못 가서 조 소사의 숨이 가빠져 더 이상의 빠른 행보는 지난이었다. 월이가 급히 네 사람에게 다가왔다.

「안 됩니다. 아씨는 산일이 가까웠습니다. 태기 있은 후로는 손끝에 물을 튀기면서 지내 온 터수에 이 지경을 당하여 몸을 급히 굴리면 까딱했다간 노중에서 변을 당할지 모르게 됩니다.」

유필호가 가만 생각하니 자칫하다간 구해 내자는 사람 죽일 판이 된지라 두 사람을 다시 종가 세물전으로 보내어 가마를 세내어 오도록 하였다. 담배 두어 대 피울 참이나 되어서야 세물전으로 뛰어갔던 동무님들이 가마를 떠메고 달려오는데 온 삭신에 땀들이 비 오듯 하는 걸 보니 꽁무니에 불이 댕긴 것 같았다.

가마를 꾸미는 둥 마는 둥 대강 채비하여 고샅으로 기어들어 사람 없는 틈을 타서 조 소사를 얼른 가마에 올렸다. 신관이 훤한 유필호가 앞장서서 소매에 바람을 날리고 뒤에 월이가 수모 행색으로 뒤따르니 지나는 행인들이 보기엔 혼례 가마처럼 보이었다. 날이 난 김에 훈련원 뒤 텃밭을 쉬지 않고 지나서 솔숲이 우거진 곳까지 내처 걸어 잠깐 숨을 돌릴 요량으로 가마를 내려놓는데 때마침 뒤따르리라 믿었던 월이가 보이지 않았다. 그러나 월이가 어디에서 가마를 버리고 뒤돌아서 버렸는지 알고 있는 사람이 없었다. 급히 곰배를 보내어 행적을 뒤쫓아 보았으나 찾지 못하고 금방 되돌아왔다. 그렇다고 여기까지 달려와서 궐녀 때문에 시각을 지체할 수도, 수탐을 한답시고 되돌아설 수는 더욱 없었다.

「순순히 따라나설 적에 속으로는 미심쩍다 싶었었는데, 차마 이런 꼴을 보이랴 싶어 안심하였더니…….」

유필호가 혀를 끌끌 차며 어찌할 바를 몰라 두리번거리기만 하는 중에 곰배가 나서며,

「외를 거꾸로 먹어도 제멋이라 하지 않습니까. 계집의 고집이 그만하면 제 또한 허방에 빠지더라도 헤어날 구멍을 찾겠지요. 지체 말고 숨 돌렸으면 어서 떠나십시다.」

「자네들은 어찌했으면 좋겠나? 나 혼자라도 되짚어가서 잡아채서라도 끌고 올까?」

낭패한 중에서도 쇠전꾼 하나가 픽 웃음을 흘리면서,

「생원님께서 무슨 날고 뛸 재간이 있으시다고 신석주의 결찌들이 우글거릴 종가로 뛰어들겠단 것입니까? 그놈들이 죄다 썩은 통나무로만 보이십니까?」

「그럼 그것이 신고를 겪다가 끝내는 어찌 될 줄 모르는데, 그냥 가자는 건가?」

「우리가 신가의 집에 한 번 걸음 더하게 생겼을 뿐입니다. 그때까지 목숨이야 거덜이 나려구요. 우선 가마나 안동시켜 놓은 다음에 월장을 하든지 불을 지르든지 하십시다.」

가마 안에 앉아서 바깥에서 받고채는 수작을 듣자 하니 조 소사는 가슴이 철렁 내려앉아 올라붙지 않았다. 월이는 이제 꼼짝없이 결딴이 날 것이었다. 행적을 감춘 그를 찾기 위해 치도곤을 먹일 사람이

라면 그 집에서 월이밖에 또 누가 있단 말인가. 그때 가마는 다시 덜렁 올라갔다. 월이는 그냥 두고 떠나기로 작정이 된 모양이었다. 가마 안에서 조 소사는 고꾸라지고 말았다.

가마 멘 일행이 시구문을 빠져나가 석쇠의 집에 당도한 것은 중화참이 약간 기운 시각이었다. 먼 데서 가마를 내린 후 유필호와 조 소사가 먼저 들어가고 인적 드문 때를 기다려 쇠전꾼들이 나중에 들어갔다.

석쇠가 갖신을 기워 내는 솜씨 하나만은 기특하여 성안의 사대부나 기구 있는 집에선 소문이 왜자한 까닭으로 몸 날 사이가 없는 반면 하루에도 몇 번씩 장안의 대갓집 청지기와 겸인들의 발길이 끊일 사이가 없었다.

그들의 내왕이 잦다는 것이 오히려 사람이 숨어 있기에는 제격이란 생각이 없지 않았다. 또한 내왕이 잦으면 장안의 소문이나 동향을 귀동냥하는 데도 석쇠의 집보다 더 좋은 곳이 없었다. 게다가 석쇠의 안해는 천성이 무던하고 입이 무거운 사람이라 울 밖 출입도 없었고 마을 여편네들과 어울려 수습 없이 나불대고 다닐 주변머리도 못 되었기에 석쇠의 집을 택한 것이었다. 조 소사를 안위시켜 앉힌 뒤 상방으로 나온 석쇠는 처음엔 급시로 당하는 놀라운 일이라 수작이 어울리지 않아 덤덤하게 앉았다가 겨우 곰배에게 물었다.

「저 내행은 어인 일인가?」

곰배가 그동안 땀을 들인 후 툇마루에 걸터앉아 곰방대를 빠끔거리고 있다가 툭 쏘아붙였다.

「알 거 없네.」

「내가 알 거 없다니? 보자 하니 모두들 쫓기듯 내 집으로 뛰어든 터에, 명색 주인이란 내가 절 모르는 시주를 하란 말인가? 당장 입을 열지 않으면 내 동소임에게 쫓아가서 고변을 하고 말 것이네.」

「고변할 테면 하라지. 고변하고 난 사람은 성하게 살아남는가 어디 한번 볼 만하겠군그려.」

밑도 끝도 없는 두 사람의 수작을 듣고 있다 못해 대님을 고쳐 매고 앉았던 유필호가 가로채고 나섰다.

「그러다가 싸움 나겠네. 저 내행은 장안의 육의전 대행수인 신석주의 측실이었던 분일세. 우리가 가서 방금 안동해 온 것이니 석쇠 자네는 그분 부족 없도록 대접하고 식솔들을 엄히 닦달하여 소문이 울 밖으로 새지 않도록 해주게. 나중에 보답이야 섭섭지 않도록 해주겠네.」

가만히 유필호의 말을 듣고 앉았던 석쇠의 두 입술이 자인장(慈仁場) 바소쿠리만 하게 벌어졌다.

「그 말씀이 옳습니까?」

「내 언제 자네와 언사를 농한 일이 있었던가?」

「그렇다면 생원님, 잘못 짚으셨습니다. 쇤네의 집이란 것이 울을 치고 살기는 하나 형용뿐이요, 게다가 사람들의 내왕이 잦습니다. 집안 사정이 하루 지키기가 어렵다는 걸 생원님도 알고 계시지 않습니까?」

「알고 있다네.」

「만약 대행수가 이것을 알면 쇤네의 집에다 불을 놓으려 대들 것입니다. 신석주가 쇠푼깨나 만진다 하여 자세(藉勢)*가 여간 아닌데다 그 세력이 또한 어지간한 사대부는 우습게 알지 않습니까. 이 무슨 화근을 남의 집에다 물고 들어온 것입니까?」

「이미 엎질러진 물일세. 지금 당장 탄로가 난다 하여도 자넨 고종명이 어려울 것이요, 또한 다른 곳에서 우리 행적이 탄로 난다 하

---

* 자세 : 어떤 권력이나 세력, 또는 특수한 조건을 믿고 세도를 부림.

여도 일시 몸을 숨긴 곳이 자네의 집이었다고 발고를 한다면 역시 환난을 당할 건 마찬가지가 아닌가. 엎어치나 메치나 자넨 어차피 우리와 한통속이 되어 버렸으니, 이제 와서 여러 말 말게. 공연히 속만 썩이겠네.」

「쇤네가 모두들 당장 쫓아내고 신석주에게 통기한다면 쇤네가 화를 입을 까닭이야 없겠지요.」

「그 말도 그럴싸하이. 그럼 우리는 여기서 꼼짝 않고 있을 터이니 자네가 득달같이 쫓아가서 발고하고 돌아오게나.」

평택이 이기나 아산이 무너지나 겨뤄 보자 하던 석쇠가 그때 무슨 심지가 뻗쳤던지 빙그레 웃으며 한다는 말이,

「분기 돋는 대로라면 당장 뛰어나가 발고를 하겠습니다만, 생원님이나 이 동무님들을 봐서 차마 외대할 수는 없군요. 가재는 게 편이라 하지 않았습니까. 상것이 상것들을 고변할 수야 없지요.」

「나는 상것의 동류가 아닐세, 이 사람아.」

「생원님이 가재는 아니라 하더라도 게 편이긴 마찬가지이니, 쇤네에게 크게 어폐가 있었던 건 아니지요.」

「자네 보아하니 나를 은근히 욕보이고 있지 않은가? 손자를 귀여워하면 상투를 잡는다더니, 이 무슨 달갑지 못한 언동인가?」

유필호가 언행 불민하다고 정색하며 꾸짖고 나오자 무안당한 석쇠는 얼른 동떨어진 말로,

「쇤네가 아적에 어금니 하나를 빼어 버렸더니 말이 헛나왔나 봅니다.」

「그놈의 헛소리가 다시 한 번 종작없이 나왔다가는 어금니 하나를 더 빼어 말이 밑구멍으로 나오게 할 터이니, 차후부턴 내 앞에서 언동 조심하게.」

「알겠습니다. 그럼 저 내행이 며칠이나 묵새기게 될 것인지 그것

이나 알려 주십시오.」
「당장은 모르겠으나 아주 한 열흘은 작정하고 있게. 자네 보았으면 알겠지만 산일이 가까운 사람이라 앞일을 예측할 수 없으니 자네 내자에게 은밀히 일러서 산점을 당하더라도 당황하지 않도록 제반 조처도 해주게나.」
「이것 낭패가 아닙니까. 태기도 없던 우리 집에서 갓난아이 우는 소리가 난다 하면 삼이웃이 수상쩍게 여길 것은 뻔한 일일 텐데, 어떡할까요? 숨겨 주는 일이야 이제 와서 곱다시 당한 일이라 치고라도 아이까지 받아 내라면 그건 못합니다. 내자가 원래 소명치가 못한 데다가 지금까지 출산의 경험 없이 살아온 판이라 산점을 다스리는 데는 손방이랍니다.」
「할 수 없지. 그건 그때 가서 방도가 나서는 법, 당장 아이가 삐죽거리고 나오는 것도 아니니 겁부터 먹지 말게.」
「그렇지가 않습니다. 만삭의 산모가 심히 놀랐다거나 급시에 받치기라도 하면 당장 산점이 있다지 않습니까.」
「자넨 아이 낳는 일엔 손방이라면서 그런 것은 어찌 그토록 자상하게 알고 있는가?」
「들은 풍월입지요.」
「자네의 그 말에 귀가 번쩍 뜨이네. 그것이 들은 풍월이라면 분명 아이 받아 내는 것도 들어 챙겼것다? 산모가 남의달을 잡는다 하여도 별걱정이 없겠구먼. 자네 집에 드나드는 방물장수에게 귀동냥을 하든지 아니면 마을 여편네들에게 귀동냥했다가 일을 당하면 조처토록 자네 내자를 닦달해 두게.」
석쇠를 어르고 달래어서 조 소사가 일단 숨어 있을 곳을 마련하였다 하나 되돌아선 월이가 유필호의 심기를 흩뜨려 놓는 것이었다. 그렇다 하여 지금 장안으로 되돌아설 수는 없었다. 내일 중화 전까지는 광주에 닿아야 하겠기 때문이었다. 광주의 이방이란 놈이 그사이에 또 무슨 간계를 꾸밀지도 모르겠고 석쇠의 집에도 만약의 일을 생각해서 동패들을 남겨 두어 지켜보고 있게 해야 했기 때문이었다. 유필호의 몸을 둘로 쪼개는 재간이 없는 이상 월이가 고초를 당할지라도 두고 보는 수밖에 딴 방책이 없었다.

신석주란 위인이 조 소사를 추쇄하기 위해서는 범강장달이 같은 수하의 떨거지들을 풀어서 쌍심지를 켜고 동분서주할 건 물론이요, 월이에게 고초를 안길 제 방법과 수단을 가리지 않을 것도 물론이었다. 그러나 한 가지 분명한 것은 조 소사를 잡을 때까지는 결코 월이를 참살하진 않으리란 것이었다. 그동안 월이가 감내해야 할 악행이 또한 막중하겠지만 스스로 택한 길이니 무슨 방책이든 있지 않았을까 하는 짐작도 없지 않았다.

조 소사를 석쇠의 집에다 안동시킨 다음 유필호는 선길에 광나루까지 나아가서 기다리고 있던 주낙배를 다시 얻어 탔다. 격군놈도 입이 천근같이 무거운 위인이었던지 짬 없이 방귀만 뀌어 댈 뿐 작반했던 동무님들이 보이지 않는데도 행지조차 묻는 법이 없었다. 광주 부중에 당도한 것은 그날 밤이 꽤나 깊어서였다. 광주에 당도하고 나니 갑자기 허리가 휘청거렸다. 생각하니 곡기를 못하고 쏘다닌지 하루가 넘었다. 그 평생 배고픈 것을 느껴 보긴 처음이었다. 이제 그 자신도 상것들의 부류를 닮아 가는가 싶어 혼자 씁쓰레하게 웃었다. 장터거리 지나서 숫막으로 오르니 기다리고 있던 쇠전꾼들이 반기었다. 우선 배부터 든든하게 불린 다음,

「잡아 둔 서사놈은 끼니 거르지 않고 잘 먹고 있것다? 그놈이 낙명해서는 안 된다네.」

「죽다니요, 위인이 우리가 갖다 주는 끼니를 개 죽사발 핥듯 하는 뎁쇼. 게다가 우리가 더 이상은 해코지를 않는다는 낌새를 알고부

터는 이알이 곤두서서 우릴 땅땅 벼르는데 아주 속 시원하게 멸구를 해버리고 싶습니다. 세력 드센 것이 신석주의 아랫도리에서 찬밥 먹는 놈답지 뭡니까.」

「그놈을 방면한 뒤에 얼마 동안 자네들은 송파 마방 어름에는 얼씬도 해선 안 되네. 양주 평구장(平丘場)머리의 쇠전이나 솔모루장에 내려가서 피신해 있도록 하게.」

「양주 사는 홀아비라더니, 우리 행색이 그 꼴 나게 생겼네그려. 생원님, 그러실 것이 없습니다. 그놈의 눈깔을 뽑아서 아주 후환 없도록 조처하는 게 어떻겠습니까?」

「아무리 영락(零落)*한 양반 신세이기로, 내 앞에서 다시는 그런 방자한 대꾸를 하였다간 네놈부터 먼저 물고를 내리라. 네 상것들이란 어찌 인명을 개 다루듯 하더란 말이냐.」

유필호는 대꾸가 짐작 없는 쇠전꾼을 눈물이 쏙 빠지도록 엄히 꾸짖고 난 뒤 방자를 놓아서 이방의 집을 살펴보고 오도록 하였다. 그러나 이방은 작청에서 퇴청 않고 있다는 전갈이었다. 기진맥진한 채 그날 밤을 새우고 이튿날이 밝았으나 이방의 기별이 없으니 또한 하루해를 허송하는 수밖에 없었다. 이쪽에서 안달하는 낌새를 보이면 간사한 이방이 또 무슨 꾀를 둘러댈지 모르겠다 싶어 태연한 기색으로 기다리자 하니 마음은 더욱 조급하였다.

그날이 지나서 해가 지고 다시 땅거미가 지나서 밖이 캄캄할 지경에까지 이르렀다. 그때 입성이 매우 남루한 사노(私奴) 한 놈이 숫막으로 쫓아 들어와 유필호를 찾는 것이었다. 퇴 끝에 손을 짚고 국궁하고 서서 저의 상전이 생원님을 뵙고자 한다는 말만 남기고 휭허케 나가 버렸다. 유필호가 득달같이 이방의 집으로 갔더니, 이방은 이틀

* 영락 : 세력이나 살림이 줄어들어 보잘것없이 됨.

사이에 육탈이 되어 안면이 삶아 놓은 개가죽 모양으로 쪼그라들었는데, 그때까지도 작청으로 날 때 입었던 관망 그대로 앉아 있었다. 유필호가 재빨리 이방의 낯빛을 읽었다.

뒷간 개구리에 뭐 물린 놈같이 같잖다는 듯 유필호를 바라보고 앉았던 이방이 먼저 자리를 털고 일어나며 따라오시라는 눈짓을 하였다. 족등을 밝히겠다고 나서는 사노아이를 꾸짖어 물리치고 두 사람은 이방의 집을 나섰다. 주막거리와는 반대편인 성산골〔城山里〕 쪽으로 활 두어 바탕 상거로 내려가더니 어떤 대문 달린 집 앞에 이르러 통자를 넣는 것이었다. 그러자 댕기 길게 드린 한 낯선 낭자가 나와서 빗장을 따고 두 사람을 맞아들이었다. 낭자는 이방과는 익히 안면이 있는 듯 불빛이 고즈넉한 건넌방을 손으로 가리켰다. 건넌방에 이르러 낭자가 나직이 방문을 향해 여쭈었다.

「손님께서 찾아오셨습니다.」

방 안에서 잠시 꾸물거리는 소리가 나더니 사내의 그림자가 장지로 와서 문을 열었다. 고개를 밖으로 내밀고 있는 사람은 천봉삼이었다.

「천 행수인가, 날세.」

「어서 들어오십시오.」

두 사람은 얼른 방 안으로 들어갔다.

「애써 주신 덕분에 백방이 되긴 하였습니다만, 그동안 처소 사람들은 무탈한지 궁금합니다.」

「걱정 말게. 자네 신색이 이게 어디 사람이라 하겠는가. 행보할 만하거든 걷고 여의치 못하면 내가 어부바함세.」

「의복이 피칠갑이 되어 그렇지 견딜 만합니다. 우선 앉으십시오. 이 댁에 잠시 볼일이 남아 있어서 그럽니다.」

봉삼이 그렇게 말하며 방 한편을 고갯짓으로 가리켰다. 희미한 불빛 아래로 기진한 노인이 차렵이불에 싸여 누워 있는 모습이 보였다.

「저분은 뉘신가?」

「이 댁의 주인장이신데, 아마 얼마를 못 갈 성싶습니다. 워낙 노쇠한 터에 악형을 치른 터라 신기를 되찾을 가망이 없게 되었습니다…….」

봉삼이 채 말을 끝맺지 못하는 것으로 보아 노인의 잔명은 이미 저승의 문턱까지 닿아 있는 모양이었다. 유필호는 힐끗 봉삼의 행색을 살펴보았다. 봉발을 걷어올려 나무동곳으로 겨우 상투를 지었고 입성은 관아로 잡혀갈 때 그대로였는데, 옷 입힌 채로 형장을 내려 곤장 맞은 자국을 따라 자색으로 엉긴 핏자국이 뻗어 있었다. 그때 장지가 열리고 낭자가 방 안으로 손만 디밀었는데 보퉁이를 받아 펴 보니 갈아입을 옷 두 벌이었다. 사태가 아무리 다급하게 생겼다 한들 옷은 갈아입혀야겠으니 유필호와 이방은 그사이 잠시 밖으로 나와 비켜섰다. 그때 이방이,

「이제 두 사람이 무사타첩된 것을 생원께선 보셨겠지요?」

「저 노야는 뉘시오?」

「송금을 어긴 죄로 옥사가 일어나 천봉삼과 같은 토옥에서 지내던 노인이오. 당초에는 천봉삼 혼자만 백방시킬 방도를 강구했던 것이나 천봉삼이 유 노인과 같이하는 것이 아니라면 단 한 발도 움직일 수 없다고 버티어서 조급한 김에 두 사람을 함께 백방하였습니다. 이제 끝을 보았으니, 그 서찰은 내게 넘겨주시는 게 도리가 아닙니까?」

「걱정 마시오. 서찰은 돌려 드릴 것이니 잠깐만 말미를 주시오.」

「말미를 달라니요? 죄인들을 백방시킨 터에 무슨 말미를 달라시는 겁니까? 보아하니 생원께서는 나를 헛되이 욕뵈려는 심사가 아닙니까?」

이방이 소매를 떨며 율기를 하고 물었다.

「이 서찰 한 통을 빌미 삼아 이방을 헛되이 욕뵐 의향만은 없소이다. 믿지 못하는 것은 이방이지 내가 아니오. 명색이 글줄이나 읽었단 선비가 제 심지 하나를 제출물로 다루지 못하고 조령모개*하겠소. 그런 걱정 아예 마시고 댁에 가서 쉬십시오.」

뒤꼭지가 미지근한 감이 없지 않으나 이방은 유필호의 말을 믿고 돌아설 수밖에 없었다. 이방이 비척거리고 대문을 나서는데 등 뒤로 두 낭자가 흐느껴 우는 소리가 들려왔다. 필경 유 노야의 숨이 끊어진 것이리라. 그런데도 문중에서는 한 사람도 그 집에 얼씬대지 않았다. 가산을 작청의 아전들에게 야금야금 적몰당하니 온 문내 척간들의 출입이 소원해진 터에 두 딸이 원통하여 복장거리한들 장례 비용 단 몇 푼도 변통해 줄 리 없고, 또한 아문에 끌려가서 모진 형문을 겪은 집안의 일이니 혹간 이웃이 와서 알은체를 하고 싶어도 그 일로 인하여 또한 애꿎은 관재(官災)를 입게 될는지도 몰랐으므로, 모두들 주저하고 있었다.

그사이에 봉삼과 유필호는 시신을 염습하여 우선 마당에다 한갓지게 초빈하고 흐느끼는 두 딸들을 달래었다. 유필호가 괴이하게 여겼던지,

「대소가 여러 집이 있을 터인데 왜들 한 끈에 달린 것처럼 코빼기도 보이지 않는단 말이오?」

울던 딸이 목젖을 삼키고 나서,

「우리 문내 사람들이 없을 리가 있겠습니까. 그들도 족징(族徵)을 당해서 가산들을 탕진한 터에 아버님 상청(喪廳)을 찾아뵙는다 하다가 또한 액회에 빠질까 두려워서 먼발치에서 가슴만 죄고 있다

* 조령모개 : 아침에 명령을 내렸다가 저녁에 다시 고친다는 뜻.

는 것을 알고 있습니다.」

「기왕 아버님께선 세상을 버렸습니다. 장례의 범절을 차릴 처지도 아닌 것 같으니 불복일(不卜日)*로 장택을 잡아서 장례는 흉내밖에 낼 수 없게 되었소이다. 내 생각 같아서는 지관을 데리고 나가서 구산(求山)할 것도 없이 합폄(合窆)*이 어떨까 하는데, 의향이 어떻소?」

「저희들이 기왓골이 울리도록 곡을 한들 무슨 소용입니까. 두 분의 소견을 따를 뿐입니다.」

「성화 상성을 한 작청놈들이 장례를 거창하게 치르면 민심이 동요된다 하여 또 무슨 해거를 부릴지 모르지요. 내가 나가서 동소임을 만나 보고 산역꾼이나 몇 얻어 올 터이니 내일로 산역하여 장례를 치르도록 합시다. 그러나 산역꾼들 신발차하며 참 먹을 음식이며 수의 명색은 대강 변통하셔야 할 겁니다.」

「수의는 전일에 우리들이 구처해 둔 터입니다.」

유필호가 동소임 집을 수소문하여 찾아갔더니 위인이 처음엔 혀가 잘 돌지 않는지 떼떼거리다가 유필호가 호되게 나무라고 윽기하자 하기 싫은 일을 억지로 나서서 산역꾼 다섯을 조발하여 주었다. 상구(喪具) 명색들을 갖출 것도 없이 이튿날 새벽으로 마주잡이로 운구(運柩)하여 합폄으로 묻고 나니 두 딸의 슬퍼함이 차마 눈 뜨고 볼 지경이 아니어서 산역이 또한 늦어졌다. 해 질 녘에 산에서 내려오니 일가붙이들 중에 아녀자들 몇이 찾아와 툇마루에 넋을 잃고 앉아 있었다. 유필호가 산에서 내려온 즉시로 봉삼에게,

「되지못한 상행이나마 끝조짐을 하였으니, 자넨 이제 여길 떠야

---

* 불복일 : 혼사나 장사 따위를 급히 치르느라고 날을 가리지 아니하는 것을 이르는 말.
* 합폄 : 여러 사람의 시체를 한 무덤에 묻음.

한다네.」

「두 낭자를 두고는 발굽이 떨어질 것 같지 않습니다.」

유필호가 같잖다는 듯 천봉삼을 흘겨보면서,

「자네 오지랖이 넓다 하나 자네 앞에 들이닥친 경난도 이만저만이 아닌 터에 두 낭자까지 염려하겠다는 건가? 세상에 불쌍한 사람들이 어찌 그들뿐인가. 눈 딱 감고 털고 일어나세.」

그참에 이르러서야 유필호는 자초지종을 털어놓고, 신석주의 수하 노릇 하는 서사놈에게서 서찰을 취탈한 일이며 조 소사를 광희문 밖에까지 데려다 놓은 일을 털어놓았다. 가만히 듣고 앉았던 봉삼은,

「앞으로 그로 인한 풍파가 예사롭지 않을 것입니다. 이제 시생은 송파를 떠나야 할 것 같습니다.」

「자네가 원망하듯 하시네만, 그렇다고 자네의 정인이 죽게 된 것을 바라보고만 있을 수는 없었다네. 자네를 구명하려다가 생긴 일이니 날 원망은 말게나. 어쨌든 일각이라도 서둘러 이 집을 뜨지 않으면 어느 귀신에게 발목이 잡힐지 모를 일일세.」

달래고 윽박지르는 유필호를 따라 천봉삼이 일어서는데 이번엔 유 노야의 두 딸들이 같이 가겠다고 성화를 먹이기 시작하였다.

「저희들도 데려가 주십시오. 이젠 여기서 살아갈 재간도 없습니다. 또한 아버님 숨 거두실 때 천 행수님에게 손짓하며 의탁하기를 당부하셨으니 아버님 유언을 따라야 하는 것이 자식 된 도리옵고, 또한 덩그런 집에 저희들만 남는다면 서까래를 뽑아 군불만 지피고 산다 하여 생화를 이룰 수도 없는 것, 모쪼록 뿌리치지 마십시오.」

굳이 따라가기를 원한다면 애써 뿌리칠 까닭도 없다고 생각한 천봉삼의 대답이,

「나도 앞길이 막연한 터에 어찌 낭자들을 데려가겠다고 기꺼이 나

설 수가 있겠소. 다시 한 번 생각들 해보시오.」

「저희들을 내친다 하시면 절에 가서 불목하니라도 되겠습니다. 그것보다는 행수님의 처소에 의탁하여 드난하며 물어미가 되는 게 낫지 않겠습니까?」

「송파에 있는 마방일도 앞으로는 어찌 될지 기약할 수 없는 판국입니다.」

「물어미가 아니라 표모(漂母)질에 방아품을 팔아서라도 저희들이 먹을 끼닛값은 할 것입니다. 민줏감*이 되지 않을 것이니 제발 내치지만 말아 주십시오.」

궐녀들이 꼭히 봉삼에게 정분을 두고 있다거나 봉삼을 따라나서야만 생화를 거두어 끼니를 이어 갈 것이란 생각 때문이 아닐 것이었다. 그간 관아에서 벌인 모진 옥사로 인하여 양친을 잃었고 또한 일가붙이들도 발길을 끊었으니 더 이상 고을에 남아 있을 엄두가 나지 않아서일 거였다. 차라리 아비와 같이 간옥살이를 하던 난전꾼을 따라나서서 그 일생들을 세상의 모진 풍파에 맡겨 보려 함이 아니겠는가. 해포하던 이웃들도 관아의 미움을 받고 있는 유 노야의 집을 두려워할 건 물론이었다. 차제에 두 낭자를 남기고 떠난다면 명색 붙은 사내로서 할 일이 아니었다. 봉삼은 궐녀들을 데려가기로 작정하고 말았다.

집 안에 남아 있던 가구래야 보잘것없었지만 옷가지며 기명들을 챙겨 보니 두 보따리가 되었다.

「자네 산후취(產後娶)*를 하겠다는 건가?」

유필호가 떨떠름하여 봉삼에게 물었다. 봉삼이 한참이나 대꾸가 없다가,

---

* 민줏감 : 아주 귀찮고 싫증 나게 하는 대상.
* 산후취 : 아내가 있는데 다시 장가를 들거나, 아내를 내쫓고 다시 장가가는 일.

「장사꾼이 어찌 상리(商利)만을 거두겠습니까. 적선도 상리가 아닙니까.」

11

이틀 동안 방 안에 틀어박혀 가쁜 숨을 몰아쉬던 조 소사는 저녁 먹은 것이 관격이 된 것처럼 갑자기 가슴을 틀어쥐고 식은땀을 흘리기 시작하였다. 놀란 것은 석쇠의 안해뿐이 아니고 공방(工房)에 웅크리고 앉았던 쇠전꾼들이었다. 아이가 틀 조짐이라면, 산실(産室)의 진통 소리가 울 밖으로 새어 나가선 안 되겠기 때문이었다. 석쇠가 안 봉노로 달려가서 장지엔 차렵이불로 차일을 치고 퇴창은 걸레쪽으로 틀어막았다. 앞뒤의 문을 틀어막고 나니 이젠 봉노 안이 삼굿* 속 같아서 땀이 비 오듯 하였다. 겁먹은 석쇠의 안해가 공방으로 달려갔다.

「아무래도 산점입니다. 몇 집 건너에 혼자 사는 뚜쟁이 할미가 있는데 소동이 커지기 전에 그 할미라도 데려와야지, 손방인 제가 턱없이 덧들이다가 두 목숨이 함께 요정 날까 두렵습니다.」

강밭듯* 다잡아 묻는 말에 석쇠가 손사래를 치면서 눈알을 부라렸다.

「그깟 뼈마디 소리가 덜그럭거리는 구닥다리 늙은이를 데려와서 얻다 쓰겠다는 건가? 그래도 힘깨나 있는 임자가 나을 것이야. 객소리 말고 건너가서 마주잡이하고 같이 기력을 써보게나. 한강이 녹두죽이라도 쪽박 없으면 못 먹네.」

「제가 아이 낳아 본 일이 있어야 기력을 써보든지 할 게 아닙니까?」

---

* 삼굿 : 삼을 벗기기 위하여 찌는 구덩이나 큰 솥.
* 강밭다 : 몹시 야박하고 인색하다.

「임자는 똥도 못 누어 봤던감?」

「분수없는 말씀 마십시오. 아이 낳는 여자를 마주잡이하고 앉아서 똥 누는 시늉을 하란 말입니까?」

「일테면 그렇단 얘기지, 누가 봉노에서 똥 싸랬나, 원. 하품에 딸꾹질이라더니 사세가 심히 맹랑하게 되었구먼.」

「똥이고 아이고 간에 어쩜 좋겠수? 그 뚜쟁이를 불러들입시다요.」

「그놈의 할미가 그래도 입정 하난 드센 늙은이여. 삼이웃에 소문이 떠들썩하면 그땐 임자는 무슨 발명을 하고 다닐 텐가, 젠장.」

「이도 저도 아니라면 무슨 방책을 내어 보시구려.」

그때, 고개를 떨어뜨리고 앉았던 곰배가 나서서,

「아지마씨가 손방이라 하면 제가 나서 보는 것이 어떨까요?」

그러자 석쇠 안해의 눈망울이 시구문 해자 구멍만 하게 벌어지며,

「아니, 하나밖에 쓸 줄 모르는 팔목쟁이로 어디로 대들겠단 것입니까? 해산구원이 골목쟁이에서 놀고 있는 아이들 자치기인 줄 아시는감. 사람이 제 분수를 알아야지요.」

「내 팔 하나가 남의 팔 두 개 품은 들일 것이니 내가 가서 산부를 잡아 보지요.」

「가당치도 않은 말씀이세요.」

안절부절못하는 사이에 산부의 진통 소리가 토벽을 타고 공방에까지 완연하게 들려왔다. 석쇠의 안해가 건너가서 치마폭을 북 찢어서 한끝은 시렁의 가로목에다 매고 다른 한끝을 잡으라고 내주었다. 산모가 끈을 잡고 뒹굴기도 하며 사지를 뒤틀고 이를 갈아붙이는데 초산이 힘겹다 하나 바라보는 사람이 우선 진저리가 쳐져서 못 견딜 지경이었다. 게다가 앓는 소리가 문밖으로 새어 나가서는 안 된다는 것을 알고 있는 산모인지라 터져 나오는 악성을 참는다고 잇몸이 무너져라 어금니를 사리물고 육신을 뒤틀자니 눈자위가 허공에 뜰 수

밖에 없었다. 그런 진통이 밤새도록 계속되더니 산모는 느닷없이 맥을 놓고 삿자리 위로 픽 쓰러지고 말았다.

아이를 낳기는커녕 머리받잇물도 터뜨리지 못한 산모가 픽 쓰러지자, 석쇠의 안해는 조 소사의 눈자위를 뒤집어 보고 진맥도 해보았으나 당장 낭패를 볼 것 같지는 않았다. 놀란 궐녀가 다시 공방으로 뛰어들었다.

「어찌 된 일입니까? 지금은 기진하여 쓰러지더니 겨우 명만 붙어 있는 꼴입니다.」

「진맥은 해보았습니까?」

곰배가 화들짝 놀라 다잡아 물었다.

「물론입지요. 태중의 아이가 한참 자위를 돌리다가 쉬고 있는 모양입니다. 보아하니 이 산고는 하루 이틀에 끝날 조짐이 아니니, 아이가 무슨 포원이 져서 이토록 성가시게 구는지 알 수 없어요.」

「초산이니 본때를 보이려는 거지요. 남의달을 잡은 이상 고초를 겪어야지 어떡합니까. 우린 아지마씨만 믿고 있겠습니다.」

곰배가 애써 너스레를 떨고 있는데 토벽으로부터 이상한 소리가 들려왔다.

「저것이 아이 우는 소리가 아닙니까?」

석쇠의 안해가 살같이 안방으로 돌입하니 삿자리 위엔 산혈(產血)이 낭자한데 산모는 벌써 탯줄까지 끊고 맨아이를 피칠갑이 된 손으로 보듬어 안고 있었다. 석쇠의 안해가 경황중에 산모와 아이를 한쪽으로 밀치고 비린내 나는 삿자리를 걷어치웠다. 아이에겐 황달기가 있어 보였으나 기운차게 울었다. 끓여 두었던 물로 아이를 씻어 삼을 내고 산모도 뒷물을 시켰다.

그동안 아이가 연거푸 울어 대는지라 석쇠의 안해가 무작정 산모의 젖을 당겨 물렸더니 울음을 뚝 그치는 것이었다. 한동안 아이가 머리악을 쓰고 울어 댔건만 요행히 이웃에서는 아무런 기척이 없었다. 저녁 후부터 산점이 비치기 시작하여 아이 낳았을 때는 동녘이 훤히 밝아 오는 인시께였다. 산모에게 첫국밥을 먹이기 위해 산곽(産藿)* 넣은 솥 아궁이에 부지런히 삭정이를 꺾어 넣어 불땀을 올리는 참에 부엌의 판자문이 삐쭘하니 열리며 석쇠가 꺼칠한 낯짝을 디밀었다.

「이목 때문에 금줄을 칠 형편이 못 되긴 하지만 산후 별증(産後別症)은 없던가?」

「저리 비켜요. 문 열고 있는 사이에 뜬것이라도 들면 부정 타요. 황소 불알 떨어지면 구워 먹으려고 다리미 불 담고 다닌다더니 천신만고 끝에 해산하고 나니 빈둥거리고 있다가 묻기는…….」

석쇠의 안해는 흡사 제가 아이 낳은 여자처럼 이죽거리는데,

「허, 공연히 짜증일세그려. 그래, 낳은 건 뭐던가?」

「뭐라구요?」

「고추든가 조개든가?」

석쇠가 다잡아 묻자 그 안해의 몰골은 금방 생률 씹은 얼굴이 되어,

「이런, 나 좀 보게. 내가 미처 그걸 보지 못하였네.」

「저런 경황없는 여편네하구선. 호환(虎患)을 당했어도 정신을 차리라 하였네. 밤새껏 산구완하면서, 그래 그걸 못 보았단 말이여.」

석쇠의 안해가 부엌으로 나 있는 지게문을 열고 다시 봉노로 뛰어들었다. 얼마 있지 않아서 얼굴 가득히 웃음을 담고 나왔다.

「옥동자입디다. 고추가 아주 실해서 지금 당장 성취를 시켜도 거뜬하게 해치울 것 같답니다.」

석쇠가 뒤꼭지를 꼿꼿하게 세우며,

---

* 산곽 : 아이를 낳은 사람이 먹을 미역.

「어련하려구. 그게 뉘 자식인데.」

이튿날 송파에서 사람이 왔다. 쇠전꾼 하나와 안동해서 갓방으로 찾아온 사람은 김몽돌이었다. 위인으로 말하면 강경에 있던 김학준의 문중 사람으로 지금은 길소개의 계집이 되어 있는 운천댁의 밋남진이었다. 천봉삼이나 유필호는 이목이 넓은지라 석쇠의 집에 출입하기 거북해서 김몽돌을 보낸 것이었다. 천봉삼이 득남(得男)하였다는 소식을 듣고 난 뒤 김몽돌이 말하였다.

「기왕 여기까지 왔으니 종가의 전방(廛房)이나 신석주의 탑골집 거동을 살피고 오라는 분부를 받았으니, 여기 있는 동무님들 두엇만 나와 동행하십시다.」

「지금은 안 됩니다. 해 지기를 기다렸다가 은밀히 가서 살피는 게 좋겠소.」

곰배의 말이 당연한지라 그날 해 지기를 기다렸다가 시구문 해자로 빠져 장안으로 들어갔다. 우선 종가로 내려가서 입전 어름을 살폈다. 그러나 전방 앞 추녀 끝에는 장명등이 환하게 켜져 있고 셋이나 되는 여리꾼들이 전방 앞에 앉아 장기를 두고 있었다. 짐방들도 심심찮게 드나들고 있어서 도대체 발칵 뒤집혀 있을 것으로 예상하고 왔던 송파패들을 놀라게 하였다.

그들은 종가를 벗어나 탑골로 들어왔다. 곰배와 김몽돌이 담벼락을 기어올라 내정을 살펴보았다. 월이가 거처하고 있는 행랑방에도 불이 켜져 있었고 몸채의 사랑에도 불이 켜져 있었다. 한 식경이나 되게 지켜보고 있는데 행랑채의 장지가 열리고 월이가 마당을 가로질러 몸채로 오르는 것이 보였다. 궐녀의 손에 탕제를 담은 약그릇이 들려 있었다. 몸채로 오르는 궐녀의 뒤태만 보아도 모진 형문 따위를 받은 사람은 아니었다. 걸음새가 예같이 활달하고 댓돌에서 마루로 올라서는 거동 역시 호된 매질을 겪은 거동이 아니었다. 도대체 신석주의 속셈이 어떤 것인지 알 도리가 없었다.

「그만들 갑시다. 순라쟁이들에게 들키는 날엔 언적(言的)*도 모르는 터에 곧장 금부로 잡혀갑니다.」

담장에 붙어 섰던 곰배가 김몽돌의 간담 작은 말을 냉큼 되받아서,

「허, 이 생원님 보시게. 하나뿐인 모가지를 끔찍이도 아끼시우. 그 모가지 하나 일찍 달아나고 조금 뒤늦게 달아난다 하여 무어 애통할 것이 있소? 한 번 죽긴 매일반일 텐데.」

「하나뿐인 모가지이기에 애면글면 아껴 두었다가 끝장을 보아야 할 게 아니오?」

「모가지 타령 그만 하슈.」

「허튼수작 말고 어서 이곳에서 빠져나갑시다. 우리 뒤를 밟고 있는 놈이 있는지 없는지 누가 알겠소? 나는 내일 중화 전으로 송파 처소에 득달하여야 합니다.」

그제야 곰배는 배밀이로 담벼락을 기어 내리며 이죽거리는 것이었다.

「세전지물(世傳之物)*이 없이 일찍이 설산하여 자수성가한 장사치일수록 백 번 만나도 그 흉중을 알 길이 없다더니, 신석주의 속내를 알아내기란 정말 어렵게 되었소. 저놈이 어떤 요량으로 저렇게 태연을 가장하고 있을까?」

김몽돌뿐만 아니라 어느 누구도 시원한 대답을 할 수 없었다. 네 사람은 서로 헤어져서 길을 따로 잡아 삼경이 가까워서야 석쇠의 집에 당도하였다. 눈을 잠깐 붙이고 난 뒤 동이 트기를 기다려 김몽돌은 송파로 나아갔다. 마방 처소에는 아침부터 술추렴이 있었던 모양으로 얼굴이 불콰해서 돌아가는 위인들이 많이 보였다. 거멀못이 새

---

* 언적 : 남이 모르게 자기들끼리만 통하는 구호.
* 세전지물 : 대대로 전하여 내려오는 물건.

까맣게 박힌 개다리소반에 시어 터진 짠지쪽을 놓고 앉은 너덧 되는 위인들이 모주를 들이켜 가면서 입씨름이 한창이었다.

「지금까지 우리가 길미를 노리던 것이 삼남에서 오르는 농우소나 아니면 양주의 평구장이며 수원의 문밖 장에서 소들을 몰이해서 장안 천변장에 팔아넘기던 것이 고작 아니었나. 그러나 원산포가 열린다면, 평구장이나 다락원 쇠전꾼들이 원산포가 더 가까운 솔모루나 철원으로 올라가서 행매하게 될 것이니, 경상(京商)이나 강상(江商)들을 상종해서 챙기는 이문보단 월등할 것이란 거여. 그러니 평구장 쇠전꾼들이 구태여 우릴 상종할 까닭이 없다는 거지.」

「이 화상은 하나는 알되 둘은 모르는구먼. 관동에는 화적 나는 곳이 고개티마다가 아닌가. 이문이 실하다지만 화적 한번 만나면 이문이고 육전이고 간에 몽창 털리는 것은 물론이요, 자칫하면 그 흉비(兇匪)들에게 모가지까지 산적꽂이가 되어 구경거리가 될 판인데, 무슨 소린가? 소득이 반타작이라 하나 인근의 쇠전이나 돌 수밖에.」

「근기(近畿) 지경이 관서나 관동에 비견해서 화적도 적고 무인지경도 드물어 소몰이엔 좋지. 그러나 자넨 아직 화적보다 더 무서운 것이 무엇인지 미처 알지 못하누먼. 자넨 그렇게 당하고도 모르겠는가?」

「이 천착을 할 놈. 그래, 화적보다 더 무서운 것이 뭐여?」

「이런 초지렁*에 튀겨 안주할 놈을 보았나. 그게 세렴(稅斂)이 아니고 무엇이냐. 어디 그뿐인가. 상인이 다소간의 이문을 보았다는 소문만 나면 잡아다 옥사를 벌여서 속전이며 인정전을 챙기지 않는가. 우리 같은 난전꾼들이 설산하여 가택이나 장만할 수 있도록

* 초지렁 : 초장.

관아놈들이 가만둘 성부른가?」

「그런 말 뒀다 하게. 조선 팔도 어디를 간다 한들 벼슬아치의 탐학을 모피할 곳이 있으며, 조선 팔도 골골마다 들어찬 아전배들의 간활한 농간을 피할 수 있겠는가? 그렇다면 차라리 반연이 많고 이목이 넓은 앉은자리에서 당하는 것이 훨씬 낫지 않은가.」

「우리가 마음을 고쳐먹고 왈짜 짓을 그만둔 사이에 이만한 마방을 일으키지 않았던가. 우리가 다시 힘을 모으고 기력껏 한다면 천리 타관으로 나선다 할지라도 또한 이만한 객줏집을 일으킬 수가 있다네. 우리가 이곳을 뜬다 하여 송파의 마방을 버리자는 것도 아니지 않은가. 몇 사람은 여기 남아 있어야 할 것이네.」

「그놈 말버슴새 보아하니 제가 처소의 행수 격이나 된 것처럼 뒤설레를 치네그랴. 이놈아, 가고 싶거든 네놈이나 뜨려무나.」

「내가 뜨려는 것이 아니고 행수가 뜨려는 것이네. 이곳은 벌써 왕기가 다한 고을이라네. 숯내〔炭川〕의 메기가 하품을 하여도 물이 드는 송파 땅에 마방을 차리고 앉아 있으면 언제 수해를 입을지 모르지 않는가.」

밀고 당기는 품이 쉽게 결말이 나지는 않을 것 같았다. 봉노 안에서는 천봉삼과 유필호가 앉았고 귀추가 궁금한 처소의 사람들도 두엇 앉아 있었다. 여러 사람의 이목이 있는지라 김몽돌은 조 소사가 순산하였다고 경솔하게 떠들어 댈 수도 없어 마방 한편에 놓인 툇마루에 비켜 앉아 있었다. 방 안에서도 얘기는 계속되고 있었다. 천봉삼의 말소리가 들려왔다.

「생원님께서는 이 막중한 일을 내게다 결말을 내라 채근하십니까? 시생은 도중의 결정이 나는 대로 따르겠습니다.」

「겸사도 길게 끌면 되레 수치가 되는 법이네. 온 처소 사람들 모두가 천 행수의 결정에 따르겠다 하는데, 왜 자꾸만 뒤를 사리는가?」

「모두가 송파를 떠나든 남게 되든 저들이 작정해서 조처할 일입니다. 시생이 떠나겠다 하여 모두들 뒤따르라 하는 것은 화적의 괴수나 할 일이 아닙니까. 시생이 송파에 뿌리를 내리지 못한 것도 시생의 인품이나 소견이 모자라기 때문이란 것을 알고 있는 터에, 또다시 동무들께 동사하자고 배포 있게 말할 수는 없습니다.」

「물론 송파를 폐방시키자는 건 아닐세. 다만 자네의 수하가 아니면 다시 왈짜로 풀려서 행패를 놓고 다닐 사람들이 십수 명에 달한다네. 기왕 자네가 거둔 사람들이니 끝까지 돌보는 것이 도리가 아니겠는가?」

그날 밤에 천봉삼은 마방에다 쇠전꾼들을 모았다.

그중에는 벌써 이삿짐을 싸다가 달려온 축들도 있었다. 눈치만 보고 엉거주춤해서 뒷전으로 돌고 있던 사람들도 없지 않았다. 엄지머리로 있거나 성취하지 못한 단출내기들은 대개가 봉삼을 따라가기를 원하였고 식솔들이 있는 축들은 송파에 남기를 원하였다. 천봉삼이 의견들을 듣고 앉았다가,

「시생은 여길 뜨겠습니다. 그러면 송파의 마방은 본거지를 옮기게 되는 셈이오. 그러나 여기서도 거래를 이루어서 원산포까지의 상로(商路)가 닿도록 조처하고 유 생원님이 또한 남아서 이 마방을 소홀함이 없도록 이끌어 갈 것이오. 차제에 우리가 중구난방으로 소동을 피울 것이 아니라 식솔이 있는 동무님들은 송파에 남고 엄지머리로 있는 동무와 미성인 동무님들만 채비하여 나와 같이 관동 지경으로 뜨도록 하십시다. 시생도 깊이 생각한 끝에 이르는 말씀이니, 차후부턴 이 일로 하여 여러 말들이 없기를 바랍니다.」

온 좌중이 물을 끼얹은 듯이 조용하였으나 한 동무님이 일어나서 물었다.

「이 다솔식구들이 움직이고 나면 송파의 쇠전이 일시에 황폐해질

것입니다. 그러하면 마방의 가계도 쪼그라들 것이 분명한데, 이 낭패는 어찌합니까?」

「그것은 딴 도리가 없소. 장세(場勢)가 회복되기를 기다리는 수밖에 없소이다.」

「관아에서 알면 뜨지 못하도록 목을 지키고 나설 터인데요?」

「관아 사람들이 모르게 해야 합니다.」

「그럼, 모두 입들을 닥쳐야 하겠군요.」

「소문이 새어 나가지 않도록 해야지요. 더욱이나 시생이 여기서 뜬다는 소문만은 나지 않도록 각별 유념해서 이로 인한 경난이 다시없기를 바랍니다.」

마방에 드난하는 여편네들이 엿듣고 훌쩍거리며 울기 시작했다.

12

9월 하순에 팔도의 보부상들을 두호하는 감결(甘結)*이 지방 관아에 이문(移文)되었다. 그것은 가히 놀랄 만한 것이었는데, 내용인즉 이러하였다.

상민(商民)들 가운데는 육의전이나 좌상(坐商)들과 같이 상당히 치부하여 조실을 거느리며 제가(齊家)를 이룬 자들도 없지 않다. 그러나 유독 행고(行賈)들인 부상이나 보상에 이르러서는 궁핍과 빈곤을 끝내 벗어나지 못하고 있는 형편이다.

원래 상민은 사농공상(士農工商)의 관례에 따라 여항간의 백성들 중에서도 가장 천대시되는 신분인데 가계(家計)를 다스림에 있어서

* 감결 : 상급 관아에서 하급 관아에 보내던 공문.

까지 궁핍을 겪다 보니 모름지기 위로부터 버림받은 백성이라 할 수 밖에 없게 되었다. 그 정상들을 돌아보건대 이네들은 항상 헐벗고 굶주리는 위에 민간에서 홀대를 받고 있는지라 평소에 곱사등이처럼 등을 구부려 미처 펼 날이 없고 동서 사방으로 쫓겨다니며 행상으로 겨우 연명해 갈 뿐이다. 그리하여 얻는 길미란 것이 보잘것없어 죽지 못해 명줄을 이어 갈 뿐이다. 이같이 생계에 시달리고 민간에 인정받지 못하며 언제나 눌리어서 기식(氣息)*이 엄엄(奄奄)하게* 지나가는 처지인데도 무슨 기운으로 어느 여가에 민간에 작간(作奸)하며 장시에서 작폐할 여지가 있겠는가. 그런데 근자에 들리는 바에 의거하면 행고하는 자들이 걸핏하면 민폐를 일으키며 때로는 안면을 바꾸어 화적도 된다는 것으로 지목을 하고 있으니, 실로 딱한 일이라 아니할 수 없다. 항간에 떠도는 소문으로는 이네들이 남의 전답을 억지로 빼앗아서 양민을 못살게 구는 고로 전답에 관한 쟁송(爭訟)이 끊일 사이가 없고 또한 어떤 행고들은 남의 선산(先山)을 제멋대로 굴총(掘塚)하기 때문에 산송(山訟)이 끊일 사이가 없다고 와전되고 있다. 또한 재산에 관한 소송이 생겨나는 것도 이네들이 양민의 재물을 강탈해 가기 때문이라고 하여 공연히 항간의 원망이 그들에게 돌려지고 있다.

민간들이 이네들을 당초부터 못마땅하게 여겨 눈을 흘기고 시비를 일으키매 이네들이 떼를 지어 보복하기를 일삼으니, 이래서야 어찌 나라에 법이 있고 기율(紀律)이 엄중하다 할 수 있겠는가. 시색 좋은 재상가나 행검(行檢)*이 있다고 자랑하는 지방의 반명들이 이네들이 비위에 맞지 않는다고 때로는 복색이 흉악하다는 것을 빌미

* 기식 : 숨쉬는 기운.
* 엄엄하다 : 숨이 곧 끊어지려 하거나 매우 약한 상태에 있다.
* 행검 : 품행이 점잖고 바름.

잡아 이들을 묶어 가지고 함부로 욕보이는 행사가 예사로 저질러지고 있다. 심지어 세혐(世嫌)이 있는 자들이 이네들을 교묘히 사이에 끼워 헛되이 욕보이는 사례가 허다함에도 두둔하는 자가 없으니, 이 또한 개탄스러운 일이다. 민간에 떠도는 악평이 과연 바른말인지 의심하게 되고 또 이에 관한 정소와 등장(等狀)이 줄을 잇따라 공사(公事)에 겨를을 낼 수 없을 정도이니 실로 놀라지 않을 수 없게 되었다.

이에 사직(司直)에서 수차에 긍하여* 이네들의 거동을 적간(摘奸)도 하여 보고 그 실정을 캐어 본 결과, 이네들이 저질렀다는 행패란 기실 외방 토호들의 두호를 받고 있는 낭속(廊屬)들이나 일없이 놀고 먹는 무뢰배들의 소행이었지 결코 원상(原商)들과는 아무런 관련이 없다는 것이 수차 확인되었다. 원상들은 본시 궁한 백성이긴 하나 선량한 양민이다. 원상 아닌 무뢰배들이 원상들의 이름을 도칭해서 장시의 길목을 지키고 섰다가 되레 원상들을 향하여 벽력 같은 고함 소리로 공동(恐動)*을 주어 나쁜 짓을 저지르니, 주객의 전도가 이로써 분수를 넘게 되었다.

무고한 행고들이 누명을 쓰고 이루 헤아릴 수 없는 횡액에 휘말리기 다반사이니, 이는 마치 거러지가 곡식을 해치는 격이며 향기로운 풀과 냄새나는 풀을 한 그릇에 담아 둔 것이나 다를 바 없다 할 것이다. 이로 인하여 팔도에 널린 행고들은 저마다 수치와 분노를 금치 못하고 있다고 보아야 마땅할 것이다. 이 같은 여러 정상을 총찰하건대, 이네들의 신세가 얼마나 가련하였던가 미루어 짐작되었고 더불어 이네들을 보호할 필요가 절실하다 하겠다. 더욱이나 목민관을 자처하는 벼슬아치들의 부패와 토호들의 횡포가 자심해져 감에 따라 가만히 둔다 하여도 정경이 가긍한 이들은 이중으로 폐해를 입게 되

* 긍하다 : 일정 동안에 걸치다.
* 공동 : 위험한 말을 하여 두려워하게 함.

었다. 사태가 이러할진대 신분과 지위가 미천한 이들이 억울한 옥사와 수탈을 당한다 한들 어디 가서 호소하며 또한 어디 가서 그 정상을 호소하여 잃었던 것을 되찾을 수 있겠는가. 이에 앞으로는 행고들이 무고히 포리(捕吏)들에게 묶이는 바 되어 억울함을 당한 경우에는 단연 그들대로 취회하여 설욕을 함으로써 천부(天賦)*의 명분이 침탈당하지 않도록 보장할 것이다. 원래 그네들의 명분이 침해된 경우에는 아문이 정하는 소송 절차에 의거하여 관아로 하여금 선후를 살피어 공정하게 처결하도록 조치하는 것이 온당한 절차이나, 종래로부터 지나치게 명분이 유린당했어도 관아에 기대할 여지가 없었으므로 이네들이 설 곳이 없었다.

앞으로 이에 대한 폐해를 신속하게 회복하기 위해서는 이네들 스스로 탕척(蕩滌)*의 대책을 자하거행(自下擧行)*토록 조치함은 차제에 이르러서는 부득이한 일이 되었다. 따라서 어떤 행고든 무고를 당하였을 때에는 이를 도와 협의하기 위해서 재회(齋會)하는 것을 인정하고, 만일 그네들 중에 재회의 참석을 꺼리어 칭탈하며 이를 회피하는 일은 공의(公義)에 어그러지는 일이므로 재회에 참석하는 것은 신의상 매우 당연한 일이라 하겠다.

두 번째로 지금까지 이네들이 지니었던 험표(驗票)를 바꾸어 이를 대체할 것이다. 이로써 근실한 원상들과 패덕(悖德)한 무뢰배들을 구별하여 잡류(雜流)들이 행고로 가장하여 행세하는 일이 없도록 엄금시킬 것이다. 이로부터 옥석이 가려져서 항간의 불상사가 일소될 것이며, 따라서 팔도의 방방곡곡에 있는 임소(任所)에서는 원상이 아닌 자는 면밀히 내사하여 그 초일기를 다시 닦아 순영(巡營)과 도

---

*천부 : 선천적으로 타고남.

*탕척 : 죄명(罪名)이나 전과 따위를 깨끗이 씻어 줌.

*자하거행 : 윗사람의 승낙이나 결재를 받지 아니하고 스스로 해나감.

임방으로 보장을 띄울 일이다. 만일 이거(移居)한다든지 별고(別故) 있는 자들은 즉시로 보장을 띄워 이를 수정하도록 하여 임방의 좌목(座目)들을 항상 명료하게 할 것이다. 만일 이 경우를 빙자하여 관아에서나 각 임소에서 부비조(浮費條)를 토색하는 폐단이 생기면 이를 적발하는 대로 벌하여 정배(定配)*시킬 것이다.

세 번째로 원래 한미하고 허소(虛疎)한* 집에서 고생으로 자라난 이네들은 사고무친이 대부분이며 비바람을 막는 우비나 갓모조차 갖추지 못하였다. 그러므로 병구사장(病救死葬)*은 불행 중에서도 가장 큰 환난이어서 이네들의 호구가 바로 이 문제에 귀결된다 할 것이다. 노상에서 병이 나서 진퇴양난의 궁지에 빠지는 수가 허다하므로 이 경우에는 구완에 극력 힘쓰고 사망한 때에는 장사를 치러 개천변이나 노변에 그들의 사체가 흉악하게 굴러다니는 일이 없도록 각별 조처할 것이다.

네 번째로는 어물, 소금, 수철(水鐵), 토기(土器), 목물(木物) 등의 오조물(五條物)은 고래로부터 이들 행고들에게 주어진 전매 상권이 어늘 오늘에 이르러 이것이 해이하여 육의전이나 좌상들까지도 이들 고유의 상권을 침탈하여 궁핍을 가중시키고 있다 할 것이다. 앞으로 이들 오조물에 대한 전매 상권을 침탈하거나 이를 빌미로 관아에서 부비를 거두어들인다 하면 또한 엄히 벌할 것이다.

보부상들을 두둔하고 나서며 그들의 생화가 침탈당하는 일이 없도록 조처하려는 엄칙이 내려진 것은 여러 번 있던 일이었다. 그러

---

* 정배 : 죄인을 지방이나 섬으로 보내 정해진 기간 동안 그 지역 내에서 감시를 받으며 생활하게 하던 형벌.
* 허소하다 : 허술하거나 허전하다.
* 병구사장 : 병이 나면 돕고 죽으면 장례를 치러 줌.

나 보부상들의 명분이 침해되는 대표적인 경우로서 지방의 토호와 무뢰배들이 상민을 모칭하고 행패하는 경우와 관속의 노령배(奴令輩)들이 보부상을 잡아 꿇리고 까닭도 없는 토색질을 자행하거나 산송이 일어났을 때 그들만 당하게 되는 폐단의 실마리를 찾아내고, 또한 봉욕을 당했을 때의 자구책으로 그들이 도회(都會)를 열고 집단으로 보복하는 것을 인정하였다는 것은 실로 놀랄 만한 조처라 할 수 있었다.

물론 전자에도 민간의 폐단이나 보부상들의 보복으로 장시가 소동을 겪지 않았던 것은 아니었지만, 조정에서 이를 인정한다는 감결이 내려졌다는 것은 엄청난 변모였거니와 한발 더 나아가서 도회에 참석하여 급난(急難)을 구제하는 일에 회피하는 동료가 있다 하면 임소에서 그 상단(商團) 된 자격을 박탈해야 할 것이라고 못박은 것은 더욱 놀랄 일이었다.

이 모든 것이 민영익의 책략이라 할 수 있었다. 이재면을 보부청에서 몰아낸 뒤 민영익은 민겸호와 더불어 이 완문(完文)을 만들었고 윗전의 윤허를 받아 팔도의 관아에 감결한 것이었다. 지금까지 살아서 유익한 것이 없고 죽어서 손해됨이 없다고 했던 보부상들의 사기는 하루아침에 충천하였다. 물론 그로 인하여 하루아침에 장시의 행매가 활기를 되찾는다거나 길미를 노림에 보장받은 바 없지만, 명색과 명분을 찾아 사람 대접을 받을 수 있게 되었다는 것이 그들을 들뜨게 만든 것이었다.

물론 조정 대신들 일각에서는 그런 누추하고 미천한 상로배들이 일당(一堂)에 취회(取會)한다 하면 자연 격한 행동으로 돌변하기 쉽고 오랫동안 눌리어 지내던 울분을 한꺼번에 폭발시킬 염려가 있어 위험천만이란 생각들을 가지고 있었으나 권신(權臣)인 민겸호의 주장에 감히 반론을 제기하는 자가 없었다. 또한 감결의 내용이 행상들을 감히 두둔하고 나설 수 있었던 이면에는 죽동궁 민영익의 집을 무상출입하고 있는 이용익의 품의(稟議)*가 크게 작용하였다는 것을 알고 있는 사람은 거의 없었다.

민영익은 약조한 날에 죽동궁으로 찾아온 이용익을 붙잡아 앉히고 보부상들의 내막을 소상히 물었고 그들의 아픈 곳이 어딘가 하고 캐어물었었다. 이에 이용익은 고초를 당하고 있는 모든 내막을 실토정(實吐情)한 것이었다. 이미 보부상들의 힘을 빌리기로 작정한 바 있는 민영익은 보부상들의 취회를 인정하는 감결을 내리기로 작정해 버린 것이었다. 이로 인하여 육의전 상인들의 반발도 염두에 두었으나 마침 육의전의 대행수인 신석주가 가내에 생긴 불상사로 코가 열 발이나 빠져 있던 터라 분주한 도중회(都中會)에 코빼기도 내밀지 않았다.

또한 그 문제가 육의전에서 겨냥하는 상리 자체에는 큰 작폐가 미치지 않을 것이라는 의논도 없지 않아 당초 등장(等狀)까지 올리려 하였던 육의전 상인들의 반발도 흐지부지되고 말았다. 이로써 민영익은 이용익을 더욱 신임하기에 이르렀다. 우선 선공감(繕工監)*의 감역(監役) 벼슬을 주어 곁에 잡아 두었다. 이용익이 처음에는 크게 사양하였으나 민영익이 도리어 크게 노하는 시늉이었으므로 밀막던 이용익도 딴 도리 없이 감역 구실을 살게 된 것이었다.

이용익이 벼슬을 얻어 낸 것과 같이 길소개 역시 그 평생 바라던 고을살이 하나를 얻어 낼 지경이었다. 민겸호가 그간 호되게 혼쭐을 내어서 멀리 내쫓았던 길소개가 어디서 그 많은 뇌물이 솟아난 것인지는 모르지만 시골 토호로 치면 두 집의 재물을 털어 낸 듯한 기만 냥의 뇌물을 가지고 다시 들어온 것이었다. 이목이 넓지 않은 관동

* 품의 : 웃어른이나 상사에게 말이나 글을 여쭈어 의논함.
* 선공감 : 토목 · 영선(營繕)을 맡아보던 관아.

지경의 한적한 고을에다 원 자리 하나를 안겨 줄 요량을 하고 있었다. 위인이 진서에 서툰 것은 물론이요, 반복(反覆)*하는 폐단이 있어 데리고 언사를 농할 잡이도 못 돼 한 고을을 맡아서 능히 공사를 집행할 수 있는 인물이 못 된다는 것을 민겸호가 모르지 않았다. 그러나 위인의 인정전이 워낙 거액인지라 평생 소원을 한 번 들어주지 못한다면 그 또한 무슨 폐단이 생겨날지 알 수 없는 노릇이었다. 위인을 내왕이 적고 인물도 없는 한적한 고을로 내려 보낸다 하면 감히 조명 날 일도 없을 테니 조정 대신들의 빈축을 사지 않아도 될 것이었다. 과장(科場)에 교묘히 숨어들어 언변 하나로 차필(借筆)하여 초시를 치러 낸 위인이라면 한적한 고을 하나야 속여 넘기기란 여반장이 아니겠는가. 그 뇌물을 가져오던 날 민겸호는 누대 아래에 고개를 떨어뜨리고 서 있는 길소개에게 물었다.

「이놈, 네놈을 혼찌검 내어 내쫓은 게 불과 며칠 안 되거늘, 네놈은 간장도 없더란 말이냐?」

「시생에게 무슨 간장이 있다고 그러십니까. 시생에게 설사 간장이란 게 있다 한들 뉘 앞이라고 감히 간장을 운위하겠습니까.」

「네놈이 죽지 않고 다시 내 앞에 나타난 것은 가상한 일이다마는 네놈이 원수와 진배없을 내 앞에 기를 죽이고 이토록 기어드는 데는 더욱 놀라울 뿐이다. 그래, 네놈이 소원하는 바가 무엇이냐?」

「시생인들 소원하는 바가 왜 없겠습니까마는, 대감 앞에서는 감히 토설치 못하겠습니다.」

「괜찮다, 말해 보아라.」

「고을살이 한자리만 내려 주십사 하는 것입니다.」

「가긍한 일이로다. 시절이 수상하다고들 한다마는 어찌 분수를 몰

---

* 반복 : 언행이나 일 따위를 이랬다저랬다 하여 자꾸 고침.

라도 그토록 모르느냐. 누마루 아래 엎딘 개가 웃을 일이다.」

그때 길소개가 빙그레 웃으며 말하였다.

「시생이 식견이 짧아 범백사에 소명하지 못하나 개가 웃을 일을 곧잘 하는 것이 또한 시생의 장기(長技)이기도 하답니다. 시생이 고을살이를 일 년만 하고 돌아오면 대청 아래 엎딘 견공이 꼬리를 감추는 이변을 대감께 보여 드릴 수도 있겠습니다.」

「그래?」

「그러하옵니다.」

「돌아가 있거라. 일간 사람을 보내도록 할 것이니.」

어쨌든 험표가 다시 바뀔 처지에 놓였다는 소식은 통문으로 팔도에 흩어진 도붓쟁이들에게 알려진 터였고 그들은 제각기 그들의 임소로 찾아들게 마련이었다. 보통은 춘수전을 바친 후에 받게 되는 자문〔尺文〕으로 그들의 신분이 원상임이 드러나 저자 출입에 지장이 없어 왔지만, 험표가 다시 바뀌고 난 뒤 얼마간은 고을 초입에 기찰포교들이 지키고 서서 험표를 엄히 기찰하는 터였으므로, 가기 싫어도 고향에 찾아가지 않으면 안 되었다.

송파의 마방도 마찬가지였다. 먼저 가서 자리를 잡게 할 동무님들을 몇 패로 나누어 송파를 뜨게 한 뒤 천봉삼은 곰배와 김몽돌이며 성복(成服) 중인 유 노야의 두 딸과 작반이 되어 송파를 떠나게 되었다. 이미 광주 관아의 미움을 받았으니 송파에서 살아날 재간이 없을 것이고, 또한 조 소사와 일가를 이루자 하면 장안이 코앞인 송파에서는 팔풍받이가 되어 견뎌 낼 방도가 없을 것이었다.

잠실나루에서 뚝도로 뜨는 뗏배 한 척을 얻어 타려고 그들 다섯 사람이 송파를 나선 것은 이미 해거름이었는 데다 종일 찌푸리고 있던 날씨가 더 참지 못하고 빗낱이 듣기 시작하였다. 식솔들을 거느린 핫아비 동무님들은 한동아리가 되지 못한 한이야 접어 두고 마방에서 하직하고 난 뒤라 유필호 혼자 나루까지 일행을 따라 나왔다.

「철가도주(撤家逃走)*하듯이 이렇게 날 궂은 날 자넬 보내게 되다니. 시구문께는 걱정 말게. 궁금하고 뒤가 켕기겠지만 만에 하나라도 그쪽으로 행보하였다간 신석주가 놓은 세작의 밥이 될 것이야. 떡방아 소리 들었다 하여 조급하게 김칫국 찾지 말고 나중 일을 위해서 지금의 울적한 심정은 참아 넘겨야 한다는 것을 잊지 말게. 심화에 부대껴 성정머리가 어긋나 있을 신석주가 자넬 여태껏 지켜보고만 있는 연유가 무엇인가. 자네와 조 소사를 범색(犯色)*으로 몰아 한꺼번에 덮치려 한다는 것이야 모를 리 없겠지. 성화 상성을 했을 그 위인이 무슨 해거를 부릴지 몰라 재삼 당부하는 것이니 절대 노정을 바꾸지 말게. 소소한 일에 요량 분수 없이 덧들이다가 대의를 그르치는 빌미를 낳는다면 그것이 또한 우리가 바라는 바가 아니지 않은가.」

발끝에 채는 잡초만 내려다보며 걷던 천봉삼이,

「걱정 마십시오. 다만 아이에게 황달기가 많다 하니 그것이 걱정입니다.」

「안 할 말로 자네가 참척(慘慽)을 당할까 걱정인가? 어쨌든 뒷수습은 내가 원망 듣지 않도록 처분할 터이니 내 말을 귀넘어듣지 말고 자리나 잡게.」

봉삼이 고개만 끄덕이고 대꾸는 없었다.

「이 풋바심철에 자넬 떠나보내다니……. 다시 행로에 들게 되었으니 자네의 심사가 심히 괴로운 것이야 내 모를 리 있겠나…….」

「잠행(潛行)이라 하나 가을 꽃달임* 가듯 가지요. 그동안 오래 쉬었다는 생각뿐입니다. 팔자소관이 그러하니 어디든 한곳에 오래

---

* 철가도주 : 가족을 모두 데리고 살림을 챙기어 도망감.
* 범색 : 함부로 색을 씀.

머물 작정 한 것부터가 잘못된 것이었지요. 제 짝패를 이곳에 묻고 떠나는 것이 심란할 뿐입니다. 그 사람의 터자리나 한두 번 다시 살펴 주십시오.」

이번엔 유필호가 고개를 끄덕이었다. 먼저 뗏배에 오른 일행들이 봉삼에게 어서 오르라고 손짓하였다.

뗏배 가념에 올라 있던 곰배가 굼뜬 봉삼에게 화를 돋우며,

「굼벵이 천장하오?* 이러다간 여드레 팔십 리 가기도 바쁘겠소.」

봉삼이 바쁘게 배에 올랐다. 뗏배는 빗낱이 후드득 떨어지는 한강의 물살을 가로질러 천천히 움직이기 시작했다.

김몽돌과 두 자매는 뗏배 한가운데로 가서 웅크리고 앉았다. 우장(雨裝)이라고는 갓모조차 채비한 게 없는지라 모두들 대책 없이 비를 맞을 수밖에 없었다. 남정네들이야 낭패할 것도 없었지만 홑저고리에 몽당치마 차림인 자매가 여벌옷도 없이 무턱대고 비 맞는 것이 측은해 보인 곰배가 긴 저고리를 벗어 궐녀들에게 건네주었다. 궐녀들이 벌거벗은 곰배의 뱃구레를 쳐다보다 말고 홍당무가 되어 외면들 하자 봉삼이 반농으로,

「낭자들껜 우장이 되겠네만, 그것 벗어 주면 땟국에 전 네 배꼽은 뭘로 가리려나?」

그 말에 곰배가 히쭉 웃고,

「내 배꼽 나오는 것이야 돌아앉으면 그만이지만 낭자들 홑저고리 위로 불거지는 젖꼭지야 구경 소조가 아니오?」

「예끼, 이 사람, 육담이 과하네.」

---

* 꽃달임 : 진달래꽃이 필 때에, 그 꽃을 따서 전을 부치거나 떡에 넣어 여럿이 모여 먹는 놀이. 음력 3월 3일에 하였다.
* 굼벵이 천장하듯 : 어리석은 사람이 일을 지체하며 좀처럼 성사시키지 못함을 비유적으로 이르는 말.

「내 몰골이 다소 꼴사납다 하더라도 대원위 대감 파락호 양광(佯狂)* 시절 때 행색보단 나을 거요.」

「그 시절 대원위 대감을 만나 본 것처럼 얘기하는군.」

「모르긴 하지만 내 배꼽이 그 양반 배꼽보다야 걸물이 아니겠소.」

「상것이 못할 말이 없구먼, 그만 입 닥치게.」

바라보던 사공이며 몽돌이 킥 웃음들을 삼키는 사이에 두 자매는 잽싸게 저고리 앞섶들을 여미며 사양하던 곰배의 저고리를 서로 당겨 뒤집어쓰는 것이었다. 웃통을 벗은 몰골에 오그라든 한 팔이 더욱 돋보이게 된 곰배는 웅크리고 앉았다가 스스로 못마땅하여 뒤쪽으로 가서 사공의 노질을 거들고 있었다. 뚝도나루에 내려서야 접사리* 두 개를 변통하여 자매에게 입히고 세 사람은 그대로 비를 맞았다. 김몽돌이 재채기를 쏟아 내자 곰배가 비아냥거리기를,

「하기야 시골 토반 행세깨나 하였으니 장대비를 맞아 본 적이야 없겠지만, 소나기 두어 줄기에 고뿔 나겠소.」

「아직 단련이 못 된 탓이오.」

「이런 약골로 풍찬노숙을 밥 먹듯 하는 쇠전꾼들을 따라나선 것부터가 대단 잘못된 처사가 아니오? 숨넘어갈까 겁나오.」

「날 때부터 성인군자 없듯이 나 역시 단련을 하면 사뭇 약골로만 살겠소?」

「약골이고 장골이고 간에 노숙만 밥 먹듯 한다 하여 단련이 되는 것도 아니오. 흙무지를 베고 찬 이슬에 배꼽을 드러내고 누웠어도 차렵이불 속에서 자는 것만치 단련이 되자 하면 땅의 찬 기운이 뼛속까지 들어와 차서 진이 빠지는 고통을 삼사 년은 참아 내야 한다오. 쇠전꾼으로 도통을 하자면 노숙에서부터 미립이 나야 한

* 양광 : 거짓으로 미친 체함.
* 접사리 : 농촌에서 모내기할 때에 쓰던 비옷.

다오. 그만한 작정이 되었소?」

「내가 그런 작심 없이 건공대매로 동무들과 동사하겠다고 나섰겠소?」

「시절이 수상하게 된 것만은 틀림이 없소이다. 강경 고을 양반 자세로 상것들 상투깨나 낚아챘을 샌님께서 소몰이들과 동사하겠다고 나선 것부터가 심상한 조짐이 아니지 않소?」

「그 양반 밑천 이젠 그만 들춰요. 진절머리가 납니다.」

「며칠이 못 가서 쇠전꾼 밑천 그만 들추라는 말이 또 튀어나올 것이니 두고 보슈.」

곰배는 빙글거리고 웃었으나 김몽돌은 웃지 않았다. 김몽돌은 이 길고 긴 행로에 작반하고 나선 것이 가슴에 맺힌 함원(含怨)*의 탓이었지만, 길소개를 찾기 전에는 구태여 발설하고 싶지 않았다. 봉삼 역시 김몽돌의 흉중에 무엇이 도사리고 있는지 어렴풋하게나마 짐작하고 있었지만 캐묻지 않고 있었다.

글줄깨나 읽었다는 위인들이 행중에 끼어든다는 것은 여러 가지로 달갑잖은 법이었다. 걸핏하면 공맹을 들추어 사리가 어떻고 분별이 어떻고 따지고 들면서 날아가는 매를 맨손으로 잡을 듯이 공론(公論)만 분주하여 쇠전꾼들과는 도무지 맞잡이가 되지 못하는 까닭이었다. 그러나 봉삼이 이를 묵인하고 있으니 딴 도리가 없는 것이었다.

일행이 다락원 득추의 대장간에 당도한 것은 소나기가 가랑비로 변한 해거름이었다. 그동안 노드린 것 같은 빗줄기로 내려붓는 세 차례의 소나기를 피하느라고 중로 숫막에서 몇 번인가 지체한 까닭이었다. 당초에는 다락원에서 늦은 중화 하고 장수원 지나 솔모루까

* 함원 : 원한을 품음.

지 오를 작정이었으나 늦은 밤중에 솔모루에 당도하면 군저녁 시키기도 마땅치 않고 또한 우중에 맞춤한 객주를 찾아내는 것도 지난할 것임에 다락원에서 하룻밤 묵고 가기로 작정하였다.

득추 내외로서는 군산 창거리에서 봉삼에게 은혜 입고 지금 역시 다락원에서 별 탈 없이 끼니를 이어 가고 있는 처지라, 일력이 다하지 않았다 할지라도 하룻밤이나마 묵어가라고 주질러 앉힐 판이었다. 득추의 안해가 세 아이를 차례로 들여보내 봉삼에게 현신을 시키고 어디서 변통해 왔는지 멍석으로만 지내던 봉노에다 등메까지 덧깔아서 봉삼을 칙사(勅使)처럼 환접하는 것이었다.

득추는 그때 관아로 잡혀가서 중곤을 당한 뒤로는 날만 궂었다 하면 온 삭신이 들쑤시는 판이라 기동이 어려울 지경이었다. 다행히 먹성 좋게 자라난 아이들이 대장간의 소소한 일거리를 감당하는 판이어서 신기가 쇠하여 가는 판에도 한시름 놓게 되었다고 소경사(所經事)*를 대강 개어 올리는 것이었다.

먼저 발행했던 선머리의 동무님들은 그들보다 이틀이 앞서 있었으니 지금쯤은 눅게 잡아도 연천 지경에까지는 올라 있을 것이라고 득추가 장담을 하였다. 하루 종일 빗속을 걸어온 자매는 아랫방에 웅크리고 앉아 뼛속까지 잦아든 한속을 들이는 중에 잠이 들고 말았는데 득추의 안해가 목판에다가 수북하니 돝고기를 썰어 얹어 들고 봉노로 들어왔다. 개 귀의 비루를 털어 먹는 게 낫지 끼니 때워 나가기도 지난일 빈궁한 가계에 너무나 과분한 대접인지라 봉삼이,

「살림 주제를 알고 있는 터수에 아지마씨 너무 과용하십니다. 겉절이한 열무김치나 풋고추 안주면 되었지 육점 안주가 가당합니까.」

봉삼의 겸사를 득추가 받아서,

---

* 소경사 : 겪어 지내 온 일.

「원래 남이 주는 것은 받지 않았던 일이 없고 남이 달라는 것은 주어 본 적이 없는 사람이지만 행수님께 거섶안주로 대접할 수야 없지요. 행수님 하룻밤 접대에 우리 집 대들보가 내려앉겠수?」

그때 물 젖은 행전을 벗어 횃대에 널고 있던 곰배가 득추의 말을 받아서 짭짤하게 면박을 주었다.

「어폐가 있어도 유만부동이지. 아무리 칩떠봐도 이 집이 명색 대들보 있는 집은 아닐세. 대들보가 있어야 내려앉고 자시고 할 게 있지.」

「이런 고얀 것을 보았나. 재목이야 쓰기에 달린 거지. 간잡이그림* 해서 고래등같이 올린 대갓집에 비하면 측간 서까랫감밖엔 안 되겠지만 우리 집에선 대들보라네. 대들보, 서까래가 따로 있겠나, 궁색한 가계도 마음먹기에 달렸다네. 하기야 이최응(李最應)의 집에서는 꿩 적는 냄새가 등천을 하여 삼이웃이 코를 들 수 없다고 아우성이고, 김병국(金炳國)의 집 종복들은 진상된 송이버섯으로 배를 불리고, 민태호의 집 당나귀는 약식이 아니면 먹지를 않고, 민겸호의 집 큰 말은 벌써 약과에 물렸다고 합디다. 그쯤 되면 직첩을 팔고 고을을 팔아서 수륙진미로 친척 고구를 접대하겠지만 팔 것이라고는 계집밖에 없는 우리네야 돝고기 안주도 실은 과분하지.」

곰배가 발끈하여 핏대를 세우고 군불솥에 밥 짓기로 한꺼번에 싸잡아 다시 면박인데,

「아니, 행수님 앞에 두고 무슨 언사가 그런감? 새우는 대대로 곱사등이라 그것인감? 지체가 그들과 다르다 하여 입맛까지 쓸까?」

「위인이 발끈하긴. 세상의 사리를 따지자 하면 속 쓰리긴 매일반

---

* 간잡이그림 : 건축의 설계도.

이라는 말씀이야. 그 꼴같잖은 상투, 말끝마다 곤두세울 거 없이 순배나 받게.」

「젠장, 시골 앉은뱅이 서울 공론 한다더니 주제꼴하구선 아는 체 하시네.」

드잡이를 한답시고 기어드는 곰배를 주질러 앉히려 하자, 곰배도 성깔이 있는지라 힘자랑을 해보자고 대들었다. 뚝심이라면 곰배도 성한 한쪽 팔로는 대적할 사람이 없었지만 득추도 왼팔 통뼈로 대장장이 40평생을 풀무질에 매질로 단련해 온 터, 뚝심으로 겨루자면 어느 위인이든 구태여 사양할 게 없었다. 잠시 술상을 밀치고 목침밀이로 힘을 겨루게 되었다. 목침을 반쪽씩 감아쥐고 자리를 차리는 중에 술이라면 구접도 못하는 김몽돌은 밖으로 나왔다.

그동안 비가 개고 맑은 밤하늘에 달은 박 덩굴이 감겨 오른 용마루 지붕 위로 휘영청 밝았다. 비 온 뒤의 싸늘한 냉기에 몸을 움츠린 몽돌은 짓질러만 놓은 삽짝을 밀치고 듬성듬성 열무를 솎아 낸 채전 언저리로 나아가 시원스레 소피를 보는 참에 대장간 어름에서 누가 훌쩍거리며 울고 있는 소리를 들었다.

아닌 밤중에 수상쩍은 일이라 풀뭇간으로 가서 가만히 거적을 들치고 들여다보았다. 화덕 앞에 엉덩이를 걸치고 앉아 앵두를 똑똑 따내고 있는 사람은 다름 아닌 자매 중에서 동생뻘이 되는 낭자였다. 행역에 지치고 생후에는 처음 타관 걸음이라 그 심정이 고적하고 허전할 것은 당연하다 여겨 못 본 체하고 돌아서려 하였지만 명색이 이립(而立)*의 장부 된 자가 울고 있는 낭자를 지나친다는 것도 도리에 어긋난다 싶어 엉거주춤 기다리고 서 있었다. 그러나 공교롭게도 낭자 편에서 인기척을 알아채고 서둘러 옷매무시를 고치더니

*이립 : 나이 서른 살을 달리 이르는 말.

불쑥 내뱉는 말이 사뭇 놀라웠다.

「사람인 줄 알았으면 거적을 내리고 들어오시든지 나가시든지 해야지요. 달래지도 않고 계시면 제가 울음을 그칠까요.」

하는 말이 엉뚱하고 방자한지라 몽돌은 얼떨결에 거적을 내리고 풀뭇간 안으로 한 발을 들여놓았다.

「봉노를 두고 한데로 나와서 왜 이러는가? 이러다가 고뿔이라도 들면 안 되니 어서 봉노로 들지 그러나.」

처녀가 깔뚝 하고 목젖을 삼키고 나더니 의외로 또박또박하게 말을 받는데,

「달을 보러 나왔다가 그리 되었어요.」

「하룻비에 잠긴 달이 그렇게도 보고 싶었던가?」

「심란한 계집아이에겐 잠깐 달이라도 쳐다보아야 심허(心虛)를 달랠 수 있답니다.」

공손하긴 하나 이팔의 나이엔 올되고* 방자한 대꾸인지라 속으로 무척 놀라웠던 몽돌이,

「하긴 청수(淸秀)하던 소저(小姐)의 신색이 많이 틀렸구먼. 소저의 심란한 경황이야 어찌 모르겠나. 졸지에 양친을 잃고 난 뒤 이 또한 정처 없는 행로에 들었으니 앞길이 막연이야 하겠지. 그러나 이런 때일수록 밖에 나와 심허를 달래기보다는 방에 앉아 형제끼리 곰곰 앞일을 작정하는 게 낫지 않겠나.」

「지게문 사이로 넘어오는 막불겅이* 살담배 냄새며 술 냄새가 역해서 앉아 있을 수가 있어야지요.」

처녀의 신색을 새삼 보자 하니 기구 차리고 살던 집 소생답게 몸가짐이 천박하지 않고 살신도 해사한 편이었다. 그러나 사내와 마주

---

* 올되다 : 나이에 비하여 일찍 철이 들다.
* 막불겅이 : 불겅이보다 질이 낮은, 칼 따위로 썬 담배.

하여 수작함에 기탄이 없는 것은 아직 연소하여 세상 물정에 어두운 탓일 것이었다.

「이런 은밀한 곳에 나와 외간의 남자와 수작하는 법이 아닐세.」

「생원님과는 작반 해로하는 처지인데 어찌 외간의 남자라 하겠습니까. 앞으로는 한솥밥을 먹으며 평생 해로할지도 모를 것인데요.」

「평생 해로란 월승을 맺어 장차를 언약하고 살아갈 사람끼리라야 할 말이네.」

「평생 해로가 따로 있나요? 같이 살면 평생 해로지요.」

어찌하다 보니 어취가 어쭙잖게 흘러가는지라 몽돌이 정색하고,

「도대체 왜 이러시는가?」

「저는 성님이 싫어요.」

「성님이 싫다니? 양친을 여의고 사고무친한 터에 아우에겐 부모 맞잡이가 아닌가? 동기간에 어찌 그런 심지를 품을 수가 있나? 심에 차지 않는다 하여 내치고 거두어들일 처지가 못 되는 것이 동기간이 아닌가. 성님과 다투기라도 하였나?」

「우리 같은 처지에 아귀다툼할 경황이나 있나요.」

「그렇다면 소저의 언사는 대단 잘못된 일이 아닌가?」

「생원님은 어찌 계집의 마음을 그렇게도 짐작하지 못하십니까. 저는 오늘 하루 종일 생원님의 뒤통수에다 눈자위를 박고 있었답니다.」

「이런 낭패가 있나. 그럼 소저가 내게 정분을 두고 있었다는 말인가?」

「그렇다니까요. 꼬치꼬치 따지고 드시면 어떡해요.」

「내 실수로라도 소저에게 그런 생념을 한 적도 없고 언질 또한 준 적이 없었거늘, 어찌 먼저 그런 심지를 품었더란 말인가? 남이 들으면 발등을 찍힐 일이 아닌가?」

「그야 까닭이 있지요.」
「까닭이 있다니? 우리가 전생에서부터 인연이라도 타고났단 말인가?」
「성님이 생원님께 먼저 마음을 두고 있는 눈치더라니까요.」
「성님이 내게 마음을 두었다면 아우 되는 사람이야 응당 그런 마음을 품어선 안 되지 않나?」
「담 넘어온 능금이야 먼저 따는 이가 임자 아닙니까?」
「그것은 사리 분별이 옳지 않네그려. 그렇다 하더라도 성님을 위해서 소저가 물러나야 하지 않나?」
「그럼 성님과 해로하시겠단 말씀이십니까?」
「나는 이미 한 번 성취했던 사람이네. 게다가 나는 헌헌장부도 아니요, 앞으로는 놉으로 끼니를 구처하고 일용범백*을 구걸해서 살아가야 할 딱한 처지의 사람이네.」
「저도 구경 생원님과 처지가 다를 바 없습니다만, 그럼 내방마님 두시고 부지거처는 왜 하십니까?」
「성혼은 했다 하나 내 부실한 사내라 오쟁이를 지고 말았네.」
「사내가 오죽하면 오쟁이를 지셨을까. 성님은 그런 줄도 모르고 은근히 정분을 두었지 무엇입니까.」
「이제 내 못난 처지는 알았으니 성님이나 동생이나 언감생심 그런 정분은 품지 말아 주게.」
「정분이 탈망건인 줄 아십니까. 마음 내키는 대로 썼다 벗었다 하게요.」
「소저의 숫기 하난 대단하네만 나를 괴롭히지 말게.」
「괴롭지 않은 정분이 어디 있답디까. 저는 생원님의 심지가 돌아

* 일용범백 : 날마다 쓰는 여러 가지 물건.

설 때까지 품었던 마음을 풀지 못하겠습니다.」

「남들이 들었으면 같잖은 사람들이라 하겠네. 우리가 지금 정분 따위를 두고 밀고 당길 처지들이 아니지 않나. 물론 나도 평생을 홀아비로 늙고 싶지는 않네만 내가 재취하기 전에 꼭 한 가지 해야 할 일이 있다네. 내가 이 상단과 동사하고자 하는 것도 생화를 얻고자 하는 것보다는 바로 해야 할 그 일 때문이라네.」

「매원을 품고 계시단 말씀이군요. 그렇다면 그 작자가 우리 행중에 끼여 있단 말씀입니까?」

「아닐세. 이들의 힘을 빌리고자 할 따름이라네.」

「저도 그때까지 기다리겠어요.」

「안 될 소리. 물론 행중에 휩쓸려 다니다 보면 마음이 모질지 못하여 심허에 시달리고 신역이 고달파 자연 의지할 곳을 찾게 되겠지만, 그렇다고 섣불리 떠돌이들에게 정분을 두었다간 나중에 폐단을 겪게 될 것이네. 이 고초를 이겨 내야만 가합한 낭재가 앞에 나타날 것이니, 그리 알게.」

「사람의 평생이 덧없다는 이야기는 어릴 적부터 들었사온데 제게 가합한 낭재가 지금에 나타났다 하여 애써 내칠 까닭이야 없지 않습니까.」

「벌써 밤이 이슥하였네. 성가시게 하지 말고 들어가서 잠이나 청하시게. 우리가 여기서 오래 천추하면 여러 이목에 공연한 의심을 받게 된다네. 성님이 기다리지 않겠나.」

「기다릴 테면 기다리라지요.」

「같은 피붙이끼리 그런 막된 말 하는 게 아니라니까 그러네.」

「생원님께서는 피붙이보다 더한 살붙이에게 소박을 당하지 않으셨어요?」

「그런 말 자꾸 하면 내 무안만 더할 뿐이 아닌가.」

「제가 드린 말씀 잊지 마세요.」

「나 역시 속임 없이 말한 것이니 어찌 알지 말고 어서 들어가게나. 당초에 망조(罔措)*하여 견딜 수가 없네.」

몽돌은 버티는 낭자를 달래어 봉노에 들게 한 다음, 동안이 뜨기를 기다렸다가 슬며시 상방 봉노로 들어갔다. 그동안 술상이 물려지고 모두들 목침 하나씩을 차지하고 누워 잠이 들어 있었다.

득추의 안해가 이불채에 요 명색까지 변통하여 깔고 덮고 자라고 떠먹이듯 당부하는 것을 가까스로 내치고 목침 하나씩만 차지하고 자리를 보아 누웠던 것이다. 몽돌이 봉노로 들어와 누울 자리를 찾다가 곰배 옆으로 가서 엉덩이를 들이밀려는데,

「이런, 남의 식구통에다 성엣장 같은 엉덩이를 무턱대고 들이밀면 어쩌누. 화적들처럼 밤서리 맞으며 어딜 헤매다 오시오? 관동 지경이나 해서(海西)* 지경엔 화적들이 들끓는다는 말도 못 들었소? 얼마 전에 평산(平山)에서 화적질하던 사람들이 잡혀서 육십 명이나 효수를 당했다 하더이다.」

「내 잠깐 행기하며 완월을 하였소.」

「양반 행세 하던 여기(餘氣)가 아직 채 가시지 못한 모양이구려. 아랫방의 자매들 중에 혹간 소갈머리 없는 말을 하더라도 객중에 경황없는 말로 듣고 귀넘어 흘리시오. 내근(內近)할수록* 여색에 근엄해야 하오.」

「엿보았구려.」

「봉노에서 떠들어 대는 중에 보이지 않기에 나가 보았다가 우연히 엿들었을 뿐 뒤를 밟자고 한 짓은 아니니 어찌하게 생각은 마

* 망조 : 너무 당황하여 어찌할 줄을 모르고 갈팡질팡함.
* 해서 : '황해도'의 딴 이름.
* 내근하다 : 부녀자가 거처하는 곳과 가깝다.

시오.」

「어련하겠소. 나도 행검이 있는 사람이니 과히 염려 마시오.」

일행은 늘어지게 자고 일어나서 늦은 동자로 배를 불린 다음 다락원을 나섰다. 득추의 안해가 어린것들을 앞세워 오리정까지 나와 배웅하였다. 일행이 평강(平康)에 당도한 것은 송파를 떠난 지 나흘째가 되던 날 해가 짓질리기 시작할 무렵이었다. 장정 걸음이면 3백리 길이 노량으로 걸어도 사흘 노정밖에 되지 않았지만 작반한 자매들은 난생처음으로 먼 행보에 나섰던 것이라 중로에서 부추기고 쉬는 일에 시각을 천추한 까닭이었다. 장터거리 병문에 닿자마자 똥끝이 바싹바싹 타게 기다리던 동패들이 한 다리로 쏟아져 나와 맞아들이었다.

13

복계골(福溪里) 쇠전거리는 아문이 자리한 평강 읍치와는 5리 정도 떨어진 개활지였다. 쇠전거리 윗머리에 옹기막이 있었고 옹기막과 잇대어 떠돌이 솟대쟁이패들이 기거하다가 버리고 간 듯한 허술한 움막이 있었다. 움막에다가 다시 거적때기를 이어 매고 휘장을 쳐서 우선은 비바람을 막고 밤이슬을 피할 수 있을 정도의 전접(奠接)*을 마련해 두었다. 먼저 온 식구가 스물하나에 나중 온 식구가 다섯이니 스물여섯 식구가 당장은 움막에서 기거할 수밖에 없게 되었다. 길양식을 조수해 보았더니 두 파수를 겨우 넘길 만하였다.

그들이 구태여 평강에다 자리를 잡고 마방을 내려고 작정한 데는 나름대로 까닭이 있었다. 평강은 서울에서 270리이고 원산포까지는

* 전접 : 머물러 살 곳을 정함.

3백 리나 되었다. 양쪽이 모두 이틀 반의 노정이니 중로를 차지하고 서울과 원산포를 잇는 상로를 트고자 함이었다. 게다가 동북의 회양장(淮陽場)이 반나절 걸음인 30리이고 서북인 이천장(伊川場)이 한나절 노정인 60리, 서남인 철원장〔鐵原邑內場〕이 시오 리 길, 남동쪽인 김화(金化)의 창도장(昌道場)이 20리 남짓하였다.

안협(安峽)이 60리이고 회양이나 김화의 물화가 서울이나 관서로 가자면 평강을 거치지 않으면 안 되었다. 그런가 하면 제물포의 염상(鹽商)이며 사기(沙器), 서울의 황아장수, 원산포의 명태와 북포(北布), 그리고 창도(昌道)의 소〔牛〕와 마포(麻布)가 평강으로 일단 모여들어서 관동 지경으로 흩어지는 곳이었다. 그러나 근자에 이르러 평강에는 장돌림들의 발길이 뜸해지기 시작하였다.

그것은 두말할 것도 없이 고개티마다 창궐하는 적굴 사람들 때문이었다. 8월에 평산(平山)에서는 적괴(賊魁)인 정선학(鄭先學)을 비롯하여 민기용(閔起用)이니, 김명철(金命喆), 김봉길(金奉吉), 김명손(金命孫)이니 하는 꽤 명자깨나 드날리던 도적들을 잡아 효수하니 그 수가 60여 명에 이르렀다. 그러나 적세(賊勢)는 누그러질 줄 몰랐으니, 그 까닭인즉슨 도적 떼의 모두가 세렴과 흉년에 부대끼다 못해 산림으로 들어가서 하루 한 끼의 양식으로나마 목숨을 이어 가자는 것에 있었기 때문이다. 이로 인하여 자연 상로가 차단되고 장시는 날로 황폐해질 수밖에 없었다. 더러는 적굴 사람과 은밀히 내통하는 장돌림도 있어 그들에게 통행세를 바친 뒤 모가지를 지탱하여 저자에 당도하면 이미 반타작이 된 손해를 매물(賣物)에 얹어 벌충하였고, 두곡(斗穀)이며 나뭇짐이나 팔러 나오는 농투성이들 역시 털리는 판국이니 저자의 물가는 폭등을 거듭하였다.

곳곳에 상로가 차단되어 일단 평강으로 들어온 물화와도 환매가 어렵고 타관의 저자로부터 들어와야 할 물화의 반입 역시 차일피일이니, 밑천이 넉넉한 객주나 전도가가 있다 하나 관아의 포졸들을 끼지 않고는 물화 운반이 이루어질 수가 없었다. 관아의 힘을 빌리자니 또한 소용되는 것이 인정전이며 족채(足債)이겠으니 그 또한 물가가 오르게 되는 빌미가 되었다.

송파 상단이 겨냥하고 있는 바가 바로 이 점이었다. 가근방에서 출몰하는 적세(賊勢)를 꺾고 제독(制毒)을 먹일 방도만 찾을 수 있다면, 저자는 다시 번창할 것이고 평강 길목에서 적잖은 길미를 노릴 수 있었다. 선돌이가 평강에 하루를 묵고 와서 자리를 잡아 볼 만한 곳이라 했던 말을 봉삼은 심중에 새겨 두었던 것이다.

평강 읍치를 등 뒤에서 받치고 있는 뒤쪽의 범바위산〔虎岩山〕을 제외하면 사방이 훤히 트인 개활지였고 한탄내〔漢灘川〕가 읍치의 윗머리인 돌다릿골〔石橋里〕을 감고 돌아서 범바위산의 단애들 사이로 빠져 흐르는데, 벽계수가 그대로 쪽빛이었다.

움막으로 돌아온 행중이 곳곳에다 옹솥을 걸고 저녁밥을 짓느라고 북새를 이루는 중에 장터거리 아래쪽에서부터 키꼴들이 껑충하고 불량해 보이는 장한들 대여섯이 이쪽을 겨냥해 오르고 있는 게 바라보였다. 멀리서도 복색을 보아하니 임소(任所)의 공원(公員)들이나 보부상들은 아니었다. 궐자들이 움막을 겨냥해서 올라오고 있다는 것은 진작부터 눈치 채고 있었으나, 그중 한 놈이 수작을 붙여 올 때까지 행중의 사람들은 못 본 체하고 있었다.

「어디서 기어든 잡것들이여?」

위엄을 보이겠다는 속셈인지라 첫마디부터 어투가 삐뚜름하였다. 삭정이를 잘게 꺾어 아궁이에다 연방 던져 넣고 있던 행중의 한 사람은 그렇게 묻고 있는 위인을 한번 힐끗 쳐다보았을 뿐 이렇다 할 대꾸가 없었다.

「이봐, 어디서 기어든 작자들이냐구?」

그만큼 소리를 질러 재차 오금을 박았다면 귓구멍이 있어 알아들을 만했겠지만 발치 아래 앉아 있던 위인은 턱짓으로 휘장 쪽을 가리키곤 실성기 있는 놈처럼 난데없이 씩 웃고는 또한 대답이 없었다. 물었던 작자가 송파패의 턱짓에 그만 화가 꼭뒤까지 치밀어 올라 당장 밥 짓고 있던 옹솥을 발길질하여 거꾸로 처박아 버렸다.

「이놈아, 네놈의 혓바닥엔 말뚝이 박혔나? 종시 턱짓으로만 대꾸하게?」

하고는 다짜고짜로 송파패의 멱살을 뒤틀어 잡더니 엎질러 놓은 옹솥에다 찍어 박는데 솜씨를 보아하니 저잣거리에서 북새깨나 놓고 다니던 놈이 분명했다. 싸개통이 그 지경에 이르렀으면 행중이 소매를 부르걷고 나설 만한데 어느 한 사람 시비에 끼어드는 법 없이 묵묵히 지켜볼 따름이었다. 더욱 가관인 것은 꼬라박힌 동무님은 그대로 발딱 일어나서 한번 씽긋 웃고는,

「이거 원, 어느 돼지우리에서 기어 나온 놈이 냄새를 피우고 다니나그래…….」

마주잡이하고 대들진 않았다 하더라도 그 한마디가 왈짜패들의 촉분 돋우는 데는 충분했다. 왈짜들이 우 달려와서 동무님을 아예 물고를 낼 요량으로 맨땅에 잡아 엎친 다음 겨끔내기로 내리밟아 조지는 판이었다. 그런데 행중의 어느 한 사람도 좌단하여 뜯어말리려 들지 않았다. 피칠갑이 된 동패가 왈짜들의 발길질 아래서 뒹굴고 있는데도 팔짱들을 낀 채 거동만 지켜볼 뿐이었다.

흥분한 왈짜들은 동무님 하나를 초주검시키고는 이번에는 움막을 뜯어내고 휘장을 걷어치우는 것이었다. 옹기전 윗머리가 수라장이 되는 판에 지나던 행객들이며 동네의 악다구니들이 모여들기 시작하였다. 왈짜들은 그나마 직성이 풀리지 않는지, 너희들의 행수가 누구냐고 고함질렀으나 또한 천봉삼이 나서지도 않았다.

그들이 행패를 부리고 간 뒤 동무님들은 다시 움막을 고치고 휘장을 고쳐 치고 낟알에 더운 김만 쐰 군저녁을 지어 끼니를 때웠다. 그러나 왈짜들은 이튿날 새벽참에도 다시 몰려와서 행패를 부리고 돌아갔고, 그때마다 행수는 앞으로 나오라고 소리 질렀으나 역시 봉삼이 나서지 않았다.

부숴 놓은 움막을 다시 지어 놓으면 와서 부수고 사람을 잡아 엎치는 일이 닷새 동안이나 계속되었다. 그들이 행패를 놓고 갈 적마다 송파 상단 중에 한두 사람이 섭산적이 되기도 하고 뼈가 어긋나는 사람도 있었다. 사흘만 이런 행패가 계속된다면 행중에 병신 여럿 나설 지경에 이르렀다. 왈짜들의 행패가 닷새째나 쉴 참 없이 계속되는데도 불과 오리정에 있는 아문에서는 코빼기도 내미는 놈이 없었고 액내* 사람들도 관아에 정소를 한답시고 뛰어가 본 적이 없었다.

게다가 변통해 온 양식도 바닥나 가는 판이라 약차하면 구걸을 나서야 할 딱한 입장에 놓이게 되었다. 행중은 탈진하여 드러누운 사람이 많았고 두 자매는 매 맞고 쓰러진 동무들을 구완하느라고 엉덩이를 붙일 겨를이 없었다. 그 닷새째 되던 날 밤, 달은 휘영청 밝은데 옹기전 움막 주변에 낯선 떠꺼머리 한 놈이 나타났다.

위인이 움막의 거적을 들치고 산초기름 불빛이 희미한 움막 안으로 고개를 쑥 디밀면서 꼭히 누구에게 겨냥하는 법도 없이 물었다.

「여기가 송파 상단들의 사처가 맞소? 긴히 드릴 말씀이 있소.」

턱을 괴고 앉았던 곰배가 힐끗 궐자의 낯짝을 되돌아보며,

「실컷 울다가 누가 죽었냐고 묻는다더니…… 북새를 놓으러 왔으면 경난이나 벌일 일이지 새삼스럽게 묻긴 왜 하누?」

---

* 액내 : 같은 무리나 같은 동아리에 든 사람.

「댁네들에게 위해를 입히려고 찾아온 속배가 아닙니다요. 장거리에 지물도가(紙物都家)를 내고 있는 저의 주인장께서 댁네들을 보자는 것입니다요.」

「지물도가 전계장(廛契長)이 우리와 상종할 소간사가 무언가?」

뜨악해서 대거리들이 사뭇 설익은 푸성귀들 모양으로 뻣뻐드름한데도 떠꺼머리는 종시 붙임성 있게 대답을 개어 올렸다.

「싸움질하려고 오신 분은 아니니 면대해서 나쁠 것이 없습니다요.」

「마침 밤도 이슥하니 부닐고 싶으면 내일 해낮에 하라 하게.」

「시방 밖에 와 계십니다요.」

「들어오라시게.」

대답한 것은 그때까지 말이 없던 천봉삼이었다. 봉삼의 말이 떨어지기 바쁘게 떠꺼머리는 거적 밖으로 황급히 고개를 빼내었다. 몇 각을 사이하고 패랭이 차림에 복색이 말쑥한 육십 늙은이 한 사람이 움막 안으로 들어왔다. 늙은이가 움막 안 한 모퉁이를 비집고 좌정을 하자, 곰배가 등잔 접시를 들어 늙은이 코앞에다 바싹 디밀어 놓았다. 늙은이는 다짜고짜 하겟말로,

「나는 장터목에 사는 황가란 사람일세. 자네들 행수는 뉘신가? 번다한 이목을 피해 들른 것이니 홀대하진 말게.」

「시생이 상단의 행수 격이오. 천송도라 하지요.」

초인사 나누고 나서 늙은이가 말했다.

「이런 안목 없는 사람들을 보겠나. 이미 닷새가 넘도록 하루돌이로 봉욕을 하였으면 근력들도 부치지 않나? 그 행패를 당하고만 있다고 뾰족한 방책이 나설 듯싶은가? 그 왈짜들로 말하면 가근방 장터목에선 소행들이 모질기로 유명짜한 패거리들인데 민주를 댄다 하여 견뎌 낼 성싶은가? 행중에 병신 여럿 나기 전에 여기서 뜨게나. 자칫하였다간 줄초상들 날 것이네.」

「도대체 그 왈짜들은 누구의 사주를 받은 자들입니까?」
봉삼이 단도직입으로 그렇게 묻자 늙은이는 꿈쩍 않고 앉았다가,
「말하자 하면 일향(一鄕)을 호령하고 있는 계방(契房) 아전 나부랭이들 수하것들일세. 그러니 그 사람들 허술하게 보진 말게. 그 사람들도 나름대로는 쇠전거리를 쥐었다 놓았다 하는 자들인데 타관 쇠전꾼들의 범접을 좌시하고만 있겠는가? 여기 임소의 공원들조차 그들을 가볍게 상종을 못하고 있는 형편인데 자네들이 쇠심줄 같은 뚝심으로 버틴다 한들 며칠을 견디겠는가?」
늙은이의 어취가 왈짜들을 폄하려 드는 것인지 송파 상단 동무님들을 역성들려 하는 것인지 도무지 종잡을 수 없었다. 그때 봉삼이 결연하게 대답했다.
「우리가 여기에다 짐을 푼 이상 호락호락하게 떠날 수는 없소. 그들의 행패를 언제까지 좌시만 하고 있을 것인지는 알 수 없으나 이대로 물러설 것이라면 진작 했겠지요. 그들 역시 우리가 종내는 참지 못하고 대적하여 한바탕 난리통을 벌이고, 난리통이 벌어지면 우리를 무뢰배로 싸잡아서 내쫓자는 심산이겠으나, 그 간계를 알고 있는 한 말려들 수야 없지요. 우리가 이토록 괄시에 수모를 당하고 있다 하나 그들과 대적할 만한 장력이 없어서가 절대 아닙니다.」
「그렇다면 자네들에게 딴 꿍꿍이속이 있단 말인가?」
「그들과 대적하다 보면 필시 주먹다짐에 몽둥이가 오가고 사람이 상하게 될 것이고, 그럼 관아에서 우리 행중을 잡아 가둘 핑계가 생길 것 아닙니까. 그것 때문에 참고 견디는 것이지요.」
「그렇다면 부지하세월로 당하고만 있을 것인가? 풋장담 거두고 여기를 뜨는 게 상책일세.」
「조선 팔도 어디 간들 텃세가 없겠습니까. 시방까지 배겨 냈으니

솟아날 구멍 또한 있겠지요.」

「미련들 하기가 곰들이군. 행중이 몰밀이로 변을 당하고 말 것이니, 그리 알게.」

「미련하지 않구서야 살아날 가망이 없습니다. 우리가 평강 토호들의 두남을 받을 것도 아니요, 그렇다고 아문에 알음이 있어 이 고초를 벗어날 재간도 없구요. 더욱이나 저들에게 적선을 빌 인정전도 지닌 게 없으니 부득불 상것들이 내질렀을 적부터 갖고 나온 미련으로 땜질해 나갈 수밖에 있겠습니까. 저들도 행패 놓다 보면 지칠 때가 있겠지요.」

움막 안에 물을 끼얹은 듯한 침묵이 흘렀다. 움막 지붕에서 여치 우는 소리가 들려왔다. 꽤나 오랫동안 천봉삼을 바라보고 있던 늙은이가 묻는 말이 엉뚱했다.

「가근방에 있는 토비(土匪)*들이 쏟아져 나와 행담들을 털어 가도 배겨 내겠는가?」

늙은이 말에 봉삼이 껄껄 웃으며,

「관동 지경에 토비들이 들끓고 있다는 것을 명색 소몰이꾼인 우리들이 모르겠습니까. 그깟 토비들이 무서웠다면 우리가 평강에다 자리를 잡으려 했겠습니까.」

「풋장담 그만 하시게. 그게 어디 한두 마디 말로만 되는 일들인가?」

「전계장께서 그 왈짜들을 역성들고 우리를 폄하러 오신 게 아니시라면 속내를 솔직히 털어놓으십시오. 우리 행중의 배짱도 두드려 보았고 취재도 해보았으면 형세도 대강 짐작은 하였을 것이니, 흉금을 털어놓으셔야지요. 여기 오신 까닭이 무엇입니까?」

「천 행수가 내 흉중을 그렇게 꿰뚫어 볼 줄 안다 하면 어디 한번

* 토비 : 지방에서 일어나는 도둑 떼.

알아맞혀 보시게나, 내가 왜 야밤에 여길 왔겠나?」

「전계장을 배행하고 온 떠꺼머리란 놈의 대꾸가 깍듯한 공대일 적부터 대강 짐작은 하였지요. 더군다나 뒤에 계시는 분이 지물도가의 주인장이란 데서 시생도 짚이는 바가 없지 않았습니다. 전계장께서는 요 전자에까지 외목장사로 톡톡히 재미를 보아 왔습니다만, 지금은 토비들 등쌀로 곳간에 쌓여 있는 평강 소산(所産) 설화지(雪花紙)를 관서나 경기 지경으로 풀어먹이지 못해 전전긍긍이시겠지요. 시생의 짐작으로는, 적굴 사람들에게 통문을 놓아서 통행세를 적게 물고 물화를 실어 낼 흥정도 해보았으나 벌써 그들이 그 켯속을 알아채고 과도한 통행세를 물라고 윽박질렀으니, 그 말을 들어주자 하면 전계장께서 챙기셔야 할 이문이 반실이라 주저하고 있던 참입니다. 그 토비들과 대적할 만한 결찌들만 나선다면 태가를 든든하게 주고 물화를 내가실 궁리를 하고 있었던 게 아니십니까? 그렇지 않고서야 구태여 이목을 피해 이 누추한 거처를 찾아왔을 리가 없겠지요. 그 왈짜들이 우리 움막으로 와서 북새를 놓을 동안 전계장께서는 은밀히 행중의 거동만을 염문(廉問)*하셨던 거지요.」

가만히 듣고 있던 늙은이가 기력이 쭉 빠진 목소리로,

「명찰이로세.」

늙은이가 하직하고 움막을 나간 뒤 천봉삼은 침통한 얼굴을 하고 있는 곰배와 억돌과 강쇠며 김몽돌을 곁에 불러 앉히었다.

「내일 아침까지는 결정을 보아야 하오.」

봉삼이 그렇게 부리를 헐고 좌중을 돌아다보다가 그중에서도 식견이 교초(翹楚)*라 할 수 있는 김몽돌에게서 시선이 멎었다. 눈치

---

* 염문 : 무엇을 탐지하기 위하여 몰래 물어봄.
* 교초 : 여럿 가운데서 뛰어남.

를 알아챈 김몽돌이,

「좀 더 두고 보는 게 좋겠지요. 우리 행중이 선불리 물화를 운반하겠다고 나선다 하면 앙갚음하려 들 토비들에게 봉욕은 고사하고 두셋은 모가지가 결딴나는 변을 당하지 않는다고 장담할 수 없습니다. 우리 행중의 어느 한 목숨 중하지 않은 자가 있겠습니까. 꼭히 그것이 아니라도 호구할 방도가 나서겠지요.」

그 말을 곰배가 받아서,

「그러시다 앉아서 똥 싸 뭉개겠소. 차제에 전계장의 요청을 마다하면 여기서 자리를 잡지 못하오. 그 구닥다리가 우리에게 일을 맡겨 보자고 작심한 것에는 행중의 형세를 눈여겨보았기 때문이 아닙니까. 그런데도 지레 겁먹고 방색할 요량부터 한다 하면 평강목에서 우리가 비집고 설 곳이란 없게 됩니다. 여기서 메추리알이나 주워다 삶아 먹고 살렵니까? 도랑 치고 가재 잡는 일을 모피할 까닭이 무엇입니까?」

「힘으로 할 일이 있고 꾀로 할 일이 따로 있는 게 아닙니까. 행중이 자리도 잡기 전에 변괴부터 당한다고 보면 행수님을 믿고 따를 자가 없게 됩니다. 칭탈하고 거절하는 게 좋습니다.」

「거, 종없는 말씀 작작하시오. 우리가 무슨 꽃달임 온 줄 아시오? 그 구닥다리가 우리를 떠보자고 하는 것이 꾀가 아니고 담력이지 않소? 사내 서른이 모여 못할 짓이 무어요.」

「어찌 서른이오? 스물여섯이지, 거기다가 여자가 둘 아니오?」

「젠장, 둔재인 줄 알았더니 셈술도 빠르시네. 서른이나 스물여섯이나 거기가 거기지, 누군 스물여섯에 넷이면 서른인 줄 모르나?」

막된 것 여럿에 약한 선비 하나가 끼여 있으니 갈피마다 차이는 것이었다. 그러나 김몽돌이 정색하고,

「우리가 전계장의 취재를 당해야 할 까닭이 무어요? 우린 소몰이

할 방도만 찾으면 그만이오.」

「이런 짐작 없는 샌님을 보았나. 쇠전에 발을 붙이자니 밑전이 있어야 하고 밑전을 변통하자 하니 태가라도 벌어 모으자는 수작 아뇨. 턱 떨어진 개 지리산 쳐다보듯* 하루돌이로 와서 행패 놓고 있는 왈짜들만 쳐다보고 있자는 건가? 우리가 이번 일을 해롭게 생각하고 내치게 되면 저놈들이 우리 염량을 보아 더욱 야료를 부릴 것이고, 그 구닥다리도 두 번 다시 우리 행중을 두호하고 나올 리도 없게 되지 않소. 앉아서도 죽을 판, 일어서도 죽을 판이라면 앉고 일어서고가 도대체 무슨 상관이여. 꾀라는 것은 기왕 마려울 때 채전에 나가 똥 싸주는 일이고, 이런 땐 담력을 써야 할 때가 아뇨?」

곰배가 싸잡아서 몽돌에게 면박을 주는데 입가에 버캐가 허옇게 낄 정도였다. 위인이 어로불변(魚魯不辨)*이라 애당초부터 말할 잡이조차 못 되는 것이었으나 김몽돌은 명색이 취회하는 자리라 꾹 눌러 참고 말았다. 어차피 이 행중에서야 끗발이 없게 될 존재가 아닌가. 배알이 뒤틀려 올라 눈자위가 뒤집힐 것만 같은데 겨끔내기로 주고받던 두 사람의 대거리를 듣고만 있던 봉삼이 무겁게 입을 열었다.

「우리가 평강 장터목에서나마 상단으로서 도남(圖南)*의 나래를 펴고 계책을 얻자면 지금이 좋은 기회요. 우리가 대살지고* 약하여 주저하는 빛을 보이면 저 왈짜들에게 곱다시 쫓겨나게 될 것이오. 또한 서른 명에 가까운 장골들로만 모인 상단이 그깟 산골 토

---

* 턱 떨어진 개 지리산 쳐다보듯 : 이루지 못할 일을 공연히 바라고 있는 모양을 비유적으로 이르는 말.
* 어로불변 : 어(魚) 자와 노(魯) 자를 구별하지 못한다는 뜻으로, 아주 무식함을 비유적으로 이르는 말.
* 도남 : 붕새가 날개를 펴고 남명(南冥)으로 날아가려고 한다는 뜻.
* 대살지다 : 몸이 야위고 파리하다.

비들 등쌀에 지레 겁을 먹고 이번 행보를 칭탈하고 어느 세월에 또 이런 기회가 올 것 같으오? 장사치란 명색 길미를 노리는 수완도 있어야 하고 왕기 또한 있어야 한다지만, 우리가 맞닥뜨린 처지는 수완보다는 담력이나 강단을 보여 줘야 할 때입니다. 우리 상단 중에 몇 사람이 변을 당한다 하여도 이미 송파를 하직할 때 속으로 작정한 바가 있었지 않습니까. 우리 행중이 저잣거리에서 찍자를 놓는 무뢰배 왈짜들보다는 동뜬 사람들이요, 딱장대*들이란 것을 차제에 보여 주지 못한다면 평강으로 내려오지 않은 것만 못하오. 그러나 딱장대 말고는 아무것도 취할 것이 없는 무리들로 귀정이 지어져서도 안 될 것이오. 우리는 어떤 박대와 고초를 겪더라도 이곳에다 마방을 차리고 상로를 열어야 합니다. 지물도가 전계장이 만에 하나 계방의 아전들과 통을 짜고 우리 행중이 토비들을 만나 도륙이 나고 혼찌검을 당해서 부득불 평강에서 물러나게 하려는 속셈이 있다 할지라도 이미 우리에겐 핑계하고 발뺌을 할 수 있는 구멍이 없게 되었습니다. 전계장은 그것을 알고 우리 움막에 찾아온 것입니다. 우리가 송파의 번듯한 마방을 식솔을 거느린 동무님들에게 맡기고 죽든 살든 양단간에 평강으로 내려온 연유는, 빈궁한 백성들의 등 뒤에서 공것을 취하지 않고 또한 약한 자를 공갈하여 취탈한 재물로 연명함이 상도에 어긋나니 상리를 노려 떳떳한 백성으로 살아가기 위함이 아니었소? 그러한 우리가 이만한 일에 움찔하여 다시 송파로 되돌아선다 하면 그런 살풍경이 어디 있으며 그런 구경거리가 어디 있겠소. 노변에 핀 풀포기는 한낱 이름도 없으나 가꾸어 피워 놓은 이름 있는 꽃보다 가뭄과 비바람에 견디기 잘하고, 이름 있는 꽃은 한번 밟히면 일어서

* 딱장대 : 성질이 사납고 굳센 사람.

지 못하나 이름 없는 풀포기는 밟힐수록 뿌리를 깊이 내리는 법입니다. 무뢰배들이 밤낮없이 들이닥쳐 해거를 부릴 적에 우리가 발악을 터뜨리지 않고 바라보고만 있었던 것은 우리가 이 땅에 기어코 뿌리를 내려야겠다는 작정 때문이 아니었소? 하늘이 무너져야 솟아날 구멍이 있는 법, 무너지지 않은 하늘에는 솟아날 구멍도 없습니다. 사생을 같이하기로 한 우리가 차제에 무엇이 두렵다는 것이오. 우리가 토비들에게 맞아 살변이 날 지경에 이르면 그것들을 때려죽이고 죽지 외자로 죽을 사람이 행중에는 없소이다.」

강개한 어조에 말머리마다 힘담이 들어간 천봉삼의 말에 좌중은 숙연하여 모두들 입을 함봉하고 있었다. 그러나 겁겁한* 성미에 김몽돌과 의초가 상해 있던 곰배가 배알이 뒤틀려 김몽돌을 잡아먹을 것같이,

「행수님 말이 샌님 귀에 들어가겠소? 말하면, 말이나 귀양 보내지.」

그 말에 김몽돌도 체면만이라도 되찾을 욕심으로 버럭 역정을 내며,

「사람 이렇게 막보기요, 곰배?」

「흥, 무안에 취해서 소증을 한 거구려. 잘못했다고 고패 한 번만 빼면 될 것을 가지고 양반 체면 때문에 그건 싫다는 거지요? 눈자위를 부라리면 내게 몰골 사나운 꼴을 보이겠다 이거요?」

같은 부류라면 당장 드잡이가 오갈 것이나 글줄이나 읽은 덕택에 자제할 줄 아는 김몽돌이,

「등장을 들고 나올 사람이 등장을 들면 말이나 밉지 않지. 도대체가 요지간에 와서 내 말이라면 쌍지팡이를 짚고 나오는 소갈머리가 뭐요? 내 윗대가 동무님 뫼터라도 파 뒤집은 것인가?」

---

* 겁겁하다 : 성미가 급하고 참을성이 없다.

가만두었다간 정말 삿대질이 오갈 판이라 모두들 껄껄 웃고 뜯어 말리었다. 벌써 밤이 이경을 넘고 있는지라 모두들 거적 위로 가서 누웠다. 봉삼이 앉은 자리에만 삿자리 한 닢이 덧깔렸을 뿐 다른 동무님들은 한기가 그대로 스며드는 거적 위에 새우들처럼 모잽이로 등을 구부려 앞사람의 등에 배를 붙이고 누웠다. 불을 끄자마자 당장 코를 고는 사람도 없지 않았으나 대부분은 지붕 서까래 위에서 울어 대는 베짱이 울음소리에 귀를 기울이고 있었다. 오래지 않아 서리가 내릴 조짐이었다. 도대체 정처를 잡지 못하고 백사지에서 죽을 고생만 하는 자신들의 기박한 사주들이 베짱이 소리에 얽혀 더욱 심란했다. 베짱이 소리가 별빛 속으로 하나 둘 잦아들고 사위가 교교해지자 움막 안에는 코 고는 소리가 고즈넉해져 갔다. 바로 그때, 어둠침침한 움막 맨 안쪽 어디에서 사람의 따귀를 부서져라 내리치는 소리가 들려왔다. 갑자기 한 사내가 벌떡 일어나 앉으면서 옆에 누웠던 동무의 상투를 댓바람에 칵 밟아 뭉개었다.

「어장이 안 되려면 해파리만 들끓는다더니 이런 망종이 있나그래? 아무리 계집에 주렸기로 곤하게 잠자는 사람 사추리에 대고 싸가지 없게 이 무슨 망측한 짓이냐?」

사내는 곁에 누웠던 동무의 눈깔이라도 빼어 먹을 듯이 입에 거품을 물고 대드는데 상투를 밟힌 놈은 누운 채로 엉거주춤 반몸만 일으키고 볼멘소리로,

「야, 이 화상아. 내가 네놈의 잠 못 자게 코빼기라도 비틀었던감? 아닌 밤중에 무슨 행악이여, 행악이?」

「얼씨구, 이놈, 반죽 한번 보게. 야, 이놈아, 남의 고래등 같은 엉덩이에다 뜨물밖에 나올 게 없는 그 꼴같잖은 살송곳은 왜 자꾸 디밀어? 도대체가 뭘 꿰어 보겠다고 그 지랄이여, 지랄이?」

아닌 밤중에 이 무슨 야단인가 싶어 자던 사람들이 주섬주섬 일어

나서 싸개통이 벌어진 움막 안쪽을 건너다볼 제, 반몸을 일으키고 볼멘소리만 하고 있는 동무님은 바짓말기를 하초 아래까지 허옇게 보이게 노둔을 시키고 있는데 그 위의 시꺼먼 사추리에는 방금 수채에서 뽑아 든 말뚝같이 검붉은 것이 하늘을 쳐다보며 끄덕거리고 있었다.

「이놈아, 어서 그 꼴같잖은 살송곳부터 수습 못해? 아무리 육허기에 시달리기로서니 이런 야단이 없지 않은가. 그렇게 색념에 못 견뎌 내거든 발가벗고 과수댁한테 뛰어가서 가죽방아 달라든지, 아니면 신(腎)이고 불알이고 한꺼번에 싸잡아 돌확에다 짓이겨서 아주 육젓을 담가 버려, 이놈.」

조급히 바짓말기를 끌어올려 하초를 수습한 동무님은 궐자의 매몰찬 말에 무안을 당하다 못해 아주 걸판지게 해거를 부려 볼 요량으로,

「이런 못된 위인을 보았나. 내가 네놈의 엉덩이를 다소간 건드렸기로서니 뜨물에 애가 들 것도 아닌데 꼭 여러 이목들이 보는 앞에서 아금받게 창피를 주어야 직성이겠느냐? 그놈 깨진 쪽박만 한 엉덩이 하나 가지고 삼이웃이 떠들썩하게 유난을 떠네그려.」

「멸구를 할 놈. 여럿에 조롱거리가 되느니 차라리 뒈져라. 이 좁은 움막 안에서 무슨 농탕을 치겠다는 거여?」

「헛, 그놈, 잠깐 실수를 가지고 이렇게 우세를 주다니, 원…….」

「다시 그런 야단을 피웠다간 그땐 네놈의 하초에 아주 작두질을 해버릴 것이니 그리 알어. 나도 명색 사내로서 사람의 낙이 무엇인지 아는 터, 색념이 일지 않을 리가 있나. 나 역시 양기가 명치끝에까지 차 올라서 도통 잠을 이룰 수가 없는 판에 네놈이 이런 야단으로 남의 콩팥을 발칵 뒤집어 놓으면 난들 어찌 고비를 넘기겠는가.」

그러자 빰 맞은 동무가 입을 비쭉하면서 비아냥거리기를,

「오냐, 이놈아, 네놈이 뒈지면 사리(舍利)가 됫박으로 쏟아지겠다.」

두 사람이 겨끔내기로 숨 가쁜 육담에 패설을 주고받는데도 잠자다가 일어난 사람들 중에 어느 누구도 참견하여 조용하라고 소리 지르는 사람이 없었다. 웃지도 않고, 앙탈을 주고받는 두 사람을 덤덤하게 건너다볼 뿐이었다. 봉삼은 옆에서 자던 곰배를 툭 건드렸다.

「두 자매는 어떻게 되었나?」

「걱정 마시오. 옹기장(甕器匠)의 여편네에게 적선을 빌어 안방에서 그 집 아이들과 같이 자도록 조처하였으니 어느 놈도 감히 범접하지 못할 거요.」

천봉삼의 입에서 짧은 한숨이 터져 나왔다. 곰배가 나지막하게 지껄였다.

「뒤처진 아지마씨가 이곳에 당도하여 성님이 일가를 이루고 사는 것을 듣보게 되면 온 행중이 계집 기갈에 들 것이오. 모두가 미장가들이라 하지만 용색과 방사에는 능한 사람들이 아니겠소? 언제 무슨 변고가 일어날지 걱정이 됩니다. 우리 상단이 흩어지지 않고 형제의 의초로 뭉쳐 살자 하면 인근에서 과부들이라도 업어 와야지 오래도록 계집과 동품 못하면 하나 둘 뿔뿔이 행중에서 빠져나갈 터이니 성님은 그것을 알고 계셔야 합니다. 먹고 마시는 섭생만이 사람의 도리만은 아닙니다. 대저 살인하고 방화하고 싸움질하는 빌미가 계집으로 연유되는 일이 많지 않습니까. 살아가는 형편이 옹색하면 할수록 색정은 더한 법입니다. 색념에 상성이 되어 미친놈은 약사여래가 환생을 하신다 하여도 고치지 못합니다. 남색질로 육허기를 달래게 두어선 안 됩니다. 그렇다고 가근방에 아래품을 놓아 주는 들병이나 논다니들도 없는 판에 혹간 행중의 어느 미친놈이 민가에 뛰어들어 월장범방으로 범색(犯色)이라도 하

는 날엔 우린 끝장입니다. 양경(陽莖)*에 독이 오를 대로 오른 놈들이 약차하면 지나는 절간의 신중〔女僧〕인들 상관하기 마다하겠습니까. 그렇다고 이 첩첩산골에 여사당들이 곰뱅이를 트려고 들이닥치지도 않을 거구요.」

「자네 얘길 듣자 하니 행중의 동무님들보다 자네가 더 바빠 보이네그려.」

「내 행색이 병신이라 하여 양도(陽道)조차 결딴을 본 줄 아십니까? 나도 색사라면 용력깨나 쓰는 놈입니다. 나같이 오그라진 병신도 이러한데 사족이 멀쩡한 저 장골들이야 오죽하겠습니까. 색념이란 생각이 있을 때 풀 수 있어야 눈자위가 바로 박히고 말귀가 트여서 들리는 것이 있게 되는 법, 색사의 멱을 알고 있는 것들이 하초에 맺힌 응어리를 풀지 못하면 그 포원이 입과 어깨에만 몰리는 법이니 행중의 율을 다스리기가 어렵게 됩니다.」

「무슨 말인지 알았으니 이제 그만 잠이나 청하지. 나도 청맹과니가 아닌 이상 그것을 모르겠는가. 내가 처음부터 욕심을 억누르고 피붙이와 작반하지 않았던 것도 이런 사태를 미리 알고 행중의 빈축을 사지 않으려 함이었으니, 그렇게 알아만 주게나.」

이튿날엔 지물도가의 전계장이 손을 쓴 모양인지 왈짜들이 옹기막 어름으로 몰려오지 않았다. 그 대신 새벽별이 뜰 무렵이 되어서 지물도가의 사노(私奴)인 떠꺼머리란 놈이 눈두덩에 누런 눈곱을 주렁주렁 달고 좇아와서 어젯밤 공론에서 결단이 어떻게 난 것이냐고 물었다. 사노 녀석을 앞세워 복계골 옹기막에서 오리정인 읍치의 지물도가를 찾아갔다.

기다리고 있던 전계장은 행랑채의 곳간을 열어 보이는데 생각했

* 양경 : 남자의 성기.

던 대로 체화*된 지물 동이가 바리로 스무 짐이 넘어 보였다. 그것을 원산포 코밑인 안변(安邊)의 지물객주까지 육태로 운반하는 일이 우선 송파 상단이 할 일이었다. 전계장이 동자치들을 들깨워 새벽동자를 짓게 하여 행중을 호궤한 다음, 봉삼을 전방(廛房)으로 불러들이었다.

「전부가 설화지 스물다섯 동일세. 저 물화를 안변 지경까지 변고 없이 운반하고 어음 쪼가리만 받아 온다면 물대(物代)의 이 할을 태가로 넘김세. 나는 일각이 급한 사람일세. 딱 분질러 결단을 내리고 새벽 당장 채비들 하고 발행하시는 게 어떤가? 태가는 떠나기 전에 대용어음에 명자(名字)하여 건네줌세.」

「만약 우리가 중로에서 뜨내기 명화적들을 만나 물화의 일부라도 적몰을 당한다면 어떡하시겠습니까?」

「그땐 자네들 상단이 살풍경한 꼴을 당할 건 뻔한 일이 아닌가. 태가는 물론 없을 것이요, 평강 저자에 발을 붙이지 못할 것이네. 그러나 이번 행보를 무사히 끝내 준다면 자네들을 믿고 급전을 변통해 줄 수도 있네. 그것만은 내가 이 자리에서 약조하지.」

「그렇다면 이 새벽으로 채비해서 발행토록 하겠습니다. 차인 행수 한두 사람이 우리와 동행하겠지요?」

「차인붙이를 따로 안동시키진 않으려네.」

「뜨내기 도붓쟁이에 불과한 우리를 그렇게 믿으셔도 되는 것입니까?」

「자네의 수하들이 자네를 보필함이 지극한 것을 보니 믿을 만한 행수가 아니겠는가. 안동시킬 차인도 없고 하니 그냥 떠나시게.」

그길로 치행하여 일행 열아홉이 평강을 나섰다. 행중의 늙은이 넷

---

* 체화 : 수송이 부진하여 밀려 있는 짐.

과 김몽돌과 자매만 남기었으니 용력깨나 쓴다 하는 장정 열아홉이 모두 안변 행보길에 조발이 된 셈이었다. 모두들 통행전 졸라매고 신들메를 고쳐 신었고 객중에서 호궤할 길양식과 소금을 받아 먼동이 뿌옇게 떠오르는 걸 보며 지물도가를 나선 것이었다. 지물 바리가 워낙 아금받은지라 장정 짐으로 두 짐이 넘는 것을 한 사람이 진 것도 있었고 짐 반이 되는 것을 한 사람이 진 것도 있었다. 근력이 부치는 작자는 상투가 발등에 질질 끌리게 허리를 꾸부리고 있기도 하였다.

14

평강에서 발행하면 원산포와 서울을 잇는 대로(大路)와 만나는 세 가닥의 길이 있었다. 첫번째의 길은 평강에서 곧장 씻은갯골〔洗浦里〕로 올라서 서북으로 추가령(楸哥嶺)을 넘어 삼방(三防)을 거쳐 구릿노랫골〔銅歌里〕로 해서 진랑개〔津浪浦〕와 숯가맛골〔炭釜里〕로 내려가서 신고산(新高山) 장터목을 지나 용지원(龍池院)에 당도하면 회양(淮陽)을 거쳐 고산(高山)에서 오르는 대로와 만날 수 있는 소로였다. 그러나 이 행보는 추가령에서부터 탄부리까지 근 50리 길이 왼편으로는 마상산(麻桑山)과 오른편의 청하산(靑霞山)이 맞닿는 협곡이 무인지경으로 가팔랐다. 다른 하나의 길은 평강에서 바로 뒤편의 한탄내를 따라가는 조도인데 현창(縣倉)거리 장터목을 거쳐 회양에서 대로와 만나게 되어 있었다. 그러나 이 길은 난곡(蘭谷) 읍치에 이를 때까지 계곡 길 양편이 모두 돌니가 첩첩이 쌓인 가파른 단애(斷崖)가 20리 빠듯하게 걸치었고 무인지경이 많은 것이 좋지 않았다. 마지막으로 남은 길이 있었다. 평강에서 배나뭇골〔梨木里〕 지나고 검불랑(劍不浪)을 거쳐 토성(土城) 지나 씻은갯골의 주막거리에서 길을 오른편으로 잡아 백등령(白登嶺)을 넘어 현창거리에 닿고 현창에서 다시 풍대령(風大嶺)을 넘어 회양 읍치에서 대로와 만나는 길이었다.

150리 빠듯한 이 길은 빈 몸으로 간다면 준족을 가진 장정 하루 걸음이겠으나 한 가지 약점이 있었다. 평강에서 검불랑에 닿기 전에 나룻목이 있고 토성나루와 백등령 넘어 대치(大峙)나루, 그리고 현창의 장터목에서 다시 나룻목, 현창 지나서 풍대령고개로 오르는 말규통골〔槽洞里〕나루하며 회양 읍치에 닿아서도 모랫머릿개〔沙頭浦〕에 이르러 또한 나루가 있으니 150리 길에 나룻목이 무려 일곱이나 되었다. 그러나 행중이 마지막의 이 길을 택한 것은 그중 행인들의 내왕이 잦을 뿐 아니라 세포리와 현창거리에는 저자가 서는 곳이라는 것이고 숫막참도 심심찮게 박혀 있었기 때문이다.

새벽별이 뜰 때 일어나서 채비를 한 터라 평강에서 검불랑까지 50리 길을 와서 중화 지어 먹었을 때에는 끼니때가 이른 편이었다. 검불랑까지는 시계가 환하게 트인 들녘 길이었고 검불랑에서 조그만 단애를 넘었을 뿐이었다. 거기서 세포리 장터목까지가 30리 행보였다. 그러나 중화 하고 나서부터는 도대체 길들이 불어나지 않았다. 짐바리들이 워낙 힘겨운 탓이었다. 길 오른편에 있는 백봉(白峰)의 잔잔한 구름이 질펀한 들녘으로 흐느적거리며 미끄러지다가 길섶으로 묻히는 세포리 산협 길에는 다복솔이 많아서 꿩들이 흔했다. 짐바리에 꿩을 잡아 매단 사람이 서넛이나 되었으니 다리쉼이 많았다는 뜻이었다. 행중이 세포리 앞에 있는 토성나루에 닿았을 때에는 하루해가 나절가웃이 넘게 기운 때였다. 낡고 창막이에 물때가 시꺼먼 거룻배 한 척이 모래톱에 한가로이 떠 있고 이쪽 고목 아래서 쉬고 있던 늙은 사공은 길목에서 느닷없이 스무 명이나 되는 상단이 나타나자 기겁을 하고 놀라서 벌떡 일어섰다. 모두들 도선목에 짐바리를 내리고 우선 땀부터 들이는 중에 이목이 곱상한 늙은 사공이 다가와, 어디서 오시는 상단이시냐고 공대하여 물었다.

「평강에서 오르는 평강 행중이오.」

늙은 사공이 눈을 깜짝거리며 한동안 행중을 훑어보고 나서,

「평강이라면 여기서 하루 행보인데 그곳에 댁네들 같은 상단이 있단 말은 금시초문이오.」

「이 나루에서 나루질하신 지는 몇 해나 되시오?」

「내가 배냇물 털고 나와 연골 때부터 늙어 구접이 들 때까지 이 나루에서 나루질 하나로 늙었소이다.」

「어련하시겠소. 우린 평강에 자리 잡은 지가 며칠 되지 않는답니다. 그건 그렇고 노인장, 한 가지 물어봅시다.」

「얘기해 보시우.」

「우리가 듣기로는 이 길목에 토비들이 적잖이 출몰한다고 들었는데, 오늘 하루 팔십 리 길에 화적들이라곤 코빼기도 볼 수 없으니 이건 어찌 된 조화요?」

「말씀들 새겨 보니 봉적을 못해서 좀이 쑤시는 분들 같소이다. 어디서 귀동냥한 말들인지는 모르겠으나 내가 토성나루에서 나루질로 평생을 보내고 있소만 화적들이라곤 재작년에 한두 번 보고 올 들어서는 아직 한 번도 본 일이 없소이다.」

「그게 정말이오?」

「허, 이런 고얀 분들이 있나. 내가 하늘에 비구름이 없다 해서 거짓말을 하겠소? 설령 가근방에 흉비들이 혹간 있다 할지라도 댁네들같이 엄장 크고 당차 보이는 장한들로만 상단이 무리 지은 판에 간대로 덧들일 생념이 나겠소? 요사이 도적들이란 모두 굶고 지쳐서 용력을 쓰지도 못한다오.」

「삼 년 전에 화적을 봤다면서 요지간의 도적들 신수는 어찌 아시

오?」
늙은 사공이 그 말에 찔끔할 줄 알았더니 너털웃음을 흘리면서,
「일테면 그러하단 얘기니, 어찌하게 생각은 마시오.」
「노인장 말씀을 듣자니 적이 안심은 됩니다만, 혹시 풍편으로라도 가근방에 화적 났단 얘기는 못 들으셨소?」
「요지간에 왜상(倭商) 몇 놈을 건네준 적은 있지만 아직 화적들은 못 봤소이다. 그런데 댁들은 어디로 작로하는 상단들이시오?」
「조명 나면 큰일이니 우리들 노정이야 말씀드릴 수 없소이다.」
「의심나면 그만들 둡시다. 나야 선가 받고 나루질이나 해드리면 그것뿐입니다. 하지만 곧 해거름이 될 터이니 세포리 장터목에서는 하처들 잡으셔야겠소이다.」
「하처 잡을 걱정 해주시는 김에 세포리 장터목에 있는 조도〔娼妓〕들 꽃값은 얼마인지 같이 싸잡아서 일러 주오.」
「봇짐 들어 주는 김에 업어 달란 말씀 같으신데, 세포리엔 삼팔주 수건 씻어 놓고 기다리는 그런 계집들 없소이다.」
「세포리 홀애비들은 몰밀어 벽창우(碧昌牛)*들뿐인가…….」
늙은 사공은 그 말에다 검다 쓰다 대꾸가 없이 돌아가서 모래톱에 떠 있던 거룻배를 도선목으로 몰아 대었다. 도선객의 수가 많은지라 몇 사람만 짐바리들과 먼저 건너가고 열댓은 다음 배를 기다려 아직 이편에 남아 있었다. 그때 마침 때 아니게 불쑥 나타난 장독교(帳獨轎)* 한 채가 나룻가에 내려졌다. 건장한 교군 두 사람이 힐끗 상단 사람들을 훑어보았다. 가마 안에 탄 사람은 물어보나마나 어느 토반의 내행이겠으니, 상단 사람들이 얼핏 신색이나 볼까 하고 가마를 기웃거렸으나 도무지 안에 탄 내행은 꿈쩍도 하지 않았다.

---
* 벽창우 : 고집이 세며 완고하여 말이 도무지 통하지 않는 무뚝뚝한 사람.
* 장독교 : 가마의 하나.

배가 다시 건너와서 남아 있던 상단들과 장독교의 일행을 태우고 강심에 떴다. 가마는 창막이 위에 앉히었고 상단 사람들은 뱃전 가녘으로 둘러앉았다. 고물간에 선 사공이 삿대를 휘저을 적마다 노에 걸려 넘는 물살 소리가 고즈넉하였다. 배 안은 조용하였다. 그때 가마 안에서 문득 부스럭거리는 소리가 나는가 하였더니 매화틀에다 소피 보는 소리가 들렸다. 오줌 줄기가 쪼르륵 소리를 내고 멎자 가만히 귀를 기울이고 앉았던 뱃전 가녘 사람들 입에서 웃음이 터져 나왔다.

교군들이 험악한 눈을 하고 턱이 떨어지게 웃어 젖히는 상단 사람들을 흘겨보았다. 배가 맞은편 도선목에 닿을 때까지 사뭇 험악한 상호(相好)를 하고 있던 교군들은 배가 닿자마자 가마를 메고는 살같이 나루를 떴다. 행중이 세포리 장터목에 득달하였을 때에는 장거리에 남기가 피어오르고 초어스름이 끼기 시작할 무렵이었다.

역시 맞춤한 객주나 숫막을 빌려 늘어지게 하룻밤을 쉴 형편들이 아닌지라 장터거리 윗머리에서 노숙할 요량으로 더러는 모닥불을 피우고 한편에서는 옹솥이며 통노구를 내걸고 저녁밥을 짓기 시작하였다. 언제까지 이런 궁상으로 살아야 할 것인지 아무도 예측할 수 없는 일이었으나 그것으로 지청구를 해대는 일행은 없었다. 저녁 후엔 모두들 화톳불 주위에 모여 앉아 행역에 지친 몸들을 풀며 패설에 육담으로 보내었다. 행중이 거의 잠자리에 든 후에 불을 지키는 두 사람을 남기고 봉삼은 곰배와 강쇠 두 사람을 행중에서 멀찌감치 바깥으로 불러내었다.

「갈 곳이 있네. 신들메들 고쳐 매게나.」

「어디 가려는 겁니까? 노숙하는 행중을 그냥 두고 숫막이라도 찾아가겠단 말씀입니까?」

짐작 없는 곰배가 사뭇 동떨어진 말로 배알을 꼬았다.

「숫막을 찾아가긴 하겠으나 우리끼리 술추렴을 하자는 것은 아니니, 새살 부리지 말게.」

「그럼 이 야밤에 어디로 가자는 겁니까? 나는 곧장 허리가 꼬꾸라지는 판입니다.」

장터 아랫목에 있는 숫막거리를 겨냥하여 휘적거리고 걷던 천봉삼이 불쑥 내뱉는 말이 그럴싸하였다.

「오늘 해낮부터 토비들이 우리 뒤를 밟고 있었다네. 오늘 우리가 토성나루 건널 적에 보았던 그 가마가 수상쩍지 않던가? 이런 적막강산에서 갑자기 어디서 가마 탄 사람이 불쑥 나타났다는 것이 이상한 일이 아닌가. 그 가마에 기구 차리고 사는 집 내행이 탔다 하면 필시 겸인놈이나 교전비가 뒤따라야 했을 것이고 초례청으로 가는 신부가 탔다 하면 뒤따르는 상객이나 수모가 있어야 격이 아닌가. 그 가마에는 교군 두 놈만 따를 뿐이더란 것이지. 배를 건너는 중에 매화틀에다 소피 보는 소리를 낸 것은 가마 안에 계집이 타고 있다는 것을 은근히 비치기 위한 속임수가 아니었을까. 지각 있는 여편네라면 하필이면 강심에 오른 조용한 뱃간에서 잠시만 참으면 될 소피를 볼 까닭이 없지 않은가.」

강쇠가 그 말을 받아서,

「그럴싸한 말씀이긴 하오. 그러나 그들이 화적들이라 한들 하필이면 가마까지 타고 다닐 까닭이 없지요. 속임수야 많지 않소?」

「가마야 동네에서 잠시 훔쳐 내면 되는 것이지. 남의 눈에 잘 보이는 병장기를 가마 안에 숨기고 또한 우리 행중에 같이 싸잡히어 다니어도 본색이 탄로 나지 않을 것으로 내행을 가장한 가마보다 더 안심되는 것이 어디 있겠나. 곁에 청지기 명색이 한 놈만 따랐다 했다면 나도 깜박 속아 넘어갈 판이 아니었나.」

그런데도 곰배는 도대체 기별이 가지 않는 모양으로 대답이 없었다. 강쇠가 말하였다.

「궐자들이 화적의 동류인 것이 분명합니다만, 패거리들이 많아야 세 놈이 아닙니까?」

「우리의 노정을 지켜보았다가 둔소에 결진하고 있는 저들의 동패에게 통기하여 한꺼번에 덮치려 하는 거지.」

그때까지 가만 듣고만 걷던 곰배가 소리 질렀다.

「그렇다면 우리가 먼저 덮쳐야지요.」

세 사람은 숫막거리 한가운데 있는 객점 앞으로 걸어갔다. 봉삼이 궐자들이 들어간 객점을 미리 염탐해 둔 듯하였다. 삼경이 가까운지라 객점은 주등도 꺼지고 삽짝도 닫혀 있었다. 바자 사이로 손을 디밀어 걸쇠를 따고 어려움 없이 객점 마당으로 세 사람은 함께 들어섰다.

객점의 봉노는 모두가 넷이었다. 그중 정주간과 맞물려 있는 봉노는 내실로 쓸 것이니 길손을 받아 재우는 봉노는 세 개였다. 봉노들을 살펴 나가자니 마침 마혜(麻鞋) 세 켤레가 뒹구는 봉노가 있었다. 뒤곁으로 난 봉창 외에는 문이란 명색은 외짝 장지 하나뿐이었다.

강쇠가 뒤곁으로 가서 봉창을 가로막아 서고 봉삼과 곰배가 봉당으로 올라섰다. 그리고 장지문의 돌쩌귀가 부서져 나가떨어지는 것과 때를 같이하여 두 사람이 봉노 안으로 돌입하였다. 봉노의 사내들도 아둔한 위인들은 아니었다. 자다 만 후이긴 하였지만 그들이 뛰어든 것과 거의 동시에 자리를 박차고 마주 일어나는 품이 생무지*들은 아니었다.

봉삼은 들었던 물미장으로 얼결에 목침을 들고 일어나려는 한 놈의 정수리를 정통으로 내리까고 연이어 옆에 선 놈의 학치뼈*를 발산(拔山)*의 기개로 내리쳤다. 방 안에서 때 아닌 삭정이 부러지는

* 생무지 : 어떤 일에 익숙하지 못하고 서투른 사람.
* 학치뼈 : 정강이뼈의 속된 말.

소리가 나고 외얽이에 붙어 겨우 지탱하던 바람벽의 흙이 우수수 떨어졌다. 두 놈의 마빡에서 금방 피가 튀었다.

「이놈들, 꼼짝 마라. 딴 수작 했다간 당장 저승으로 떨어진다.」

소리치고 난 봉삼은 물미장으로 뒤곁의 봉창을 뚫었다. 또 한 사람의 장한이 뒤곁을 지키고 서 있는 게 보였다. 일찍 정신을 차린 한 놈이 봉노 한가운데로 폭삭 꼬꾸라지며 소리 질렀다.

「나으리, 활인하십시오. 제발 모가지만은 붙여 주십시오.」

「도붓쟁이들 모가지는 풀잎같이 날려 살육을 낭자히 저지르는 네 놈들이 제 아쉬울 땐 모가지를 붙여 달라니, 이런 아수라 같은 놈들이 있나.」

「나으리, 살려 주십시오.」

「이놈, 냉큼 대님을 풀어 네 동패를 옭아라.」

발싸심*을 하고 있던 놈이 기어드는 목소리로,

「나으리, 우리가 대님 치고 살아가는 형편들이 아니지 않습니까.」

「바짓말기라도 찢어라, 이놈. 냉큼 거행치 않으면 네놈의 대갈통부터 박살을 내리라.」

놈이 제 동패를 결박 짓는 동안 곰배는 봉노 안을 살폈다. 봉당에 뒹구는 마혜는 셋인데 한 놈은 코빼기도 보이지 않았다.

「한 놈은 어디 갔느냐.」

「예, 아랫봉노에서 자고 있습지요.」

이놈이 사세를 알아차리고 장달음 놓았을지도 몰라 속으로 뜨끔했던 곰배가 지게문을 젖히고 아랫봉노로 뛰어들었다. 한 놈이 큰대자로 누워 코를 골고 있는데 봉노에서 시궁창 썩는 냄새가 등천하는 것을 보니 잠들기 전에 탁배기를 어지간히 퍼마신 모양이었다. 게다

---

* 발산 : 산을 뽑을 만한 정도로 강한 힘과 기세.
* 발싸심 : 팔다리를 움직이고 몸을 비틀면서 비비적대는 짓.

가 궐놈의 옆에는 나이 어린 막창 하나가 궐놈의 사추리에다 코를 박고 잠들어 있었다. 계집 역시 색정에 몹시도 시달렸던 모양이었다. 잠든 놈의 뒷고대를 잡아채고 윗봉노까지 끌고 왔으나 술에 감겨 곯아떨어진 놈은 도대체 깨어나질 않았다. 밖에 있던 강쇠가 들어와 등잔 접시에 불을 댕겼는데 북새통에 깨어난 주파가 장지 앞에서 체머리를 떨고 있었다.

「내가 묻는 말에 바로 대어야지 외대었다간* 입살을 짜개서 쌍언청이를 만들어 줄 것이야. 그러나 바른대로만 이른다면 네놈들을 관아에까지는 끌고 가지 않을 거다. 어느 지경에서부터 우리 뒤를 밟았느냐?」

「검불랑나루에서부터입지요.」

「어디까지 따라와 우릴 덮칠 작정이었더냐?」

「씻은개〔洗浦〕까지 밟긴 하였으나 행중의 패거리들이 워낙 드세어 보여 욕보일 구멍이 없는지라 엄두를 못 내고 뒤만 밟아 왔을 뿐이지요.」

「덮치지 못할 놈들이 뒤를 밟긴 왜 하였느냐? 네놈의 말에 앞뒤가 어긋나지 않느냐?」

「이렇게 큰 상단이면 분명히 원산 대로로 나가려고 씻은개 주막거리에서 현창(縣倉 : 縣里) 거쳐 회양 지경으로 빠지는 노정을 잡을 것이니 내일 상단이 발행하기 전 백등령 고개티에서 숨었다가 덮칠 요량을 하였지요.」

「이런 질정찮은 좀도적도 있다니……. 우리가 네깟 놈들에게 허술하게 낭패 볼 성싶었더냐. 네놈들의 둔소가 어디냐?」

「둔소가 따로 있을 턱이 없습니다. 그저 백등령과 토성나루 근방

* 외대다 : 사실과 다르게 일러 주다.

을 오가며 뜨내기 구메 도적질로 겨우 연명이나 해가는 주제들입지요.」
「이놈들, 도적질도 꾀가 있어야 하느니, 어설프게 덧들이려다 이 같은 망신도 당하지 않느냐. 네놈들 결찌가 몇이냐?」
「보시다시피 셋뿐입지요.」
「병장기가 있느냐?」
「녹슨 칼 두어 자루가 겨우입지요.」
「네놈들을 놓아주긴 하되 내일 해 지기 전까지는 한 발짝도 움직일 수 없다.」
「나으리, 걱정 놓으십시오. 병장기를 빼앗긴 터에 놓아주신들 다시 범접할 마음을 먹을 수 있겠습니까.」
「네놈들이 우리 상단에 범접할 것이 두려워서가 아니라, 네놈들이 가근방에 있는 둔소에 통기하여 결당을 할까 두려워서다.」
「그럼, 우릴 아주 어육으로 만드실 작정이시군요. 제발, 그러지 마십시오. 우리가 양민에게 폐단이 되고 행려(行旅)를 욕보이는 건 사실이나 우리에게도 식솔이 있어 몸져누우면 식솔들 끼닛거리를 어디 가서 변통하겠습니까. 지금 매 맞은 것만도 운신을 못할 지경인데 위에 더한 매질을 내린다면 며칠 못 가서 죽게 됩니다.」
「엄살떨지 마라, 이놈. 네놈들이 관아로 잡혀가면 효수를 당할 건 물론이요, 명색 붙은 네놈의 식솔들도 연좌하여 물볼기를 맞지 않겠느냐. 여기서 내게 징치를 당한다면 네 몸 하나만 상하면 되니, 그런 다행이 어디 있느냐.」
「나으리, 애간장이 타는 것 같습니다.」
「알겠다. 그러면 네놈들이 우리를 치려 하였던 백등령 고개티까지만 우리와 작반하자. 네놈들을 항쇄(項鎖)하여 끌고 가야 격이겠으나 그럴 생각 또한 없다. 백등령에 이르면 네놈들을 나뭇등걸에다 묶어 두고 떠날 것이다. 진득하니 묶여 있으면 우리가 대치(大峙) 강수터〔江水垈〕나루에 닿는 길로 행인들에게 당부하여 풀어 주도록 할 것이다. 그러면 되겠느냐?」

「모둠매만 내리지 않으신다면야 무슨 고초인들 마다하겠습니까.」

관아로 끌려갈 일만이라도 모면한 것이 다행인지라 소금에 절인 배추 겉절이가 된 세 놈은 묵묵히 노숙하는 상단들에게로 끌려왔다. 노숙하던 상단들이 깨어 일어나, 적경(賊警)을 살피는 데 투철한 천봉삼에게 모두들 놀라 자빠질 지경이었다. 똑같은 노정에서 같이 자고 일어남에 한 치의 어긋남도 없었던 천봉삼이 언제 그런 적경을 탐지할 수 있었던 것인지 그 안목과 자질은 작반하고 있는 상단의 어느 동무님도 흉내 낼 수 없는 재간이었기 때문이다.

상단에서는 토비들을 관아로 넘기든지 아니면 무릿매를 안기어 아예 병신으로 만들어 저자 바닥에 내다 버리자는 의견들이 분분하였다. 그러나 천봉삼이 고개를 외로 저었다.

이튿날, 새벽별이 뜰 때 일어난 상단은 세포 장거리를 나섰다. 상대(商隊)가 뜨기에 앞서 세 사람의 척후(斥候)를 발정(發程)시키고 그 세 사람이 맡았던 짐바리는 잡은 세 토비에게 나누어 지게 하였다. 세포의 갈림길에서 오른편 길을 잡고 백등령을 넘어 대치 강수터나루를 건너 현창까지는 40리의 노정이 헐하였다. 하룻밤을 잘 쉬었으니 게으름만 피우지 않는다면 현창나루에서 중화하고 오늘 늦게 말규통골까지는 대어 갈 수 있을 것 같았다. 백등령 고개티 아래에 이르러서야 아침해가 떠올라 한 발치에 떠 있었다. 관동 지경이란 곳이 전라도나 경상도 지경처럼 행려참에 숫막들이 흔하지 않은 곳이나 백등령 아래에는 용수 달린 숫막이 두 채나 있었다. 그곳에서 땀을 들이기로 하고 숫막에 들었다.

부비 날 것을 생각하면 달갑지 않은 일이나 중화(重貨)를 등에 진 동무님들은 벌써 허기가 차서 고개티를 무사히 넘자면 탁배기 요기라도 해둬야 안심이었다. 숫막 퇴에다 지물 동이를 내려놓은 동무님들은 마침 봉당으로 내려서는 주모를 보고 놀랐다. 이런 첩첩산중에 박힌 숫막이란 으레껏 얼굴에 저승꽃 검버섯이 허옇게 핀 주파가 목을 지키고 앉아 겨우 술구기질이나 할 정도였다. 그러나 장지를 밀고 내려서는 숫막의 주모는 팡파짐한 엉덩이에 살쩍까지 곱게 민 갓 스물이 될까 말까 한 배젊은* 주모였다. 행중의 누군가가 불쑥 한마디를 던졌다.

「아니, 개호주가 판을 치는 이런 산중에 저런 햇것이 살고 있다니? 술아비는 있는감?」

당장 해라로 농을 내어 붙이는데, 무료에 취해 깜빡 잠이 들었던지 한쪽 볼따구니에 난 베갯잇 자국을 문지르며 봉당으로 내려서던 주모가,

「햇곡머리에 길 나선 분들이라 눈에 보이는 것이 햇것뿐인 모양이지요. 이래 봬도 아이를 둘이나 지었다오. 이 산중에서 남진아비 없이 어찌 목숨 부지할까요.」

「하긴 그렇겠소만, 내왕도 뜸한 이 산중에서 숫막으로야 밥술을 뜨겠소?」

「밥술 못 뜨면 죽 쑤어 먹지요.」

「대꾸하는 것이 아금받은 걸 보니 죽으로만 연명하는 여편네는 아닌데그려.」

「초대면의 남정네가 남의 집 살림 두량까지 걱정해 줘 고맙긴 하오만, 이 목쟁이에도 보기보단 행객들이 심심치 않아 연명하는 걱정이야 없으니 염려 잡아매시오.」

---

* 배젊다 : 나이가 아주 젊다.

내던지고 있는 농담을 한마디도 빠뜨리지 않고 흙 묻기 전에 받아채 올리면서도 주모는 잽싼 손놀림으로 목로를 훔치고 겉절이한 열무김치며 된장 접시에 풋고추를 꾹꾹 박아 내놓고 술방구리를 내놓았다. 주모와 농지거리를 받고채는 맛이 그런대로 짭짤한지라 이번에는 다른 동무님이,

「주모의 살신이 해사하니 가근방에 드나드는 토비들의 표적이 될 만하겠소. 저 마당 귀퉁이에 앉아 있는 화적들을 본 적이 없소?」

주모가 금방 바닥이 난 빈 술방구리를 거두어 정주간으로 들어가면서,

「어디서 잡은 화적인지는 모르겠으나, 그래도 안면을 가지고 있단 상단들이 자기들은 요기하면서 화적이라 하여 굶길 작정입니까?」

천봉삼이 탁배기 서너 주발을 토비들에게 갖다 주도록 일렀다. 그때 어젯밤에 남색질하려다 곁에 누웠던 동무에게 뺨 맞은 동무가,

「주모, 가근방에서 화적 난단 소문은 못 들었소?」

「조선 팔도 고개티 목쟁이치고 화적 안 나는 곳이 있답디까. 견디기 나름이지요.」

「내 그런 말 나올 줄 알았지. 주모는 그놈들에게 간혹 육공양이나 들이대는 모양이구려.」

목로 주변에서는 와르르 웃음소리가 쏟아지는데, 평상 가녘에 붙어 앉았던 주모는 웃지도 않고,

「내가 왜 그 작자들에게 육공양을 드릴까요. 남진아비가 가근방 토비들의 대두(隊頭) 격인데요.」

「계집은 숫막을 내고 남진아비는 토비의 괴수라면 이 집도 얼마 못 가서 기왓장 올리겠구먼.」

「글쎄요, 늦깎이로 시작한 도적질이라 아직까지 별 재미를 못 보았다오.」

바로 대는 것 같기도 하고 외대는 것 같기도 한 주모의 거침없는 대꾸가 제법이었다. 배를 든든하게 채운 일행은 서둘러 주모와 하직을 하였다. 삽짝을 나서면서, 또 보자고 후일을 언약하는데 주모는 웃지도 않고,

「회정길에 댁네들 다시 보았으면 하니, 봉적들 하더라도 모가지만은 붙여 달라시오.」

「햇, 고년 입도 싸다.」

「내 입 싼 것만 파잡지 마시고 신들메들이나 가뿐하게 잡아매시오.」

숫막참에서부터 무인지경 오르막길이 시작되는데 오르고 내리는 길이 20리가 넘었다. 또한 굽잇길이 가팔라 선머리에 선 사람들은 뒤처진 일행이 보이지 않을 때가 많았다. 그러나 쫓기듯 걸었으니 한 식경이 못 되어 고갯마루에 닿았다. 봉삼은 토비들에게 약조했던 대로 세 놈을 고갯마루에 있는 노송에다 싸잡아 엮어 매었다. 백등령만 무사히 넘는다면 회양 지경인 풍대령고개는 읍치가 가까운 곳이라 화적 만날 걱정은 없었다.

혹시나 행인들을 만나지 못할까 봐 겁에 질린 세 놈을 안심시켜 두고 일행은 시오 리쯤에 대치 강수터나루가 까마득하게 내려다보이는 고갯길을 내려갔다. 강수터에 당도하니 일행은 다시 기진맥진이었다. 척후를 나간 세 사람의 행적이 아직까지는 묘연한데 도선목에는 상단 외에는 도강객들이 보이지 않았다. 그때까지도 적경을 느낄 만한 낌새는 없었다. 사공은 고개티를 넘어오는 상단 행렬을 눈여겨보았던지 벌써 도선목에다 거룻배를 대어 놓고 있었다.

코가 얼굴 주인이 내란 듯이 넓게 자리 잡고 있는 사공의 상판은 무던해 보이었다. 짐과 사람이 반씩으로 나누어 건너기로 하고 10여 명이 우선 선가를 결정하고 앞배에 올랐다. 토성나루의 늙은 사공과는 달리 강수터 사공은 입이 무거웠다. 사공놈은 거룻배가 흔들릴

만큼 두어 번 푸짐하게 방귀를 뀌어 대더니 사앗대를 저어 강심 쪽으로 배를 끌었다. 사앗대를 올리고 노질이 시작될 즈음 고물간 덕판에 있던 강쇠가 불쑥 말을 걸었다.

「여보시오, 사공.」

사공은 강쇠에게 힐끗 눈길만 주었다.

「우리가 씻은개 숫막거리에서 화적들을 만났소. 세 놈 모두를 잡아서 백등령 고개티에다 상투잡이로 결박 지어 두었으니까 백등령 고개티로 오르는 행인들에게 알려나 주오. 내 말 네뚜리*로 듣지 말고 새겨들으시오.」

사공이 씩 웃음을 흘리기만 하는데 양치 못한 잇몸이 꺼멓게 썩어 있었다.

「내 말을 믿지 못하겠소?」

「원래 상단 동무님들과 화적이란 그런 앙숙들이 없는데, 상단에 잡힌 화적들이 무사타첩이 되었단 말을 누가 믿겠소.」

「듣고 보니 그럴듯한 말이긴 하오. 그렇지만 백등령으로 오르는 행객이 있으면 색책으로라도 말이나 전해 주오.」

「말전주를 보태는 것은 밑절미*나 있지만 생판 터무니없는 말을 터뜨렸다가 망신만 당한다면 싱거운 일이 아닙니까.」

「그 사람 생긴 대로 꽤 쑥일세그려. 우리 말을 네뚜리로 듣다간 나중에 그놈들이 풀려나면 혼찌검을 치르리다. 그놈들께 무간한 대접을 받으려거든 우리 말을 믿으시오.」

「허풍선이의 허풍일 테지요.」

미심쩍어하는 사공이야 믿거나 말거나 사공과 수작을 주고받고 있는 동패는 마침 뱃전 가녘에다 엉덩이를 붙이고 앉아 있었다. 그

---

* 네뚜리 : 사람이나 물건 따위를 대수롭지 않게 여김.
* 밑절미 : 본디부터 있는 바탕.

때였다. 창막이로 이어진 뱃전 밖의 멍에목으로 물에 젖은 한 손이 불쑥 올라와 잡혔다. 그런가 하였더니 또다시 다른 한 손이 기어올라선 뱃전에 앉아 있던 동무님의 뒷고대를 무작정 강심으로 낚아채는 것이었다. 불과 몇 각 안에 이루어진 일이었다. 어림짐작에 손이라도 헛짚었다가 일어난 봉변으로 생각한 상단들이 기겁들을 하고 일어나서 물속으로 자빠진 동패의 상투가 수면으로 떠오르기를 기다렸다. 그러나 동안이 뜨도록 수심에다 시선을 곤두박고 있었으나 동패는 떠오르지 않았다. 동무님들의 시선이 빠져 든 수중으로만 쏠려 있는 중에 덕판의 판자 위에 서 있던 동패 하나가 미끄러지듯 허공잡이하면서 물속으로 곤두박이었다. 삽시간에 두 사람이 까닭 모를 수장을 당한 것이었다. 그런 낭패가 없고 그런 조화가 없는지라 행중이 언죽번죽 떠들어 대는 사이에 도선목에 뒤처져 다음 배를 기다리고 있던 동패들이 수적들이 났다고 소리치고 있었다. 엇 뜨거라 싶을 찰나에 거룻배 안에서는 와주(窩主)인 사공놈을 덮치라는 외마디 소리가 들렸다. 미처 누구라 할 것도 없이 네댓 사람이 고물간의 사공을 덮치려 하였다. 그러나 사공 역시 때를 같이하여 노좆에서 얼른 빼낸 노를 든 채로 첨벙 강심 속에 뛰어들었다. 사람들이 부지불식간에 이물간으로만 몰렸던 충격으로 배는 한 번 크게 기우뚱거려 복선이 되려다 말고 겨우 바로잡히었다. 한통속으로 생각한 사공은 덮치기도 전에 강심으로 뛰어내려 노에다 몸을 의지하고 곶머리로 헤어 나가고 있었다. 사공을 잃은 배는 금방 물살을 따라 흘러가기 시작했다. 건너편에 남아 있는 동패들이 뱃길을 바로잡으라고 도선목이 들썩하도록 소리 지르고 있었다. 그러나 물살이 워낙 거센데다가 배 안에 있는 사람들이 대중없이 덧들이다 보면 거룻배가 금방 뒤집힐 것만 같았다. 복선이 되면 사람들이야 살아남겠지만 배에 실려 있는 물화가 지물(紙物)이니 그 또한 소금과 같아서 물에만 적셨다 하면 물화는 건져 내고 자시고 할 건덕지조차 없어지게 되는 것이었다.

그사이에 또한 이변이 일어났다. 거룻배가 거센 물살을 따라 하류로 흘러가던 것도 잠깐이었을 뿐 뒤뚱거리던 배가 바로잡히면서 빠르게 움직이지는 않았으나 사공이 헤엄쳐 간 맞은편 도선목으로 뱃길이 잡히고 있었다. 배 안에 있던 상단들 모두가 이 조화 모를 변괴에 또 한 번 놀랐다.

강심으로 빠져 들어간 동무님 두 사람은 종내 수면으로 얼굴을 내밀지 않아 똥끝이 바싹바싹 타 들어가는데 맞은편 도선목 바윗등 뒤에서는 목자가 뜬다 만 꿩같이 험악하게 생긴 장한들이 대여섯 고개를 내밀었다. 토비들이 분명해 보이는 궐놈들은 하나같이 머리에 수건들을 질끈질끈 동여매고 있었다. 무인지경의 나루에서 천만의외의 토비들과 맞닥뜨렸으니 천라지망(天羅地網)*에 빠진 것이었다.

배가 물결을 따라 흐르지 않고 당초에 겨냥하였던 맞은편 도선목으로 움직이고 있는 것은 거룻배 선복 아래에서 수적들이 붙어 야료를 부리고 있음이었다. 그러나 배가 이대로 도선목에 닿는다면 삼두육비(三頭六臂)*의 아수라인들 살아날 가망은 없었다. 금정(金井) 놓아두니 여우가 먼저 지나가더라고* 기껏 여기까지 품을 들여 옮겨 놓은 물화 또한 곱다시 겁략(劫掠)을 당하기에 이른 것이었다. 그사이에 창검과 궁전(弓箭)을 갖춘 토비들은 십수 명으로 늘어나서 거룻배가 도선목에만 잇대이도록 빤히 쳐다보고 서 있었다. 그때 덕판에 섰던 곰배가 행중을 보고 소리 질렀다.

---

* 천라지망 : 아무리 하여도 벗어나기 어려운 경계망이나 피할 수 없는 재액을 이르는 말.
* 삼두육비 : 힘이 엄청나게 센 사람을 이르는 말.
* 금정 놓아두니 여우가 지나간다 : 일이 낭패로 돌아감을 비유적으로 이르는 말.

「창막이 널판을 뜯어내라.」

창막이 널판을 뜯고 내려간다면 배 밑창에 붙어 있을 수적 몇 놈을 처치할 수 있는 승산도 없지 않았기 때문이다. 곰배가 소리치자 동무님들이 우 달려들어 쇠닻으로 창막이 널판을 뜯어내려는 참에 도선목을 지키고 섰던 토비 중의 한 놈이 소리쳤다.

「이놈들, 무슨 수작들 하려는 거냐. 만약 배의 목정(木釘) 한 개라도 다쳤다간 네놈들은 지물 동이와 같이 하백의 동무가 될 터이니 명을 부지하려거든 배에는 손끝도 대지 마라.」

수괴로 보이는 놈이 뱃구레를 내밀고 우렁찬 목소리로 목 베어 줄 다짐을 하는데, 그러나 곰배 역시 호락호락한 위인이 아닌지라 그 호령을 맞받아서,

「이놈들, 우리가 네놈들같이 생무지 토비붙이들에게 허술하게 물화를 넘겨줄 성싶으냐?」

「병신 육갑이라더니 저놈이 뉘 앞에다가 대거리냐? 저놈 심상하게 두었다간 나와 벗하려 대들 놈이 아닌가. 배가 닿기만 하면 우선 네놈의 콩팥부터 도려내어 고추장에 버무려 먹겠다.」

궐놈이 장검을 들어 햇빛에 번쩍거리는데 험악한 목자를 보자 하니 사람의 콩팥인들 능준히 베어 먹을 놈 같았다. 그러나 궐놈의 호령에 찔끔하기는커녕 곰배는 더욱 결이 솟아서,

「이놈들, 우리 동패들은 어디 갔느냐?」

「하백에게 물어보라지. 뒈진 놈들의 거동을 내가 알 게 무어냐.」

낭패였다. 꼭두새벽에 밥 먹여 앞세워 둔 당보수(塘報手)* 세 사람의 행지가 묘연한 것도 또한 토비들에게 변을 당한 것이 아닌가 하였다. 이편의 으름장 몇 마디로 물러날 토비들이라면 배에 탔던 두

---

* 당보수 : 척후의 임무를 맡아보던 군사.

동무들을 진작에 수장시키지도 않았으리라. 그러나 또한 더 큰 문제가 있었다. 이 배가 곶머리에 닿기만 하면 토비들은 배에 탄 상단과 물화를 인질로 하여 아직 도강을 못하고 있는 동패들을 유인하여 물화를 몽땅 취탈하자는 속셈이었다. 배를 취탈하려는 첫번째 연유가 거기에 있었다면 수적(數的)으로나 가진 병장기로써도 저희들이 우세하리란 짐작이 있었기에 가능한 일이기도 하였다.

곰배가 토비의 수괴와 대거리를 주고받았던 것도 동무님들이 창막이 널판을 뜯어낼 시간을 벌자는 것이었는데 배가 곧장 곶머리로 잇대어진 바람에 헛일이 되어 버렸다. 도선목에서 배로 올라선 토비들은 땀에 절어 있는 곰배의 목덜미에다 칼끝을 겨누었다.

「너희놈들이 시키는 대로 하륙을 못하겠다면 이놈의 갈비를 찢어서 산적을 꿰리라.」

말없이 모래톱으로 뛰어내리는 상단들을 차례로 옭아서 모래톱 위로 나란히 잡아 꿇리었다. 지물 동이는 저희들이 달려들어 하륙을 시키고 난 뒤, 사공이 다시 배를 저어 건너편의 도선목으로 몰았다. 건너편에 남아 있던 천봉삼과 일행들은 묵묵히 추이(推移)만을 바라볼 뿐이었다. 곁에 섰던 동무님이 도무지 말이 없는 천봉삼을 바라보기 딱하여,

「행수님, 어찌하시려는 겁니까? 여기선 칠성판 변통하기도 마땅치가 못합니다.」

「건너오는 배를 타고 동무님들 있는 곳으로 건너갈 수밖에.」

「그렇게 작정하신 터라면 물화는 여기다 두고 우리들만 건너가십시다.」

「상단이 물화를 버리고 어디로 간단 말인가?」

「그럼 범의 아가리에다 고깃덩이를 통째로 디밀자는 것입니까?」

「우리들이 물화를 두고 건넌다면 저놈들 화만 돋우는 것밖에 아무

것도 아니지. 우리가 저놈들 칼에 죽은 뒤라면 저놈들이 눈이 없어 이편에 놓아 둔 물화를 챙기지 못하겠는가?」

「그렇다면 죽기 전에 몇 동이라도 숨깁시다.」

「저놈들이 숫자가 우리보다 우세하다는 것을 알고 있는 이상, 무턱대고 우리들 모가지를 요정 내려 들지는 않을 것이야.」

「죽이고 싶지 않았다면 이상하지 않습니까. 저놈들이 짐바리만 보내라지 왜 우리까지 건너오라는 것입니까?」

「저희들 뒤를 밟지 못하게 우릴 죄다 포박해 두려는 것이지.」

「저런 놈들이 급살 맞아 죽지 않는 건 아마 천도가 무심한 탓이야.」

그때, 거룻배가 닿았다. 사공은 처음처럼 역시 말이 없었다. 지물바리를 다 싣고 엉거주춤하는 동패들을 부추기고 호령하여 모두 배로 오르게 한 다음 봉삼은 사공에게 말했다.

「우리는 잠자코 앉아 있을 것이니 먼젓번처럼 강심으로 뛰어들진 마시오. 한여름도 아닌 터에 물속으로 자꾸 뛰어들면 고뿔 나지 않겠소?」

머쓱해진 사공은 가파른 눈발로 천봉삼을 훑어보며 배만 저어 갈 뿐이었다. 도선목에서 지켜보고 있던 토비들은 나머지 상단들의 거지가 의외로 고분고분한 데 놀랐음인지 한동안 끽소리 없이 이편을 바라보고만 있었다. 이제 마음을 놓은 것인지 어떤 놈은 소리를 지르기까지 하였다. 그러나 거동이 듬직해 보이는 몇 놈은 경계를 게을리 하지 않고 있었다.

그런데 배가 토비들이 결진하고 있는 도선목을 빨랫줄 길이만큼 다가갔을 때였다. 성미 급한 토비 두 놈이 배가 잇대이기를 기다리지 못하고 뱃전을 잡아당기기 위해 물속으로 첨벙거리며 들어섰다. 바로 그때였다. 두 놈이 허리를 휘청하면서 몸을 가누지 못하는가 하였더니 에쿠 하는 비명 소리와 함께 허공 짚고 물 위로 쓰러졌다.

사세 다급하게 된 것을 깨달은 두 놈이 몸을 다시 일으키려 하였으나 여의치 않았다.

그 예기치 않은 변괴에 배 안에 타고 있던 상단들이나 가녘 모래톱에서 결진하고 있던 토비들도 놀랐다. 두 놈이 쓰러진 것은 도선목 근처 숲 속에서 날아온 표창 때문이었다. 딱 두 개의 표창이 날아와 허발이 없이 두 놈의 어깨에 정통으로 박힌 것이었다. 표창이 날아와 박힌 자리가 등때기의 한복판이라 제사날로는 등에 박힌 표창날을 뽑아낼 수 없다는 것도 낭패였다. 낚시에 걸린 가물치처럼 두 놈이 허우적거리고 있는 가운데 이번엔 배의 덕판 위로 너덧 개의 표창이 날아와 꽂히었다. 용하게 배 안에 탔던 상단들은 표창의 과녁이 되지 않고 피할 수 있었다.

표창 날린 떨거지들의 속셈을 알 수 없는 노릇인데, 강가에 있던 토비들 중에는 표창을 맞고 허우적대는 동패들을 끌어낸답시고 짐작 없이 물속으로 첨벙 뛰어드는 놈들도 있었으나 그들 역시 서너 발짝을 옮기지 못해 표창을 맞고 말았다. 그때 봉삼 일행이 배의 덕판에 날아와 꽂힌 표창날을 모두 뽑아 들었다. 그제야 표창 던진 사람들이 누구라는 것을 알아차렸기 때문이다. 천봉삼이 소리쳤다.

「이놈들, 꿈쩍 마라. 거기서 한 발이라도 옮기려 했다간 허벅지에 표창이 박히리라. 네놈들 뒤에는 범강장달이 같은 우리 동패들이 매복하고 있다. 뛴다 하여도 두 걸음을 떼어 놓지 못하리라.」

토비들은 다 끓인 죽에 코 빠뜨린 격이 되었으나 또한 뛰어 보았자 벼룩이란 걸 알게 되었다. 그사이에 봉삼이 던진 표창 한 개가 수괴로 보이는 위인의 어깨에 가 박히는가 하였더니 배 안에서는 환성이 터졌다. 기세등등하던 토비들은 창검과 궁전을 버리고 강가에 엎디었다. 토비들이 버린 병장기들을 집어 들고 지물 동이들을 취합하는 중에 천봉삼은 뒤 숲에서 기어 나오는 척후들을 만났다.

「당보수 노릇들 톡톡히 하였구먼. 나도 처음에는 셈평을 몰라 놀랐다오.」
「우릴 앞세웠던 게 참으로 잘된 일이었습니다, 행수님.」
「우리들보다 반나절 길은 앞선 줄 생각하고 동무님을 만나게 될 것을 일찌감치 단념한 터였는데, 천만다행 도선목을 지켜보고 있었구려.」
「우리도 한 발 더 놓기로 하였다면 반나절이 앞서 있었겠지요. 그러나 이 강수터 도선목의 낌새가 수상쩍어 도저히 지나칠 수가 없었답니다.」
「무엇이 수상쩍었더랬소?」
「도선목에 행려들이 들락거린 발자국이 낭자하고 또한 평강으로 빠지는 매우 요긴한 길목인데도 우리가 배를 건너고 난 뒤부터는 단 한 사람의 행객도 없었거니와 부근에는 가근방 산협으로 빠지는 조도가 여럿이라 화적 나기 알맞은 곳이란 것을 알아차렸지요.」
「이제 말규통골 풍대령고개만 넘으면 화적 날 곳이란 없소. 뒤처리는 우리가 할 터이니 풍대령까지 어서 가오. 고개티 아래에서 만납시다.」
「동무님 둘이 결딴나지 않았습니까?」
그러나 수중으로 나뒹그러졌던 동무 중에 한 사람은 숨을 거두었고, 한 사람은 어깨에 깊은 자상을 입긴 하였으나 아직 명은 붙어 있었다. 물속에서 허우적대다가 칼질이 능란한 수적에게 겨우 놓여나서 도선목 아래쪽 활 두어 바탕 거리에 있는 버드나무 등걸을 잡고 뭍으로 기어오른 것이었다.

강펄에 가라앉은 동패의 시꺼멓게 죽은 시신을 건져 올린 행중은 그만 탈기하여 넋을 잃었다. 사지를 주무르고 코를 빨아도 보았지만 가슴에 입은 자상만으로도 회생할 가망이 없었다.

「동무의 시신을 이곳에다 묻을 수는 없다. 우선 칠성판이나마 꾸며서 시신을 거두고 회양까지만이라도 운구해서 산역을 치르도록 하세나.」

봉삼의 말에 꺼이꺼이 곡성을 내던 곰배가 콩죽같이 누렇게 삭은 콧물을 풀어내며 대답했다.

「회양까지 상거가 여기서 초간하지 않습니다. 이렇게 변을 당하게 되니 남은 행중이 또한 중화만 불어나게 되었습니다. 세 동무가 척후로 앞서 있고 한 동무는 송장이 되었고 또 하나는 인사불성이 되었으니 짐방꾼에 다섯 장골이나 궐이 나지 않았습니까.」

「우리가 잡은 화적들 중에서 성깔이 눅어 뵈고 심지가 충직해 보이는 위인들 대여섯을 조발하게나.」

「아니, 저놈들을 조발하라니요? 농을 해도 그런 농일랑 마십시오. 도끼등에 칼날을 붙이자는 것이지 적당을 짐방으로 조발하라니요?」

「위인들의 근본부터가 적당은 아니지 않은가. 내막을 알고 보면 양민들이네. 원산포 아랫녘까지만 삯꾼으로 조발하고 삯전을 주어서 보내자는 것일세.」

「성님 복안이 그러시다면 어쩔 수 없이 따르긴 하겠습니다만, 화근이 되지 않을까 걱정이 됩니다. 그럼 다른 놈들은 어찌할까요?」

「자상 입은 놈은 대강 구급을 해주고 멀쩡한 놈들은 모두 모래펄에다 고개만 나오게 묻게나.」

「살려 보내자는 것이 아닙니까?」

「우리에게 욕을 당한 설치(雪恥)*로 당장은 끝까지 우리 뒤를 밟아 설분하려 들 것이니 그냥 둘 수는 없고 또한 화적의 모가지라

---

*설치 : 전에 패배했던 부끄러움을 씻어 내고 명예를 되찾음.

하여 함부로 요정 낼 수는 없는 터, 편법을 써서 뒤에 행인들에게 구명을 받도록 하자는 것이지.」

「성님의 속내는 알다가도 모르겠소. 우리 행중의 한 사람 목숨이 결딴난 판에 본때를 보이지 않고 저놈들을 살려 두자 하면 장차 이 상로는 어떻게 트려 하십니까?」

「상로를 트자 하니 저들과 등지고는 살 수 없지 않은가. 우리가 팔도에 널린 적도들을 모조리 토포하지 못하는 이상 이들 또한 살려 두어야 하네. 우리는 상리를 얻자는 장사치일 뿐, 토포 군사들은 아닐세.」

「오늘로 살아나면 언젠가는 우릴 해코지하려 할 게 뻔한 일인데두요?」

「보복을 두려워 말고 저들이 다시 양민으로 돌아갈 것을 생각해야지 않겠나? 사람이 한세상을 살아가는 동안 몇 번이나 고쳐 되는 것인데 저희들이라 하여 세상의 이치를 거역할 힘만은 없지. 사람은 누구든지 뒷길을 두어야 하는 법이 아니겠는가. 더욱이나 노변에서 살아가야 하는 우리 상단들에게는 말일세.」

「그럼 와주임이 분명한 저 사공놈은 어찌할까요?」

「그 위인도 살려 둬야 나루질로 연명할 것이고 또한 백등령에 두고 온 세 놈도 살아나지.」

「남 살릴 건 생각하면서 왜 우리 동패 죽은 건 생각 못하시오?」

곰배가 의표를 찌르자, 봉삼이 곰배를 칩떠보았다.

「지릅이 너무 과하오.」

두 눈을 지릅뜨는 천봉삼의 눈길에 주눅이 든 곰배는 슬기구멍*이 막혀 버렸는지 더 이상 대거리를 않고 결박 지어 놓은 토비들에게

* 슬기구멍 : 슬기가 생겨나는 원천.

다가갔다.

「우리 상단에 따라갈 의향이 있는 놈은 앞으로 나서라. 살려 주는 건 물론이요, 삯전까지 주어서 돌려보내려 한다.」

모두들 우두망찰 곰배를 쳐다보고 앉았는데 그중 한 놈이 불쑥,

「아기 적 동무라도 선뜻 속을 알아차리지 못할 때가 많은데, 그걸 믿을 사람이 어디 있겠소?」

「네놈들을 관아로 박자 하면 우리가 짐방으로 조발할 생념을 하겠느냐? 우리 동패가 변을 당한 것을 불문에 부치고 살려 주자는 것인데, 이놈들이 되레 왼고개를 치다니? 그럼 몰밀어 수장을 시켜 줄까?」

그 한마디에 비로소 해혹(解惑)*이 되었던지,

「효수당하는 것보다야 상단을 따라가는 것이 낫겠지요.」

15

이판사판에 살아날 구멍이 있다면 무슨 고초를 마다할까. 곰배의 한 번 공갈에 질겁을 한 놈들이 너도나도 데려가 달라고 아우성이었다. 우선 다리 부러진 동패는 뼈부터 맞춘 후 산골*을 갈아 먹이고 버들 껍질로 동여매고 자상 입은 상처에 밀타승을 발라 구급하여 다시 발정할 채비를 서둘렀다. 들메들을 고치고 10리허의 개활지를 지나서 현창나루에 당도하니 시간은 벌써 늦은 중화때였다.

나루에서 미숫가루로 끼니 때우는 흉내만 내고 말규통골 물들잇개〔水入浦〕를 건너고 풍대령을 넘었다. 풍대령을 넘어 회양 읍치에 당도했을 땐 땅거미가 지나고 달이 뜬 초경(初更) 술시 무렵이었다.

---

*해혹 : 의혹을 풀어 없앰.

*산골 : 한방에서, 접골약(接骨藥)으로 쓰이는 자연동(自然銅).

객사한 행려시(行旅屍)는 집에 들이는 법이 없으니 숫막에서 행중을 받아 줄 리도 만무였다. 회양 읍치의 초입인 머릿개내〔頭浦川〕 나룻목에서 노둔할 채비를 하였다. 나룻목이란 이슬을 피할 수 있는 빈 사공막이 있게 마련이고 낮 동안 덕석 치고 술국 팔던 휘장집을 내일을 위해 헐지 않는 게 예사로, 밑천이 짧고 전대가 가벼운 도붓쟁이들이며 유랑 솟대쟁이 패거리들이 곧장 노숙할 장소로 잡는 곳이어서, 초저녁부터 여기저기에 홰가 달리고 화톳불을 피워 야시처럼 밝게 마련이었다. 한편이 행구를 풀어 석식을 마련하는 사이에 천봉삼과 몇 사람은 산역을 하러 뒤 언덕으로 올라갔다. 양지바른 곳에 시신을 묻기는 하였으나 말이 산역이지 평토(平土) 뒤에 봉분도 흉내뿐이었다. 나중에 평강에 자리가 잡히면 면례를 치를 요량이었다. 그러나 골칫거리는 죽지 않고 자상을 입은 동무였다. 동행해서 원산포까지 갈 수도 없었고 그렇다고 돌려보낼 수도 없었다. 석식 뒤에 동무를 업고 읍치의 장거리로 찾아갔다. 찾다 보니 부담울*을 친 제법 말끔한 보행객주가 있었다. 상것들의 부류라 하여 봉노를 내주지 않으려는 눈치를 보이자, 천봉삼이 민값으로 수월찮은 식대를 내놓았다. 겨우 봉노 하나를 얻어 상단이 회정할 동안 의원을 대어 간병할 동무 한 사람을 가외로 붙여 두었다. 대강 뒷수습을 한 뒤 노숙하는 곳으로 돌아와 행역에 지친 몸들을 뉘었다. 토비 몇 놈은 아직 잠들지 않고 한갓진 곳에 피워 놓은 화톳불 가에 앉아 잡담들을 하고 있었다. 한 위인이 길목버선을 벗어 쥐고 발샅의 때꼽재기를 훑어내니 엿가락 같은 땟국이 말려 거적 위로 자빠졌다.

수직을 서고 있는 동패들 외에는 모두 별빛을 바라보며 개잠*들이 들어 있었다. 이때 어둠 속에서 패랭이를 쓴 장사치 두 사람이 불쑥

* 부담울 : 대나무, 갈대, 수수깡 따위를 잘라 엮어 친 울타리.
* 개잠 : 머리와 팔다리를 오그리고 옆으로 누워 자는 잠.

나타나선 방금 발샅의 때꼽재기를 훑어 내던 토비 앞에 섰다. 이마에 자자한 자국이라도 보려 했던지 다짜고짜로 궐자의 머릿수건을 물미장으로 툭 쳐서 벗겨 버리고 상투를 잡아 일으켜 세우는 것이었다. 때 아닌 밤중에 당하는 봉변이라 말문이 막힌 토비가 눈만 부릅뜬 채 드잡이한 손을 뿌리치려 하는데,

「너 이놈, 어디서 본 듯한 놈이로구나. 네놈도 나를 보면 상종이 잦았던 사람인 줄 알 거다. 네 근본이 무엇이냐?」

토비가 짧은 소매로 차면을 하는 듯 밀막으면서,

「근본을 대라니요? 왜 무고한 사람 드잡이하고 파를 잡소?」

「내가 무턱대고 파를 잡아? 어허, 이놈, 반죽 보게. 내가 경계를 따지랴? 네놈은 백등령 고갯목을 지키던 화적이 아니었더냐? 이놈, 어디 와서 거접하고 있느냐?」

「백등령고개라면 나도 귀에 젖도록 들었소만, 거기서 화적질한 일은 꿈에도 없소이다.」

「이놈, 딱 잡아떼는 데는 이골이군. 나로 말하면 시골 사령 부스러기와는 눈썰미가 달라, 이놈아. 내 아까부터 네놈의 거동을 살펴보았는데 허술하게 실포(失捕)*할 성싶으냐. 어서 자복(自服)혀.」

이참에 자복했다간 능지처참이 가려(可慮)*라, 비수를 들이댄다 해도 자복을 않고 위기를 넘길 요량만 앞서서,

「사람 잘못 봤소이다. 이 드잡이한 손부터 놓으시오.」

드잡이한 장사치는 궐놈이 입귀를 실룩대며 빗대는 데 놀라움의 고비가 넘어서 악이 난 판이라 역증을 누일 것도 없이 악지를 부리는데,

「네놈이 바득바득 우기고 자복을 않는다면 관아로 가서 발고할 수밖에 없게 되었다.」

---

* 실포 : 잡은 죄인이나 짐승 따위를 놓침.
* 가려 : 걱정이 되어 마음이 편하지 못함.

「댁네가 관변 이목이 얼마나 넓은지는 모르겠으나 고발에 집이 나서 위조 고발(僞造告發)을 하면 반좌율(反坐律)에 걸려 되레 욕본다는 건 모르시오?」

「좋다, 이놈. 내가 반좌율에 걸려도 좋으니 관아까지 가자.」

장사치가 궐자의 멱살을 낚아채는데, 그때였다. 멱살을 잡은 장사치의 손을 낚아채며 곰배가 뛰어들었다. 곰배가 목자를 험악하게 부라리며 면박을 주는데,

「듣자 하니 꽤나 소명하신 동무님이신 것 같은데, 밤눈 하나는 꽤나 어두운 모양이구려. 때 아닌 야밤에 남의 상단 알짬 삯꾼을 살풍경하게 드잡이하곤 몽두(蒙頭)*를 씌우려 하시다니, 이런 무례가 어디 있소?」

곰배를 사악 내리 훑어본 장사치가 같잖다는 낯짝으로,

「댁은 뉘신가?」

「어느 임방 동무님이신지는 알 수 없으나 인사법이 망유기극(罔有紀極)*이시구려. 시생의 거주를 상달하기 전에 행수님께 양해도 없이 남의 삯꾼을 함부로 드잡이한다는 건 필시 의리를 중히 여기는 원상의 행동거지가 아닐 텐데, 동무님은 어느 장시의 무뢰배요? 근저부터 밝히시오.」

「그럼 이 위인이 행중의 동패란 말이오?」

「동패다마다요. 게다가 이 사람은 내 먼촌 일가붙이외다.」

「그 말씀이 적실하오?」

「내가 임시처변*으로 거짓말할 사람 같소? 왜 남의 상단 신실한 삯꾼을 잡고 화적이니 수적이니 되지못한 행사로 찍자를 놓으려

---

* 몽두 : 죄인을 잡아 올 때 죄인의 얼굴을 싸서 가리던 물건.
* 망유기극 : 기율에 어그러짐이 매우 심함.
* 임시처변 : 갑자기 터진 일을 우선 간단하게 둘러맞추어 처리함.

는 거요.」

「어느 임방 동무들이시오?」

「우린 송파요. 나도 행중의 차인으로 행수님의 몸 받고 왔으니 저 쪽에서 지켜보는 행수님께로 가십시다. 아마 삯꾼을 무단히 욕뵈려 든 동무님을 그냥 두진 않을 것이오.」

곰배가 으름장을 놓고 나오자 분기가 탱천했던 장사치는 곰배의 공동을 받고 나서는 기연가미연가하여 고개를 갸우뚱거리더니 그만 꽁무니를 빼버리고 말았다. 그 사단으로 하여 달아날 구멍을 찾고 있던 토비들은 이제 화적질은 그만두고 상단의 복수(卜手)로 박히게 될 것을 은근히 바라게 되었다. 원산포 아랫녘까지 내려가서 관아로 데려갈 사람들이 토비를 자기의 먼촌 일가라고 두호하고 나올 수도 없는 노릇이고, 또한 노숙이나마 잠자리를 보고 끼니를 주변함에 있어 상단들과 조금도 층하를 두지 않았기 때문이다.

그러나 사단은 그것만으로 끝나지 않았다. 삯꾼으로 따라온 다른 토비 한 놈이, 행중이 모두 잠든 사이 수직군의 눈을 피해 멀리 빠져 나왔다. 장달음을 놓으려는 작정에서라기보다는 사뭇 산중에 박혀 지내다가 도선머리로 내려와 보니 색념이 일어 싱숭생숭해졌기 때문이다.

행중에서 빠져나온 궐놈은 곶머리 위쪽 읍치의 초입길로 들어섰다. 행중이 노숙하는 곳과는 활 서너 바탕 상거한 그 초입 길목에는 납작 엎드린 초가 한 채가 있었다. 그 집에는 나루를 건너는 양반 행차들이 경마를 잡히거나 잡다한 잔시중을 들어주며 겨우 허기나 면하며 살아가는 월천꾼 내외가 살고 있었다. 집이래야 지붕은 겨우 이슬을 가릴 정도였고 하나뿐인 장지문의 떠껑지 창호는 떨어져 너덜거렸다.

기웃거리던 궐놈이 봉노 앞에 이르러 다짜고짜로 주인을 불러 댔다. 몇 번인가 소리쳐도 대꾸가 없더니 코가 앉은 자리에 콧구멍 두 개만 빠끔하게 들여다보이는 상투쟁이가 눈을 비비며 얼굴을 내밀었다.

「왜 그러시오?」

벌써 봉당에 올라선 궐놈은 문을 닫지 못하게 문고리부터 얼른 잡아채고는,

「하룻밤 묵어갑시다.」

「조금 있으면 새벽별이 뜰 참인데 묵어가자니요? 보다시피 우리 집은 봉노가 하나밖에 없소이다.」

「하나밖에 없다는 것이야 당달봉사가 아닌 다음에야 모를라구. 밤새껏 노둔을 하였더니 턱이 떨어질 지경이어서 그렇소.」

「턱이 떨어지는 변고가 아니라 불알이 떨어지는 낭패를 볼 지경이라 할지라도 안사람과 같이 자는 방에 무슨 염치로 들어와 자겠다는 겁니까? 인두겁을 썼으면 염의를 차릴 줄 알아야지.」

그러자 지금까지는 그런대로 고분고분하던 궐놈의 입에서 당장 해라가 떨어졌다.

「야, 이 되지못한 놈아. 잠깐 한속이나 들이고 가자는데 웬 놈의 잔소리가 그렇게도 많으냐.」

처음엔 수어(數語) 수작 한두 번으로 봉노로 들라고 할 것 같던 주인의 말이 뻣뻐드름한 데 부아가 치민 궐놈은 그만 화적질하던 행사 그대로 다짜고짜로 장지를 열어젖히고 봉노 안으로 들어가 좌정하였다.

명색 주인이란 위인은 궐놈의 장력이 워낙 드세다는 걸 금방 알아채고 약차하면 앉아서 해 뜰 녘까지 견뎌 낼 작심을 하고 등잔 접시에다 불을 댕겼다. 위인의 여편네는 두 남정네끼리 수작이 오가는 동안 다급한 사세를 알아채고는 차렵이불로 몸뚱이를 돌돌 말아 싸

고는 맞은편 토벽 아래로 바싹 붙어 누웠다. 궐놈이 칼자국에 군살이 더덕더덕 붙은 가슴팍을 헤쳐 보이기도 하고 외양 또한 험악하게 생긴지라 주인은 도대체 망조하여 몸둘 바를 몰랐다. 형편이 여기에 이르렀을 바엔 궐놈이 봉노를 독차지하도록 내주고 여편네와 같이 부엌간으로 나가서 잘 수밖에 없다는 생각이 들었다. 여편네를 흔들어 깨우는데, 봉노를 뚜릿뚜릿 살피고 있던 궐놈의 입에서 천만의외의 말이 툭 튀어나왔다.

「주인장은 나가시오.」

위인이 힐끗 궐놈에게 일별을 주며,

「그러잖아도 시방 안사람을 깨우고 있는 중입니다.」

「젠장, 잠든 사람 공력 들여 들깨울 것 없이 너나 나가란 말이여. 웬 놈이 그렇게 눈치도 없냐?」

「아니, 이게 무슨 날벼락입니까? 외간 사내가 들어와 자려는 봉노에 안사람을 남겨 두고 나갈 수는 없지 않습니까?」

「이놈이 웬 잔말이 이렇게도 많으냐? 나도 염의가 다르기에 네놈만 나가라는 게 아니냐.」

「아니, 웬 호놈은 하고 그러십니까. 염의가 있다니요, 무슨 염의가 있단 말입니까?」

「이런 앞뒤가 꽉 막힌 놈도 있나그려? 네 여편네를 하룻밤만 끼고 자려고 그런다. 또 대꾸할 말이 있냐? 내게 해웃값은 없으니 그것 챙길 요량은 아예 마라.」

「이런 못된 행사가 어딨소?」

주인의 말이 꾸짖는 형국이나 말소리는 목 안에서 무엇이 잡아당기는 것 같았다. 그때, 궐놈이 괴춤에서 날렵하게 장도를 꺼내더니 주인의 목덜미에다 갖다 대고 비틀어 꽂는 시늉을 하며,

「이놈, 당장 비켜나지 않으면 멱을 따버리겠다. 세상에 네놈만 계

집 두고 밤마다 희학질하란 법이 어디 있느냐. 지각이 있는 놈이 라면 남의 물정도 헤아려 줘야 맛이 아니냐.」

더 이상 버티었다간 정말 모가지에 맞창이 날 것 같은지라 주인장은 어마지두*에 놀라서 부엌간으로 난 지게문을 열고 밖으로 나갔다. 그만큼 떠들었으면 한잠이 들었다가도 깨어날 법하고 사내가 밖으로 나가면 어진혼이 빠지지 않은 이상 포달을 떨 만도 하건만 여편네는 남편이 밖으로 나서기까지 끽소리 한 번 내는 법이 없었다. 궐놈의 시퍼런 서슬에 꼼짝없이 쫓겨난 주인이 울바자 아래로 가서 도끼를 챙겨 들다가 말고 언뜻 생각나는 것이 있었다. 구급을 청할 사람들이 도선목에 노숙하고 있다는 생각이 얼른 뇌리를 스쳐 간 것이었다. 위인은 선불 맞은 노루 모양으로 천방지축으로 나룻목으로 뛰어가서 뒤죽박죽 지껄이기를,

「여보시오들, 사람 살리시오.」

숨이 턱에 와 닿은 위인의 눈자위가 하얗게 뒤집히고 말았는데, 모닥불 주변에 모여 앉아 고누로 소견(消遣)*하며 수직을 서고 있던 총중에서 강쇠가 마주 놀라며,

「왜 그러시오?」

「나는 저 아래 초막에 사는 본동 사람이오. 시방 웬 난뎃놈 하나가 집으로 무작정 뛰어들어 내 안사람을 겁간하려고 합니다. 제발 저 놈을 좀 잡아 주십시오.」

다부진 강쇠가 벌떡 일어나며 주인이란 위인에게 선머리에 서라 하였다. 강쇠가 뛰어가서 장지를 열어젖혔더니, 궐놈은 몸부림치는 여편네를 진땀을 흘리며 둥개다가* 요행히 공력을 들여 여편네의 속

---

*어마지두 : 무섭고 놀라워서 정신이 얼떨떨한 판.
*소견 : 어떤 놀이 따위에 마음을 붙여 시름을 달램.
*둥개다 : 일을 감당하지 못하고 쩔쩔매다.

것을 무릎 아래까지 내려놓고 이제 막 행요를 치르려 하던 참이었다. 몇 각이 늦었어도 낭패는 저질러진 뒤였겠는데 강쇠가 바람을 날리며 뛰어들어 궐놈의 견대팔에다가 물미장을 힘껏 내리쳤다. 궐놈은 풀썩 하고 여편네의 어깨에다 코를 박고 쓰러졌다. 상투를 잡아채고 견양을 보자 하니 상단의 삯꾼인 토비였다.

「이놈이 해거를 부린 것은 산매 들린* 탓이오. 요행히 낭패는 보지 않았으니 나를 보아서라도 어찌 생각 마오.」

천만다행으로 혜절하지 않은 여편네가 옷매무시를 수습하는 둥 마는 둥 하더니 그만 넉장거리를 하고 와락 울음을 터뜨리었다. 주인은 당초부터 심약한 위인이었던 터라 위급에서 벗어난 것만 다행으로 여겨 여편네를 달래느라고 진땀을 흘리고 있었다. 토비란 놈은 판세가 이렇게 된 바에는 들고뛸 요량도 없지 않았다. 그러나 저를 다루고 있는 강쇠 역시 성미가 팔팔하고 생무지이나 행내기가 아닌 줄 짐작하고 있는 터라 발명을 늘어놓으며 질질 끌려갔다. 강쇠가,

「이놈, 뉘게다가 생청을 붙이느냐.」

「허, 이거, 콧구멍 둘 마련하길 잘하였네. 처음에는 위인이 계집을 넘겨주기로 흥정이 되어서 계집을 달래어 수청을 시키고 문밖으로 썩 비켜났습지요. 그런데 위인이 밖에 나가서 곰곰 생각해 보니 해웃값이 심에 차지 않는지라 상단에 찾아가 발고를 한 것입니다요.」

「이놈, 행사는 개차반인 놈이 변설은 그럴듯하구나. 내게다 발명할 것이야 없다. 행수님 앞으로 가서 발명해도 늦지 않다.」

「내가 행수님 앞에 나가서 발명해야 할 까닭이 무엇입니까? 상단의 기율이 엄하달지라도 상단 아닌 제가 치죄를 당해야 할 까닭이

---

* 산매 들리다 : 요사스러운 산 귀신이 몸에 붙다.

없지요.」

「네놈이 원상은 아니라 할지라도 상단의 짐방으로 행세하는 이상 율에 따라 처결할 수밖에 없게 되었다. 이럴 때 잔소리란 할수록 손해다.」

노숙하던 곳까지 와보니 벌써 천봉삼과 상단들이 깨어 일어나 모닥불을 가운데 하고 멀찍이 둘러앉아 있었다. 강쇠가 잡아채 온 토비를 모닥불 앞에다 잡아 꿇리었다. 천봉삼이 동안이 뜬다 싶게 궐놈을 바라보고만 앉았다가,

「너 거기 가서 무얼 했더냐?」

궐놈이 대답을 주저하고 빼물고 앉았더니 퉁명스러운 말투로,

「계집을 사러 갔습지요.」

「계집을 사다니, 근방에 화초방이 있었단 말은 금시초문인데?」

「화초방이 있고 없고가 무슨 상관입니까. 해웃값을 건네고 흥정이 이루어지면 그것이 화초방인 거지요.」

「그럼 네가 그 월천꾼 사내에게 치른 꽃값은 몇 전이었더냐?」

「볼일부터 치른 연후에 건네주려 하였습지요.」

「서로 흥정이 이루어지고 수청 들이기로 작정이 된 터면 그 월천꾼이 예까지 숭어뜀을 하고 쫓아온 것은 또 무슨 연유인가?」

「그놈이 해웃값에는 당장 탐심이 솟았으나 계집 내어 줄 것에는 심화가 나서 미친증이 났던 모양이지요.」

「그렇다면 네가 색사(色事)의 꽃값으로 내어 놓으려 하였던 수월찮은 잔용을 지녔다는 말인데, 여기다 그것을 내어 놓아 보아라.」

「끌려오는 사품에 흘려 버렸습지요.」

「이놈, 거짓말이 난당이로구나. 도붓쟁이가 민가에 뛰어들어 임자 있는 안해를 겁간하려 했다 하면 장문으로 다스려 상단에서 내어 쫓는다는 엄한 기율을 알고 있으렷다?」

「알다뿐입니까. 장문형으로 신세 망친 놈도 여럿 보았습니다. 그러나 이내 몸은 다행히 상단이 아니지 않습니까.」
「네가 상단이 아니었다면 무슨 신명으로 우리와 작반하며 같이 자고 먹었더란 말이냐? 네가 이 상단의 삯꾼이 되기를 자청한 일을 벌써 잊었느냐? 우리가 반명하는 자들과 토호들에게 압제를 받고 토심을 받으며 굶고 헐벗는 것은 네놈 같은 불한당이 상단에 끼여 있기 때문이다.」
「살려 주십시오.」
봉삼이 곁에 앉은 동무님들에게 눈짓을 하였다. 두 사람이 달려들어 궐놈의 팔을 뒤로 꺾어 묶고 옹구바지를 벗겨 내리니 시궁 냄새가 물씬 풍기는 하초가 허옇게 드러났다.
「네놈이 구태여 민가에 뛰어든 것은 계집을 겁간하려 했던 것이 아니라고 핵변하였으니, 그런 네 말을 믿기로 하자. 그렇다면 내외가 거처하는 봉노에 무작정 뛰어든 것은 노숙으로 한속이 들어 어한을 하려 했던 것이 아니냐?」
「그렇습지요.」
「저놈이 오늘 이후로는 평생토록 아랫목 생각이 나지 않도록 화톳불에 들어앉혀 아주 뜨끈뜨끈하게 엉덩이를 지져 주어라.」
발바심하던 놈이 엇 뜨거라 싶었던지 등겁을 하며 벌떡 일어났다.
「행수 어른, 차후부턴 이런 일이 없을 터이니 제발 살려 줍시오.」
「네놈이 분주를 떨겠다 하면 그 주둥이부터 불에 담그랴?」
동무님들이 달려들어 궐놈의 학치뼈를 꺾고 마침 새벽바람을 타고 벌겋게 불꽃을 일구고 있는 잉걸불 위에다 궐놈을 잡아 앉히었다. 창자가 뒤집히고 뒤통수가 으깨질 것같이 옹골찬 비명 소리가 10리에 뻗은 나룻목으로 퍼져 나가니 차마 귀를 막지 않고는 그 악성을 들을 수가 없었다. 모두 얼굴을 돌리고 소매로 귀를 막았다. 숲 속에 깃을 들이고 잠들었던 새들도 놀라서 짙은 새벽안개 속으로 날아올랐다. 궐놈은 금방 기를 꺾고 쓰러지니 그 정적에 또한 가슴이 터질 지경이었다. 행중의 누군가가 울음을 터뜨렸다. 너무나 엄중한 천봉삼의 치죄에 혀를 차는 사람도 없지 않았지만 궐놈의 행사를 두호하고 나서는 사람은 없었다. 결박을 풀어 주니 궐놈은 거의 미치광이가 되어 강물로 뛰어들었다. 동무 한 사람이 뒤쫓아 가서 길을 막자, 그대로 모래톱 위로 고꾸라졌다. 길을 가로막은 것은 화상에 물이 들면 혈농이 잡히겠기 때문이었다.

그동안 날이 밝았다. 행중은 서둘러 발정하였다. 철령(鐵嶺) 고개티가 워낙 험난했던지라 자연 고산(高山)에서 하룻밤을 지체하게 되었다. 대로에 나선 후로 지나는 행객들과 심심찮게 마주치고 대로변 산골에 잡화나 소금을 풀어먹이는 도붓쟁이들도 여럿 만날 수가 있었다. 행차도 여러 번 만나게 되고 철령 고개티 외에는 험한 길이 많지 않았다. 이튿날 늦은 중화참에 안변 땅 남산(南山) 역참 장거리에 이르렀다. 그곳에 평강 전도가와 화객 간인 지물객주가 있었다.

역참거리 객주를 내고 있는 포주인은 평강 지물도가에서 왔다는 상단을 보자 적이 놀라는 눈치였다. 게다가 평강의 전계장이 보낸 교단(交單)*의 물목과 현물을 조수해 보니 단 한 동의 종이도 축난 것이 없었다. 화적들이 많다는 백등령이나 풍대령을 넘어왔다는 것이 도통 믿어지지 않는 모양이었다. 이미 거래하던 물화가 바닥나서 달포 이상이나 평강 지물을 눈이 빠지게 기다리던 포주인이 걸구 한 마리를 잡는다 하였더니 밤저녁에 집 안팎에 홰를 달고 상단을 행랑채 마당으로 불러내었다. 상단을 호궤시키는 데 들인 물력도 대단하거니와 상단들도 도둑의 계집같이 잘 먹어 주었다. 며칠 동안 겨우

---

* 교단 : 송장(送狀). 보내는 짐의 내용을 적은 문서.

굶주림이나 면할 정도로 시늉뿐인 끼니를 때워 왔기 때문이다. 목로에 돝고기가 수북하게 쌓이고 화주가 동이째로 날라져 왔다. 상석에는 천봉삼과 포주인이 무릎을 비비며 나란히 앉았다. 콧날은 으깬 듯이 움푹 내려앉았으나 텁수염만은 수북한 포주인은 불콰하게 술기운이 오르자 천봉삼에게 연밥을 먹이는데,

「성천 분주(粉紬)*보다 더 천세가 나는 게 평강 소산 설화지요. 난두(欄頭)*들도 설화지만 찾아 설화지가 의주까지 올라간답니다. 내 태가를 배로 올려 줄 터이니 기왕 발을 디민 김에 성표(成標)*를 주고받아 이 일을 도맡지 않겠소?」

「솔깃하지 않은 건 아닙니다만, 우리가 송파를 버리고 평강으로 내려와 앉으려는 데는 다른 생각이 있어서지요.」

「상리를 노리는 게 따로 있다는 것이오?」

「근기(近畿) 지경 장시에서 나는 소들을 원산포 인근으로 내자는 것이지요.」

「하기야 양주·평구 장터의 소들이 이쪽으로 온다는 얘기는 나도 들었소만, 가근방의 영흥(永興)이나 양덕(陽德)에서 나오는 소만으로도 쇠전이 비좁을 형편인데, 외양가가 많이 먹힌 소에서 이문을 바랄 게 있겠소?」

「그것을 모르는 것이 아닙니다. 그러나 얼마를 못 가서 가근방의 소들은 바닥이 날 터이지요. 원산포에 사람들이 몰려들지 않습니까. 때마침 선손을 써서 상로를 만든다면 상리를 남 먼저 노릴 수 있지요.」

「안목은 그럴듯하오만, 목쟁이마다 화적들이 들끓는 판에 봉적을

---

*분주: 희고 고운 명주.

*난두: 중국의 베이징에 사신으로 가는 일행의 물자를 도맡아 대던 상인.

*성표: 서로 약속하는 증서(證書).

하였다 하면 소소한 잡화와는 손해가 다르지 않소?」
「화적 나는 것이 겁에 질렸다면 생의를 내지 못하였겠지요.」
대수롭지 않게 대꾸하는 천봉삼의 심상한 말투에 놀란 포주인이 얼른 들었던 술잔을 비우고,
「쇠전 마당을 드나들자면 밑전이 두둑해야 하는데, 상단의 사정을 보아하니 그만한 주변이 못 되어 보이는데 그러시오. 밑전이 있다 하면 태가 받고 지물 동이를 나르지는 않았을 게 아니오?」
「명찰이십니다. 그래서 시생도 마침 포주인 어른께 소청을 올리려던 참입니다.」
「뭔데 그러시오?」
「우리 행중이 올 때처럼 잔뜩 지고 내려갈 짐을 찾아야겠는데 북태(北太)가 좋을 것 같습니다. 어른께서 밑전을 대어 주십시오.」
「내게 부탁할 것이 무엇이오. 지물대로 받아 갈 어음표로 북태를 사서 평강으로 내려가 팔고 난 후에 이문은 챙기고 지물대만큼만 전도가에 넘기면 누이 좋고 매부 좋고 도랑 치고 가재 잡는 격이 아니오?」
「그것은 그렇지가 않습니다. 물론 우리의 처지가 매에 쫓기는 꿩과 같긴 합니다만, 그런 짓은 간상배들이나 할 짓이 아닙니까. 거탈만 보시고 사람의 고깃값을 정하시면 아니 됩니다. 시생도 장차 대도를 걷자 하는 품위 있는 장사치가 되고 싶습니다.」
「내가 초대면인 천 행수에게 무얼 믿고 거금을 선뜻 내어 줄 수가 있겠소?」
「못 믿으시겠다면 시생을 볼모로 잡아 두어도 좋습니다. 그러나 우리가 평강에서 발행할 적에도 전계장은 우리를 믿고 물화를 맡기었고 지금 여기에 당도하였습니다. 단 한 동의 설화지도 축냄이 없었지 않았습니까. 평강 지물도가에서 우릴 믿었듯이 객주에서

도 우리를 믿어 주신다면 망신을 드리지는 않을 것입니다.」

「그 평강 산중의 보잘것없는 작자가 일을 저질러 나까지 끌려들게 되었지 않나, 원.」

혀를 끌끌 차긴 하였는데 회가 동해 보이지는 않았다.

「본전에 얼마간의 이문을 붙여 드릴 터이니 입체를 서주십시오.」

「행수의 외양이나 언사로 보아 신실한 장사치란 것이야 냉큼 알아채겠소만 나도 객주를 연 지 스무 해가 가까워 오는 터수에 어찌 간청한다고 하여 떠돌이 장사치에게 입체를 서겠소. 그것만은 불가하니 파의하고 술이나 드시오.」

「그러시다면 시생도 더 이상 지다위할 의향은 없습니다. 시생이 주인장과는 인연이 닿지 않는가 봅니다.」

천봉삼은 더 이상 간청하지 않고 곁에 앉은 강쇠에게 술잔을 돌렸다. 잠시 수작이 어울리지 않아 거북한 중에 포주인이 불쑥 한다는 말씀이,

「거 젊은이가 성깔이 꽤나 도저하시군그려. 동냥자루 벌린 놈이 되레 큰소리니 주객전도도 분수 나름 아니오? 젊어 상로에 발을 붙였다는 위인이 한번 부리를 헌 일이라면 끝장을 봐야지 말을 꺼내다 말고 중도폐하면 어떡하오. 사람이 질긴 구석이 있어야지, 반죽이 그래 가지구서야 이 많은 식구들을 어떻게 호궤하려오?」

봉삼의 화술에 넘어간 것은 포주인이었다. 포주인이 화두(話頭)를 싹둑싹둑 잘랐을 때, 당황하여 물고늘어지면 포주인은 영영 꽁무니를 빼버릴 것이었다. 집돝을 우리에서 바깥으로 후려내자면 앞에서 귀를 잡아당기면 되레 우리 속으로 뒷걸음을 칠 뿐이다. 그러나 뒤로 가서 꼬리를 잡아당기면 돝은 기를 쓰며 앞으로 나아가게 되니 쉽사리 우리 밖으로 후려낼 수가 있다. 축생의 의지를 사람의 심보에다 가늠해 보면 때로는 빼어나게 맞아떨어지는 것도 없지 않은 것

이었다. 봉삼이 그때 말하였다.

「시생이 한번 발설한 이상 물고늘어져 볼 의향이야 없었겠습니까. 그러나 입체를 서주지 못하시겠단 연유가 신실하지 못하다는 데 있어서야 어디다 바늘을 꽂을 수가 있겠습니까.」

「애새끼도 때리다 보면 울어야 맛이더라고 건드리다 말면 내 주제가 뭐요? 내가 거절한다 하여 마주 잘라 버린다는 것은 도리에 어긋나는 처사가 아니오?」

「시생의 행사가 당장은 도리에 어긋난다 할지라도 떠돌이 상단에 입체를 서시고 난 뒤 난봉(難捧)*이 날까 봐서 잠을 설칠 나중 일을 생각하면 시생의 처사가 되레 옳지 않겠습니까.」

이에 포주인이 두 눈을 부릅뜨고는 금방 잡아먹을 듯이,

「내가 낙본(落本)을 할까 봐서 밤잠을 설칠 것인지 아닌지 어찌 알고 그런 말을 하시오?」

「시생이 관상을 좀 볼 줄 알아서지요.」

「천 행수가 상쟁이로 득명을 한 것인지는 당장 알 재간이 없으되 남의 내장까지 뒤집어 볼 줄 안단 말이오? 내 외양이 털 벗은 솔개미 꼴이나 소견 하나만은 원산나루 한바다와 같은 사람이외다. 사람을 어찌 보고 하는 말이오? 천 행수가 초대면인 나를 이런 꼴로 욕뵐 수가 있소?」

「시생의 잘못이었습니다. 시생도 원래는 과묵하다고 자처하나 오늘 주인장께서 대접이 흔전한 데 놀라 잠시 아둔했던가 봅니다.」

「천 행수가 내 외양 하나만으로 통이 크지 못한 위인으로 보았다면 물론 내 불찰도 없지는 않겠지요. 그러나 나도 마음만 고쳐먹었다 하면 사오천 냥쯤이야 말 한마디로 내어 놓을 배짱이 있는

* 난봉 : 꾸어 준 돈이나 물건을 되돌려받기 어려움.

위인이외다. 오천 냥이면 서울 장안에서도 오백 칸짜리 집터를 마련할 수 있는 거금이 아니오?」

봉삼이 그때를 놓치지 않고 냉큼 말을 받았다.

「소용이 오천 냥까지야 가지 않습니다. 이천 냥이면 우리 행중의 힘으로는 겨운 북태 바리를 장만할 수가 있겠지요.」

「오천 냥 모두를 내어 달란 말은 아닌 걸 보니 난봉을 낼 사람은 아닌 것 같군. 좋소이다. 내 이천 냥 입체를 서드리리다.」

흥정은 거기에서 끝났다. 오기가 난 포주인은 그 자리에서 입낙하고 서사를 부르더니 원산나루 어물객주로 가는 2천 냥짜리 어음표를 수결하여 건네주었다. 행중이 모두 대취하여 몸을 가눌 정도가 아니었다. 객줏집 문간채 안마당에 설포장(設布帳)*하여 하룻밤을 묵었다. 휘장 치고 덕석 깔았으니 근자에는 처음으로 편안한 잠자리를 얻은 셈이었다. 뱃구레를 두드리던 한 동무님이 말하였다.

「난 오늘 평생소원을 풀었다네.」

「뭔데 그러나?」

「내 소원이 돝고기로 순대를 채우고 입에서 술찌끼가 꾸역꾸역 올라오도록 마시는 일이었는데, 오늘 그 소원을 풀었네.」

「그놈 참 이상한 놈일세. 아가리에서 술찌끼가 삐죽거리고 기어올라올 지경으로 퍼마셨다면 응당 인사불성이 되었어야 했을 터인데, 이렇게 말짱한 건 무슨 조화인가그래?」

「그걸 나도 모르겠단 말이여.」

「예끼 놈, 미욱하긴. 소가 네놈을 보고 할애비뻘이라 하겠다.」

「가만 생각해 보니 취하지 않는 까닭도 없지 않은가 보이.」

「그게 뭔데?」

---

*설포장 : 집 밖에 치기 위하여 베나 무명 따위로 만든 휘장.

「내 식솔들 때문이여. 고깃념이 입으로 들어갈 적마다 배 주리는 식솔들의 몰골이 차례로 떠올랐으니 말이여.」

「이놈아, 잠잘 참에 남의 염통은 또 왜 건드려? 벌써 굶어 뒈졌지 아직까지 명이 붙어 있을 성싶은가? 네놈이 집 나온 지가 벌써 삼 년이 아닌가.」

「벌써 그렇게 되었나?」

「삼 년 동안 버려둔 처자식이 지금에 이르러 살아 있다고 소견하는 네놈은 역시 미욱한 놈이여.」

겨끔내기로 받고채는 두 사람은 토비로 행세하던 삯군들이었다.

16

이튿날 아침, 다른 일행과는 원산나루 어물객주 앞에서 만나기로 약조하고 천봉삼은 곰배와 작반하여 원산포 북촌에 있는 쇠전 마당으로 찾아갔다. 북촌 마방 중에서도 겨우 기둥만 서 있고 서른 두 정도의 소를 맬 수 있는 형용뿐인 외양간에서 조성준이 기거하고 있었다. 군산포에서 분수 작별한 뒤 탑삭부리로부터 안부 전갈이야 주고받았다 하나 상면한 지는 서로 오래였다. 격조(隔阻)했던 사이라 하나 조성준은 항용 만났던 사람처럼 덤덤하게 그를 맞이하였다. 호들갑을 떨고 안부를 낱낱이 묻는 것은 오히려 탑삭부리였다. 기동이 불편한 조성준은 하루해를 거의 봉노에 누운 채로 보내는 형편이었다. 오지랖이 넓고 조방질에는 이골이 난 탑삭부리가 맞춤한 과부를 수소문해 두고 재취 장가를 들이려고 일을 꾸며도 보았지만 그때마다 조성준에게 봉변만 당하곤 하였다. 이웃에 살면서 조석으로 드난하는 늙은 동자치가 있다 하나 그것 역시 남남이라 정주간 삿갓반자에는 거미줄이 하얗고 부뚜막에 뒹구는 기명들은 땟국이 켜로 앉아 있었다. 사립을 밀치고 집 안으로 들어설 적부터 궂해 먹은 집같이 썰렁하다 하였더니 병추기가 누워 있다는 봉노에 불기라곤 없었다. 조성준의 발치에 놓인 차렵이불에도 땟국이 자르르 흘렀다. 조성준의 신색은 워낙 쇠잔하여 평복(平復)이 된다 하여도 이제는 옛날의 준수하던 풍골을 되찾기는 어려울 것 같았다. 오래전부터 곡기를 못하고 시난고난 앓고 있었음이 분명했으나 탑삭부리 인편에는 그런 말이 일언반구도 없었다. 조성준의 움푹 파인 눈자위에는 벌써 짙은 저승 그늘이 잡혀 있었다. 천봉삼은 그간 유필호와 평교(平交)하게 되었다는 것과 조 소사가 출산한 일, 그리고 평강에다 마방을 내려 한다는 얘기며 저간의 소경사(所經事)를 낱낱이 말하였다. 육신을 가누고 오래 앉아 있기조차 불편한 조성준이 바람벽에 기대고 앉았다.

「장삿일을 모두 탑삭부리에게 맡기고 해낮에도 천장의 삿갓반자만 헤아리며 누웠자 하니 천불이 난다네. 탑삭부리가 나루에 드나드는 해상들과 거래하여 간혹은 수월찮은 이문을 보아도 왔으나 가만히 지켜보자 하니 왜상(倭商)들이 몰래 하륙하여 나루와 고을을 메주 밟듯 뒤지고 다니면서 곡식과 우피를 왜국으로 내어 간다는데 이를 막지 못한다면 우리 보부상들이 설 자리는 어디에 있겠는가. 그래서 마방을 닫아 버렸다네. 우리가 왜상들에게 땅을 내주지도 않았는데 그들이 쥐새끼처럼 포구를 무상출입하고 또한 이문에만 눈이 어두운 객주와 거간배들이 그놈들과 배를 맞추고는 곡식과 소를 밀매하여 왜선에다 장발(裝發)을 시키고 있다네. 유월에 왜국의 공사란 놈이 하륙하여 적전(赤田)의 봉수골(烽燧洞)을 저들의 주거지로 결정하고 돌아갔다네. 봉수골에 살고 있던 백성들이 조상의 땅에서 쫓겨나게 생겼으니 덕원(德源), 문천(文川), 안변의 백성들이 들고일어나 부사에게 정소를 올렸으나 내침을 당하고 열 사람이 옥사를 당하게 되었다네. 왜상들과 결탁한 객주들이 덕원 관아를 무상출입하면서 구실 산다는 위인들에게다 뇌물을 찔러 주었으니 관아에서도 나라님이 엄금시킨 우금(牛禁)을 저희들 마음대로 자행하고 있다네. 이것은 폐단이 아니라 바로 망조가 아닌가.」

「왜상들이 내륙으로 잠입하여 장시의 풍속을 어지럽히고 물가를 조작하여 잡화를 퍼뜨리고 있는 것을 저도 알고 있습니다만, 조선의 상인들이 그들과 결탁하여 더러운 길미를 챙긴다는 것은 차마 듣기 거북합니다.」

「그것뿐이 아닐세. 조선에 하륙하고 있는 왜상들이란 것들이 원래 저희들의 땅에서는 거접도 못할 패륜아에 죄를 지은 무뢰배들이 대부분이란 것일세. 계집을 능욕하는가 하면 구실아치들에게조차 반말지거리요, 백성들 걷어차기가 다반사일세. 그런데도 원산나루에서도 상리에 눈이 밝고 뜨르르한다는 객주들이 하나 둘 은밀히 궐놈들과 통을 짜고 거래를 트고 있다네. 그러나 속수무책이니 이런 애통이 어디 있겠는가.」

「관아에서 눈감아 주고 있는 판국이니 저 폐단을 장차 어찌하면 좋습니까?」

「눈감고 있다는 것은 조정에 힘이 없음이 아닌가. 그러나 우리 보부상들이라도 궐놈들의 횡포를 막아야 할 것이네.」

「그러면 나라에 반역이 되는 일이 아닙니까?」

「대원위 대감께서 서원을 철폐할 적에는 서원을 등에 업고 온갖 자세를 저지르던 유림들이 팔도가 들썩하도록 들고일어나더니만, 이제 나라의 땅이 왜구들의 발아래 좀먹히고 있는 판에는 조용히 엎디어 있으니 이 또한 망조일세. 어찌 나와 같은 천출의 명색 없는 도붓쟁이가 나라의 정사에 옳고 그름을 걱정하고 있어야 하겠나. 시거든 떫지나 말더라고 조정에 힘이 없거든 권신(權臣)들이 또한 썩지나 말아야지, 뇌물을 받아 직첩을 팔고 벼슬을 만들어 사사로운 곳간만을 채우려 하니 나라가 무인지경이 된 후에 무엇에 다 쓰려 하는지 그것을 알 수 없다네.」

그때까지 고패를 떨어뜨리고만 앉았던 곰배가 불쑥 내지르기를,

「관아에서 왜상들의 행패 거조를 바라보고만 있겠다 하면 우리 도붓쟁이들이라도 들고일어나서 그놈들에게 제독을 주어야 합니다.」

「자네 말이 쓸 만하네. 장사치란 자기의 양물을 떼어 주는 한이 있더라도 보따리만은 챙겨야 하는 법, 제 보따리를 노리는 놈이 있다면 모가지를 걸고서라도 싸워야 하지 않겠는가.」

그런데도 봉삼은 시종 대꾸가 없었다. 그때 문밖에서 난데없이 닭이 홰를 치며 버둥대는 소리가 들려왔다. 놀라서 장지를 열어 보니 탑삭부리가 쫓기다 못해 울바자에 거꾸로 처박힌 암탉을 잡아채어 모가지를 비틀고 있었다. 봉삼이 손사래를 치며,

「행수님, 저희들은 곧 떠나야 합니다.」

「그러지 말고 좌정하시게나. 내 비록 나래 꺾인 상인이라 하나 친동기간이나 진배없는 자네가 찾아온 것인데 빈 입으로 돌려보낼 수야 없지 않은가.」

「그렇다고 닭까지 잡을 것은 없습니다.」

「언젠가는 자네가 내 집에 찾아올 줄 짐작하고, 정성 들여 키워 오던 닭일세. 돌아설 마음이 살 같더라도 국물이나 몇 술 뜨고 가야 인정이 아니겠나.」

「저의 힘으로나마 행수님의 마방을 일으켜 볼 터이니, 제발 의원을 자주 불러 신기를 되찾도록 하십시오. 탑삭부리에게 단단히 이르고 가겠습니다.」

「상심 말게. 내가 쉬이 죽지는 않을 것이네.」

드난하는 늙은이의 닭 삶아 내는 솜씨가 당초부터 손방이어서인

지 탑삭부리의 성화 때문에 닭을 설삶아 내어선지는 몰라도 닭 다섯 마리를 한솥에 삶아 쟁개비에 담아 오긴 하였으나 살이 워낙 질겨서 장골들 이빨로도 뜯어 먹기가 지난이었다. 닭고기 뜯고 있는 일행을 바라보고 앉았던 조성준이 빙그레 웃으면서,

「그게 늙은 닭이 되어서 그렇다네. 닭도 늙으면 맛없고 질기듯이 사람 역시 늙어지면 기력도 전만 못하고 질기고 성깔도 어긋나서 잔재미가 없어진다네.」

「그런 말씀 마시고 근동(近洞)에서 맞춤한 과수를 보아 재취나 보시지요. 재취한 여편네라 할지라도 병고에 시달리는 지아비가 영 가망이 없다 하면 할고(割股)*까지 하는 여편네도 있다 합니다. 동자하는 늙은이가 음식 수발을 건성으로만 하는 것 같아서, 이래 가지구서야 어디 쾌복(快復)이 되어 떨치구 일어나시겠습니까. 병든 이에게야 음식 수발이 제일일 터인데…….」

곰배의 말이 그럴듯하였으나 조성준은 구경 소 닭 보듯 덤덤할 뿐 다른 대꾸가 없었다. 조성준을 하직하고 나오는데, 조성준은 천봉삼 일행이 마방을 벗어나서 뒤꼭지가 보이지 않을 때까지 장지를 열어 둔 채로 바라보고 있었다. 천봉삼의 눈시울에 문득 눈물이 괴었다.

조성준인들 재취를 들여 아내의 구완을 받고 싶지 않겠는가. 그렇지만 젊은 여편네를 얻어 들였다가 실패를 본 뒤로는 곁에 명색이 여자라곤 붙이지 않기로 작심한 사람이란 것을 일행 중에서 알고 있는 사람은 천봉삼뿐이었다. 그의 연충 깊은 곳에 도사리고 있는 포한을 알고 있는 사람은 모두들 이승을 하직하고 없는 터 봉삼은 구태여 입을 열고 그 상흔을 건드릴 것까지는 없다는 생각이 들었었다. 봉삼이 입을 닥치고 있었던 건 그 때문이었다.

---

* 할고 : 허벅지의 살을 베어 냄.

일행은 마방에서 10리쯤 상거한 나루의 어물객주로 갔다. 동패들은 벌써 당도하여 객줏집 앞 한터에 옹기종기 앉아 있었다. 어물객주와 여각은 여럿이어서 몇 집을 뒤지며 물대(物代)를 듣보고 다녔으나 거의가 비슷한 가격들이었다. 어물객주의 포주인은 봉삼이 사겠다는 북어(北魚)의 수량에 적이 놀라면서도 흥정에는 좀처럼 녹록하게 말려들 기색이 아니었다. 수작을 건네는 중에도 시선은 사뭇 운수 보기로 뒤집고 있는 골패짝으로 가 있었고 간혹 낯바대기를 쳐들 뿐이었는데, 딱 바라진 견양이 첫눈에 보아도 인정머리가 없어 보이고 자주 게트림하니 속살이 찐 위인이 확실하였다.

「어서 흥정을 결단 내려 버립시다.」

「싼거리 흥정을 하려면 서울 포도청 뒷문으로 가서 장물이나 뒤질 일이지 부비 써가면서 원산나루까지 내려올 것이야 없지 않나.」

쓸까스르는 꼴이 남의 비위깨나 건드려 본 위인인데, 봉삼은 꾹 참고,

「시생도 서울 한바닥에 반연이 없는 것도 아니오. 그러나 포도청 뒷문은 장물 와주나 잡살뱅이 도붓쟁이들이나 기웃거릴 곳이지 명색 대상들이 발붙일 곳이야 아니지 않소이까.」

포주인이 힐끗 골패짝에서 시선을 떼더니 적이 마뜩찮다는 표정으로 게트림하고 나서,

「젊은이가 경위 바르고 딱딱 어르는 말발하며 불뚱가지는 있어 보이네만 눈은 보리동냥을 보내셨구먼. 이 물화의 물때를 한번 보게, 어디 석 냥짜리 말〔馬〕로만 아는가?」

「이 정도의 명태야 원산나루에선 천세가 났지 않습니까?」

「황아장수 망신은 강아지가 도맡아 놓고 시킨다더니만 산중 도방에서 찾아온 떠돌이 도붓쟁이가 원산 북어를 아주 꼴뚜기로 망신을 시키는구먼그려. 내가 섣불리 척매(斥賣)할 것 같은가? 우리 집

물화를 자네가 내가지 않더라도 해상(海商)들에게 넘기면 곱쟁이 장사니깐 남의 심장 긁지 말고 나가 보시게.」

「시생이 의관을 하지 못한 지체라 주인장에게 해라로 대접받는 건 창피한 일이 아닙니다만, 내쫓기까진 하지 마십시오. 시생이 하필이면 이 객주를 수소문하여 찾아왔을 땐 생각이 있어서가 아닙니까? 원산나루에선 그중 소명하고 경위 바른 분이라 하여 찾아온 것입니다.」

「허, 이 사람, 말이나 못하면 떡이나 사주지. 물화가 제 금어치가 된다 하면 낙가는 시키지 말아야 할 것 아닌가. 자네 좋을 대로 다 하자면 나는 무슨 신명으로 여각을 내고 있으란 말인가? 나도 장사치이긴 자네와 매일반 아닌가.」

포주인은 북태 바리에서 몇 마리를 쑥 빼내더니 봉삼의 코앞에 대고 보란 듯이 냅다 흔들어 댔다. 서로 말려들지 않긴 두 사람이 마찬가지였다. 그때 봉삼이 불쑥 내지르는 말이,

「조금 전 곱쟁이 장사가 된다는 해상들은 왜상(倭商)들을 겨냥했던 말씀이오?」

「그렇다네.」

「그놈들과 거래를 트고 계시다면 우린 이 여각과는 등을 지겠소.」

「이런 답답한 사람을 보았나? 장사치가 누군가. 이문을 보아 작전(作錢)*하자는 위인들이 아니던가? 왜상들이라 하여 용천뱅이가 아닌 다음에야 내가 그들을 홀대하고 방색할 까닭이 무언가? 보아하니 자네가 내게 패를 써서 허방에다 빠뜨리겠단 수작이 아닌가?」

포주인의 입가에 허옇게 버캐가 끼기 시작하였다. 그러나 천봉삼

* 작전 : 물건을 팔아서 돈을 마련함.

은 딱 버티고 서서 궐자를 똑바로 쳐다보았다.

「왜상들이 나루에 드나들기 시작하면서 우리 도붓쟁이들의 폐해는 자심한 편이오. 주인장이 만약 승시(乘時)만을 노려 왜상들과 거래하고 있다는 범증만 잡았다 하면 도방에 통문을 돌려 이 여각과는 거래를 끊도록 조처하겠소. 그놈들과 거래하여 팔포대상(八包大商)*이 된다 하여도 향곡에서 떳떳할 게 무어요?」

「자넨 떠돌이 장사치가 아닌가?」

「떠돌이 장사치들이 결당을 하기만 하면 소문이 짜한 이런 여각 하나쯤은 망조 들게 만들 수 있다는 것도 주인장은 알고 있겠지요?」

포주인이 동안이 뜨도록 천봉삼을 빤히 쳐다보고 있더니,

「알겠네. 자네의 으름장에 내가 오갈이 든 건 아니지만 자네의 배짱이 가상하여 상단의 하루 부비조는 탕감시키는 값으로 넘길 터이니 조수나 하게. 이만한 상단의 하루 부비라면 시골 산달밭 한 뙈기 소출은 넘을 테지. 상것들 발 덕으로 산다고 스물이 넘는 훨씬 큰 장골들을 하루 종일 놀리고만 있을 것인가.」

천봉삼의 공갈에 오갈이 든 것이 아니란 말은 하였지만 그 한마디에 포주인의 성깔이 죽은 것은 분명하였다. 흥정은 순조롭게 이루어졌고 포주인은 차인들을 풀어 북어 바리들을 여각 앞 한터에다 풀어놓았다. 상단은 더 이상 원산나루에서 지체할 까닭이 없었다.

또한 곶머리 근처의 숫막골 어름에서는 장사치들이 북새판을 이루고 맷담배*를 팔고 있는 자색 좋은 처자(處子)들이며, 숫기 좋은 표객 너덧을 하룻밤에 받아 내더라도 암내가 가실 것 같지 않은 들병이들도 천세가 난 판이라 발정을 서둘렀다. 계집 맛을 본 지가 오래되는 행중의 동무들이 무슨 행짜를 부려 화근을 부를지도 모를 일

* 팔포대상 : 생활에 걱정이 없는 사람을 비유적으로 이르는 말.
* 맷담배 : 조금씩 떼어서 썰어 파는 담배.

이었다. 객주에서 성애술로 내다 준 다모토리 한 잔씩을 급히 마시고 나서 못다 마신 것은 자라병에다 채운 다음 상단은 객주를 나섰다. 평강에서 발정할 때부터 계집 생각만으로 안달해 왔던 곰배가 나루에서 하룻밤만 더 묵고 가자고 굳세게 주장하고 나섰으나 목전 걱정이 더한 천봉삼은 들은 척도 않았다. 스무 명이 넘는 행중을 거느리는 대상단의 행수라면 그만한 사정쯤이야 알아줘야 맛이겠건만, 요사이 천봉삼의 거동을 보자 하니 소 죽은 넋이 덮어씌운 것만 같았다.

「젠장, 이러다간 삼천육백 마디 뼈다귀마다 사리 박히겠네. 자긴 계집과 비각이 된 줄 모르지만 이 장골들이 계집과 등지고 살 수 없다는 것은 헤아려 볼 만하건만, 죽자 살자 짐바리만 참 없이 갖다 안기니 이건 너 죽고 나 죽자는 거 아닌가. 하다못해 색책으로라도 한두 마디 있어야 할 게 아닌가, 원.」

곰배가 천봉삼에게 들으라 하고 강짜를 놓기 시작하자 곰배와는 형님뻘 되나 맞잡이 사이인 동패 하나가 귀엣말로,

「알뜰히 채화(採花)하려구 속을 썩일 게 무어냐. 꼭히 풍류가 있어야 맛인가? 성화 말고 담구멍에라도 쑤셔 박으렴.」

「예끼, 이놈, 뒤웅박하고 바람 잡는다더니, 네놈은 누구 편역을 들어 그런 말 혀? 내가 상성을 하였기로 담벼락 구멍에다 권신을 박아? 차라리 돌확에 엎어지는 게 낫지.」

더러는 불평들이 없지 않았지만 그날 밤 달이 뜨기까지 노정을 줄여 안변 지경에까지 득달하였다. 행보가 그처럼 빨랐던 것은 천봉삼의 처사에 오기가 났던 때문이기도 하였다. 회양에 당도하여 구완 중인 동패를 찾아 평강으로 회정하는 동안 노변에 화적은커녕 어리친 강아지새끼 하나 작경을 놓겠답시고 얼씬하지 않았다. 대치나루에 닿았더니 역시 그 사공놈이 나루질을 하고 있었다. 궐놈은 며칠

전까지만 하여도 자기와 통을 짜고 행객의 봇짐이나 털었던 토비들이 끽소리 한마디 없이 상단에 끼여 삯꾼 노릇을 하고 있다는 것이 믿어지지 않는다는 눈치였다. 그러나 행중이 하륙을 하여 향 반 대 태울 참이나 걸었을까. 사공놈이 사앗대를 내던지고 마침 언덕배기로 오르고 있는 상단 뒤를 숭어뜀을 하며 쫓아왔다. 봉삼의 발치 앞에 와서 엎뎌 잠깐 동안 발설의 생념을 못하고 쭈뼛거리더니 드디어 우는소리로,

「행수님, 이 시러베 같은 놈이 면목이 없으나 좀 데려가 주십시오.」

천봉삼은 궐자가 이렇게 되리라고 십분 짐작하고 있던 터였다.

「우리 상단과 동사하겠다는 말인가?」

「아닙니다. 감히 동사할 생념을 품을 수가 있겠습니까. 수하에 거두어만 주신다면 몸 받아 발품을 들여 요행 살아가기를 바랄 뿐입지요. 저도 세력 하나는 다부진 놈이니 삯꾼 노릇의 몫은 다할 수가 있겠습니다.」

「물에 빠진 놈이 칼날 잡는 격이다. 매사에 조급히 굴면 동티가 나는 법, 자네가 우릴 따라가면 이 도선목의 나루질은 누가 하겠나.」

「나루질할 사람이야 많지요.」

「알았네. 자넨 벌써 우리와 막역한 사이가 되었다네. 그러나 자넨 여기에 있게. 앞으로 이 나루를 쉴 새 없이 드나들 우리 상단의 뒷바라지만 잘해 준다 하면 상단의 이문을 나누어 주기로 하지.」

「행수님께서 저를 배심* 먹은 불땔꾼*으로 아시고 일부러 흔단*을 놓으시려는군요. 저는 이길로 따라가야 하겠습니다.」

천봉삼은 전대를 뒤져 적잖은 행하를 사공에게 건네었다. 사공은

---

* 배심 : 배반하는 마음.
* 불땔꾼 : 심사가 바르지 못하고 남의 일에 방해만 놓는 사람.
* 흔단 : 서로 사이가 벌어져서 틈이 생기게 되는 실마리.

어마지두에 놀라 봉삼을 뚫어지도록 쳐다보았다.

「이 돈은 자네와 우리가 동사하게 되었다는 증표로 건네는 것일세. 여기서 오금 떼지 말고 진득하니 나루를 지키고 있게. 한 해 후엔 자넬 데려가기로 하겠네.」

「정말입니까, 행수님?」

「하늘을 두고 맹세하지.」

「백등령에 이르시면 행중이 맹랑한 지경을 또한 당할 것입니다. 전일 고개티에 결박해 두었던 세 사람도 다시 행중이 회정하기만을 눈이 빠지게 기다리고 있답니다.」

「왜 그런다던가?」

「행수님을 따라가겠다는 것입지요.」

「그들을 만나면 자네에게로 보낼 것이니 서로 상의하여 나루에 거접을 할 수 있도록 조처하게. 다음 파수에 올라와서 뒤를 살피도록 하지.」

사공은 당장 상단을 따라나설 마음이 살 같았으나 봉삼의 약조를 또한 믿어 여공불급(如恐不及)*으로 그렇게 하마고 고개를 조아렸다. 일이 그렇게 되고 보니 원상인 동무들 뒤를 어슥비슥 뒤따라오던 삯꾼들이 대치나루를 건너고부터는 모두들 선머리에 서겠다고 야단들이었다. 행여나 게으름을 피우다가 상단에서 쫓겨날까 해서였다.

17

평강에 당도하니 지물도가 주인은 일행이 무사히 회정한 것에 눈이 뒤집힐 듯이 놀랐다. 화적들에게 오장이나 빼먹히고 돌아올 줄

---

*여공불급 : 어떤 일을 하라는 대로 실행하지 못할까 하여 마음을 졸임.

알았던 사람들이 내장은커녕 육신이 멀쩡들 하고 물대를 한 푼도 축내지 않고 고스란히 가져왔다는 데도 놀랐고 그곳의 지물객주에게 밑전을 빌려 북태 바리까지 지고 온 데는 혀를 내둘렀다. 처음 약조했던 삯전의 곱을 받았으니 천봉삼 또한 놀라울 뿐이었다.

형용들이 험악하긴 하나 전에 없던 삯꾼들이 열이 넘게 불어난 것도 희한하여 지물도가 주인은 원산 상로에 지물 운반을 끈질기게 당부하였다. 그러나 봉삼은 고개를 가로저었다.

전도가 주인이 이 기회를 놓치기는 싫었으므로 이번에는 상단들이 도차지로 거접할 집을 지어 주겠다고 나섰다. 천봉삼이 검다 쓰다 대답을 않고 있었더니 이튿날로 집 지을 목재들을 날라 왔다.

봉삼은 삯꾼들과 남아서 가역을 돌보기로 하고 하루를 쉰 이튿날 효두(曉頭)*에 곰배와 강쇠를 차인 행수로 하여 북어 바리들을 다락원까지 내려가서 신실한 거간에게 팔아 오도록 하였다.

다락원으로 내려가던 일행이 양주골 솔모루에서 늦은 중화를 들고 빈돌고개(祝石嶺)의 첩첩산중으로 오르려 할 즈음에 멀리서 고개티를 막 내려오고 있는 교군 일행을 보았다. 교군들이 바짓가랑이를 아금받게 치키고 오금치는 가뿐가뿐하게 동이고 미투리에 들메를 단단히 한 꼴이 어디서 실컷 보아 왔던 작자들이었다.

「저게 가마 태운 내행이 아닌가?」

곰배가 차근차근 교군들의 거동을 살폈다.

고개티를 내려오는 보교(步轎)를 한참 지켜보던 곰배가 활 반 바탕 거리에 있는 교군들을 손짓해 불렀다. 그쪽에서도 뒤죽박죽 몰려오는 상단이 송파 행중이란 것을 얼른 알아챈 모양이었다. 골짜기 안침으로 잔풍(潺風)하여* 길짐승이 붙기 좋은 자리에 보교를 내렸

* 효두 : 먼동이 트기 전의 이른 새벽.
* 잔풍하다 : 바람기가 없이 잔잔하다.

다. 곰배가 엉덩이로 비파를 퉁기면서 달려가는데, 보교의 휘장이 걷히면서 조 소사의 얼굴이 나타났다. 시구문 밖 갖바치 내외의 산후 구완을 받기는 하였지만 해산 후 보름을 겨우 넘긴 얼굴은 부기가 가시지 않아 부석부석하였다. 그러나 자색이야 예나 지금이나 틀려 보이지 않았다. 아이는 차렵이불로 싸서 안았는데 잠들어 있었다. 서로 구면이라 곰배가 다가서며 꾸뻑 알은체를 하였다.

「노중에서 다시 만나다니요. 어인 일들이십니까? 그동안 어찌 되었습니까?」

곰배를 만나니 봉삼을 본 것처럼 기뻤던지 조 소사는 경황없이 이것저것 물었다.

「평강에 떨어진 이후로 원산 행보 한 번이 있었지요. 죽을 고비가 두어 번 있긴 하였습니다만 무사히 넘겼습니다. 성님께선 평강에 남아서 수하들과 가역(家役)을 거들고 있습니다. 아니래도 다락원까지 가는 동안 아지마씨와 마주칠지도 모른다 하여 성님이 여러 가지 당부를 하였습니다. 오늘은 솔모루에서 하룻밤 묵도록 하십시오.」

「아닙니다. 기왕 다잡아 먹고 길을 떴을 바엔 일각이라도 빨리 길을 줄여야지 노중에서 지체할 까닭이 없습니다.」

「산후에 바람을 오래도록 쐬면 수족이 냉하게 됩니다. 우리 패가 등짐 지는 데는 이골 난 위인들이나 가마 메는 데는 손방이란 것을 아실 테지요. 불편하시더라도 참으셔야 합니다.」

「그런 말은 마십시오. 내 이렇게 가마 안에 앉아 가게 되어 민망하고 송구스럽기 그지없는데 언감생심 불편하단 마음 품을 수가 있겠습니까.」

「젖먹이는 별 탈 없습니까?」

조 소사가 문득 얼굴을 붉히며,

「식전 내내 칭얼대며 속을 썩이더니만 가마에 오른 뒤로는 씻은 듯이 잠만 자니 다행입니다.」

「날 때부터 가마 호사에 맛을 붙이는 것을 보니 나중에 커서 알성 급젯(謁聖及第)*감이군요.」

「그런 건 생각한 적도 없답니다.」

「어서 가십시오. 우리는 다락원 가서 그곳 거간에게 넘기고 평구 장터로 가서 소몰이해서 평강까지 내려가게 됩니다. 나중 평강에서 뵙겠습니다.」

노중에서 인사범절 늘어지게 차리고 섰을 경황이 아닌지라 곰배는 교군들과 하직하면서, 평강까지 내려갈 동안 호망(虎網)* 친 목쟁이와 하처 잡고 쉴 신실한 숫막이며 길가의 숯장수의 숯막과 심메꾼들의 초막이 있는 곳까지 자상하게 일러 주었다. 곰배 일행과 하직한 조 소사는 빈돌고개를 넘어 솔모루 장터에 득달하여 잠시 쉴 곳을 찾아 숫막에 들었다.

숫막 협방에서 조 소사가 아이에게 젖을 먹이는 동안 교군들은 술청의 목로 주변으로 모여 앉았다. 솔모루만 하여도 서울 인근에선 다락원과 함께 큰 저자가 서는 곳이었다. 제물포로 오르는 전라도 지경의 물산 거래로 흥청거리는 부평(富平)의 백마장(白馬場), 삼남 지경의 물산이 오르는 송파장, 산동 지경의 물산이 흘러내리는 양주(楊州)의 평구장은 장날이 아니라도 장사치들의 출입이 빈번한 곳이었다.

그때 목로 안쪽에 앉아서 행초를 태우고 있던 선객들이 힐끗 이쪽으로 눈길을 주었다. 행색을 분별하자니 심메마니들이었다. 그중에 한 사람이,

---

* 알성 급제 : 임금이 성균관 문묘에 참배한 뒤 보이는 과거 시험에 합격하던 일.
* 호망 : 호랑이의 침입을 막기 위하여 쳐놓던 그물.

「어디로 가는 내행이시오?」

「어디로 가는 내행이든 간섭할 것 없지 않소?」

「가만 보니 양반댁 내행 같아 보여서 묻는 말이오. 아까 병문에 있는 보행객주에서 도임(到任)* 행차를 보았는데 혹시나 그 행차 뒤를 따르는 내행이 아니신가 해서 물었소.」

「어떤 놈의 신연(新延)* 행차인지는 모르겠지만 우리하곤 상관없소이다.」

국에다가 조밥을 꾹꾹 말며 교군이 심메마니 수작에 뻣뻐드름하게 상종을 하고 있는데 심메꾼도 심사가 뒤틀렸는지,

「노형, 말대꾸 한번 별미쩍소이다. 아니면 그뿐이지, 도임 행차까지 욕보일 건 없지 않소?」

「행색 보아하니 심메꾼들 같은데 공연히 우릴 집적거려 노중에 화근 만들지 말고 그만 입 닥치시오.」

원수진 놈처럼 교군이 큰 눈을 흰자투성이로 치뜨고 바라보자, 애매하게 화풀이를 당할까 싶었던 심메마니는 더 이상 수작을 붙이지 않았다. 마침 숫막에서 방자고기를 팔고 있어 노수를 떼어 배를 불린 일행이 보교를 손보려 하고 있는데, 한길 가가 갑자기 소연해지면서 벽제(辟除) 소리가 들리는가 하였더니 아이들이 뛰어나가는 발소리가 어지럽게 들려왔다. 잠깐 지켜보고 섰으려니 전배 사령이란 것들이 에라쉬 하며 벽제를 잡으며 길을 쓸고 뒤따르는 안장마 위에는 의관을 말쑥하게 차려입은 한 귀인이 한 손으로 말갈기를 잡고 한 손으로는 말고삐를 잡고 거드럭거리고 있었다. 안장마 뒤에는 일산(日傘)을 펴든 군노가 뒤따르고 있었다. 뒤따르는 짐방들이 멘 부담짝에는 중화(重貨)가 들었는지 지팡이로 버텨 주지 않으면 땅에다

---

* 도임 : 지방 관리가 임소(任所)에 도착함을 이르던 말.
* 신연 : 새로 부임하는 감사나 수령을 그의 집까지 찾아가서 모셔 오던 일.

가 이마받이를 할 것만 같았다. 심메마니들이 보행객주 앞에서 보았다던 그 도임 행차가 분명했다. 고종(高宗)의 친정이 있은 뒤로 외방의 벼슬자리가 걸핏하면 장파(狀罷)*가 되어 한과(閒窠)로 밀려나는가 하면, 소소한 벼슬아치도 중비(中批)*로 궐이 메워지고 차대(差代) 또한 재빨랐다. 도임한 지 달포도 안 되는 벼슬아치가 한마루공사(公事)*로 정사를 익히는 중에도 편도 부임이 들이닥치는 일이 예사여서 관아의 청령(聽令)하는 졸객들과 신연하인(新延下人)들은 집구석에다 엉덩이를 진득하니 붙이고 있기가 어렵게 되었다. 그러자니 경사(京司)에 끈이 없는 벼슬아치들은 하루가 전전긍긍이었다. 그런데 신연 행차를 우두망찰하던 교군이 곁에 선 동무의 옆구리를 쿡 질렀다.

「아니, 저 마상에 앉은 사람, 알 만한 사람이 아닌가?」

「자넨 이제야 알았는감. 난 벌써부터 길소개란 작자인 걸 알고 있었다네.」

「방구 잦으면 똥 싼다더니, 저 위인이 벼슬자리를 사려고 권문에 주야장천 드나들며 부대끼더니, 기어코 일을 저질렀구먼.」

「나라 꼴이 말이 아니군. 뇌물이 아무리 좋다기로 저런 불학무식한 놈에게 벼슬자리를 내리다니. 이건 도대체 정사가 어디로 돌아가고 있는지 도통 맥을 잡을 수가 없지 않은가.」

「세상이란 오래 살고 볼 것이라더니, 그 말이 맞는군. 신상(紳商) 신석주 수하에서 야살을 떨며 목숨 부지에 급급하던 저 위인이 고을살이를 하게 될 줄이야 귀신인들 알았겠는가. 한무릎공부* 할

---

* 장파 : 원이 죄를 지었을 때, 그 도의 감사가 임금에게 장계를 올려 원을 파면시키던 일.
* 중비 : 시험을 거치지 아니하고 임금의 특지(特旨)로 벼슬을 주던 일.
* 한마루공사 : 일 처리를 전례와 다름없이 하는 일.

것 없이 작전이나 하여 주문 귀댁(朱門貴宅)* 대문간을 뻔질나게 드나들며 청질을 한다면 소매평생인들 저런 꼴을 한번은 겪게 되지 않겠나.」

「이놈아, 평생 빌어먹을 매골을 뒤집어쓰고 내질러진 터수에 무슨 놈의 구실아치를 바라보누? 길 아무개가 근본이 젓갈장수라 한들 구변 하나는 타고난 위인이요, 도붓쟁이답지 않게 풍골이 훨씬 준수하니 수하에 신실한 서사(書士) 두엇을 두고 부린다면 고을 하나쯤은 능히 휘어잡을 위인이로세.」

「그런데 저 위인이 어느 고을로 도임을 한단 말인가?」

「마침 위쪽으로 오르는 걸 보니 우리도 뒤따라가 봄 직하네그려.」

교군들은 활 한 바탕 행보쯤을 사이하고 사뭇 행차의 뒤를 따랐다. 앞서가는 행차가 길소개란 것을 알게 된 조 소사가 눈이 뒤집히게 놀라 다른 길로 접어들든지 아니면 반나절쯤이나 쉬었다 가자고 졸랐으나 교군들은 말을 듣지 않았다. 오히려 행차 뒤를 따르는 내행쯤으로 보인다면 중로에 화적 만날 걱정도 없이 길을 줄일 수 있을뿐더러 도대체 길소개가 어느 고을로 부임하는지 그것이 궁금하여 행차를 놓칠 수가 없었기 때문이다. 장순(長舜)거리 지나고 만세교(萬世橋) 물나들에 이르러서였다. 행차가 잠시 멈추고 물 건널 채비들로 부산하게 움직이매 마침 뒤곁 바위 뒤로 소피를 보러 나온 사령 한 놈이 있기에 붙잡고 물었다.

「노형, 행차가 대단하시구려. 어디로 가는 행차시오?」

체수 잔망스럽고 눈가에 잔주름이 잡힌 사령놈은 생각보다 친절하게,

「이걸 가지고 대단한 행차라 그러시오? 안전께서 워낙 분주 떠는

---

* 한무릎공부 : 한동안 착실히 하는 공부.
* 주문 귀댁 : 권세 높은 벼슬아치의 집안.

것을 마다하시고 일산조차 펴지 말도록 분부하시는 터라 배행하기 송구스럽지요. 벽제 잡는 것조차 못하시게 호령이시니 대단한 행차랄 것도 못 됩니다.」

「아니, 도임 사또라면 고을에 들이닥칠 때마다 분주를 떨어 고을 백성들이 한 다리로 쏟아져 나와 행차를 구경시키게 마련인데, 사또께선 왜 그러시오?」

「워낙 남의 눈에 드러내기를 싫어하시는 어른이신가 봅니다. 요사이 변방 고을 길청의 아전만 되어도 거동 때마다 경마 잡히고 거드럭거리는 판에 도임 행차로 벽제조차 잡지 못하게 하시는 분은 처음 모십니다.」

위인이 말머리를 자꾸만 벽제 잡는 쪽으로 돌리는 것을 보자니 전배 사령이 분명했다. 노박이로 하던 짓을 못하게 하였으니 제 깐엔 은근히 심통이 나 있던 모양이었다. 벼슬은 제 것이 아니로되 거기에 기대어 위세만은 부리고 싶은 것이 하례들의 서글픈 심사가 아닌가.

「안전께서 저렇게 청빈하시면 작청 사람들이 달가워하지 않을 터인데요.」

교군이 슬쩍 퉁기니 사령놈이 옳다는 듯이 맞장구를 쳤다.

「아니래도 신영 나온 고을 이속들이 저희들끼리 수군거리는 것을 보았습니다만, 당장이야 어쩔 도리가 없겠지요.」

「어느 고을로 도임하시오?」

「안변 고을입지요.」

「안변이라면 원산포와 서울 간의 소문난 길목이 아니오?」

조 소사가 표연히 서울을 떠난 지 사흘 만에 평강에 득달하니 가역을 하고 있던 온 행중이 모두 놀랐다. 조 소사가 핏덩이를 안고 가마에서 내리자 천봉삼은 한동안 넋이 빠져 우두망찰하여 서 있기도 하였다. 오랜만에 천봉삼은 눈시울을 적셨다. 가역의 매조지가 아직은 사람이 들어가서 거처할 정도는 아닌지라 산모와 아이를 옹기장이 집으로 들게 하였다. 조 소사가 평강에 당도하자 행중의 동무님들은 저마다 힘들이 솟는 것이었다. 지은 집에 들어와 살 여자가 하나 둘 모여든다는 것이 동무님들을 들뜨게 만들었다.

가역은 그동안 텃고사를 지내고 기둥 세우고 대들보 얹고 서까래 치고 상량(上樑)까지 마친 터라, 방구들 놓고 외얽이 치고 지붕 올리는 일이 남아 있었다. 행중의 동무님들이며 토비 출신 삯꾼들이 가역 돕는 데는 손방들이라 하나 지물도가 전계장이 난데서 불러온 도목수와 토역장이가 불호령 쉼 직하게 몰아붙이는 판이라 행중은 잠시도 게으름을 피울 수도 없어 사추리에 가래톳이 설 지경이었다. 다락원으로 내려간 소몰이꾼들이 회정해 올 동안까지는 마방까지 지어 놓아야 하겠기에 사실 똥끝이 타 들어가는 쪽은 도목수가 아니라 행중이었다. 본동의 재지기들을 불러 모으기도 하였으나 그것도 손이 모자라 나중엔 그들이 처음 움막을 지으려 했을 때 조석으로 찾아와서 훼방을 놓던 무뢰배들조차 조발되어 가역에 가담하였다. 섬밥을 지어내어 가역꾼들을 호궤하느라고 옹기장이 여편네와 유씨 자매들은 땅에 엉덩이 붙일 사이가 없었다.

조 소사가 당도한 날은 초경쯤에서 가역을 중단하고 술을 걸러 내다가 잔치 못지않은 술자리를 벌이었다. 한편으로는 봉삼 내외를 한 방 거처를 시키겠답시고 그 방에 거접하던 유씨 자매를 움막으로 옮기려는 둥 공론들이 분분하여 봉삼은 가역일이 끝날 때까지는 입도 벙끗 말라고 눈까지 지릅뜨는지라 그렇게 하기로 낙착을 보았다.

행중이 호궤하는 사이를 틈타 천봉삼이 방으로 들어가자, 아이에게 젖을 먹이고 있던 조 소사가 화들짝 놀라 등지고 앉았다.

「행역에 지쳐 산후 실섭(産後失攝)*이나 되지 않을지 걱정이오.」

봉삼이 여전히 공대를 쓰고 해라로 쓰지 않는 것이 섭섭했던지 젖

을 빨고 있는 아이의 얼굴만 내려다보고 앉았던 조 소사가,

「제 걱정은 거두시고 아이의 이름이나 짓도록 하십시오.」

「그것이야 바쁠 것이 없습니다. 그동안 가슴을 죄긴 하였습니다만, 혹시나 신석주가 놓은 세작(細作)이 추쇄하여 예까지 뒤따르지나 않았는지 모르겠소.」

「간자가 제 뒤를 추쇄하여 왔다 할지라도 이제 와서 그것으로 속을 썩일 수는 없습니다. 제가 자문을 하였으면 하였지 그곳으로 돌아가지는 않을 것입니다. 제가 이녁을 만난 이후 지금까지의 소원이 침석에 함께 모시고 조반석죽이나마 제 손으로 익혀 공궤하는 것이 아니었습니까? 오늘로써 여윈 몸이긴 하나 그 뜻을 이루었는데 목숨이 위태하다 하여 이 천행을 저버릴 수는 없습니다. 제 손으로 지은 뜨거운 조석을 한 끼나마 드시는 것을 볼 수만 있다 하면 설사 제가 자문을 한다 하여도 여한이 없습니다. 세상에 다시 태어난 것이 어찌 이 아이뿐이겠습니까. 저도 마찬가지입니다.」

가역에 들어간 지 보름을 넘기지 않아서 서른 칸짜리 집 세 채와 소 마흔 필을 들여 맬 수 있는 외양간이 보기 흉하지 않을 정도로 마련되었다. 천봉삼 내외가 기거할 몸채는 건넌방을 열두 칸으로 잡아 행중이 취의청(聚議廳)*으로도 쓸 수 있게 하였고, 몸채를 등지고 있는 바깥 두 채는 가운데 마루를 없애고 봉노를 더 늘렸다. 바람벽 두께는 세 치가 넘게 하여 한절에는 외풍이 없게 하고 하절에는 시원하도록 하였다. 서까래 위로는 발매나무로 산자를 깔고 알매흙*이 새지만 않도록 지저깨비* 발비*를 버무려 얹었다. 살림집과 외양

---

* 산후 실섭 : 산모가 아기를 낳은 후에 몸조리를 잘하지 못함.
* 취의청 : 여러 사람이 모여서 서로 의논하는 곳.
* 알매흙 : 기와를 이을 때에, 산자 위에 이겨서 까는 흙.

간 사이에 넓은 마당을 두었고 바자는 우선 싸리로 형용만 해두었다가 여가 있을 때마다 각담을 쳐가기로 작정하였다. 그러나 봉노 안으로 고개를 디밀면 아직 진흙 냄새가 물씬하고 봉노 네 구석이 오궁골 기방처럼 썰렁하였다. 당장 행중을 호궤하자면 부정지속(釜鼎之屬)*들만은 구처해야 했다. 읍내 저자에 있는 물상객주에 가서 사정을 하였더니 근지(靳持)* 않고 선뜻 허락하여 세간 다섯 바리를 엄대 긋고 사들였다.

그러고 보니 야단인 것은 서른 명에 가까운 홀아비들 끼니 수발하며 빨래품을 팔아 주어야 할 안사람들이 셋뿐이란 것이었다. 게다가 조 소사는 젖먹이가 달려 있어 기동이 남만 못하고 유씨 자매들도 기구 차리고 살던 집의 규수들이라 행중 수발을 끄떡없이 감당해 나가기는 근력부터 모자라는 형편이었다. 그나마 자매 중에 동생 되는 처녀는 주야로 상사(相思)하고 있는 김몽돌의 꽁무니로만 눈길이 가 있어 그릇만 깨뜨렸다. 그저 장님 자루 깁기로 듬성듬성 성기게나마 일을 잘도 감당해 나가기는 옹기장이 여편네였다. 옹기장이도 심지가 충직한 사람이라 햇곡머리에 발바심하기에도 바쁜 터에 노박이로 가역에만 몰두하였다. 위인의 여편네는 빈한한 마름의 소생으로 배총이 떨어지고 겨우 행보를 떼어 놓을 만한 나이 때부터 업저지에, 빨래품에, 물어미 노릇으로 연명해 온 터라, 거동이 굼뜨기는 하였지만 아무리 궂은일이 닥쳐도 무서워할 줄을 몰랐고 남이 거들어 주기를 은근히 바라고 있는 성미가 아니었다. 옹기막 근처에 난데없는

* 지저깨비 : 나무를 깎거나 다듬을 때에 생기는 잔 조각.
* 발비 : 서까래 위에 산자를 얹고, 보온을 위하여 그 위에 까는 잡살뱅이 나뭇조각.
* 부정지속 : 솥, 가마, 냄비 따위의 부엌에서 쓰는 그릇들을 통틀어 이르는 말.
* 근지 : 선뜻 마음이 내키지 아니하여 미룸.

이웃이 들어앉게 되자 옹기장이 여편네는 신바람이 나서 사추리가 닳도록 뛰어다니는 형편이었다. 가역을 치르는 동안 토역장이며 삯꾼들이 한뎃솥 걸린 숙설간으로 모여들어 성가시게 굴면 삭정이를 쳐들어 내쫓기도 하고 사내들 농지거리도 네뚜리 않고 잘 받아넘기었다. 주변머리가 제법 늘품성이 있어 살 센 동기간보다는 상종하기가 수월한 여편네였다.

점복(占卜)이라도 있으면 안택굿이라도 한 마당 놀아 준 뒤에 입택을 했으면 좋겠지만 삼이웃이 떠들썩하게 떠들어 댈 팔자도 아니었다. 토역을 마친 날이 마침 패일(敗日)과 액일(厄日)을 피한 진일(辰日)이라 가지(加持)* 축원이나 올린 다음 그날로 입택을 하고 말았다.

입택한 지 이틀날 해거름에 평구장에 소몰이 갔던 동무님들이 회정하여 돌아왔다. 몰고 온 소가 서른 필에 찌러기 농우소가 스무 필이요, 외양하여 살을 올린 다음 내다 팔 중우(中牛)가 열 필이었다. 거접할 가택이 마련되고 마방에 서른 필의 소까지 끌어다 매고 나니 온 행중이 한금* 얻은 금점꾼들 못지않게 들떠 있었다. 마침 임방에 추수전 갖다 바칠 때도 되었다. 입택한 지 사흘째 되던 날 봉삼이 평강 임소를 찾아갔다.

추수전을 디밀고 자문을 받아 내자 하니 임소의 공원들이 탐탁하게 여기지 않았다. 행중에 토비들이 섞여 있다는 것까지는 눈치 채지 못하였으나 잡배들이란 것을 눈치 챈 것이기 때문이었다. 자문 떼어 주는 일은 고사하고 추수전조차 받지 않으려 하였다. 그러나 지물도가 전계장의 입김이 워낙 드세게 들어먹히는 임소인지라 몇

* 가지 : 부처의 힘을 빌려서 병, 재난, 부정 따위를 면하기 위하여 기도를 올리는 일.
* 한금 : 큰 금덩이.

번이고 미루다가 자문을 떼어 주었다. 앞으로 원상으로서 한 치 부끄러움도 없게 각별 조처하겠다는 봉삼의 약조를 몇 번인가 다짐받고서였다. 한편으로는 임소의 도붓쟁이들이 송파패와 작반하게 되면 봉적할 걱정은 않아도 된다는 속셈도 없지 않아 보였다. 이로써 우선 발등에 떨어진 불똥은 끈 셈이었다.

이만하면 겨울을 나더라도 행중에서 강시 날 걱정만은 없게 되었는데, 난사는 행중이 모두 홀아비 신세를 면치 못하는 위인들이란 점이었다. 근동에 나이 찬 규수들이 없지는 않겠지만 근본이 미천하고 또한 난데서 굴러든 떠돌이들에게 덜렁 딸을 내줄 오줄없는 사람들이 살고 있는 곳은 아닐 성싶었다. 이런 고비가 한번은 닥쳐 올 것이란 예상을 못했던 건 아니었다. 지붕 없이 반평생을 보내고 있는 부평초 신세들일수록 지붕 있는 집에서 처자를 거느리고 살고 싶은 소망이야 더욱 간절한 법이었다.

입택한 지 닷새 되던 날 천 행수와 곰배, 강쇠, 김몽돌이며 수하의 몇 사람이 취의청으로 쓰려는 건넌방에 모여 앉아 회식(會食)들을 하였다. 그때 천 행수가 조용히 입을 열었다.

「우리가 모두 형제의 정의로써 이렇게 지내기로 작정은 되었다 하지만, 사내 명색들이란 행세를 하자면 처속을 거느리는 것이 혈혈단신보다는 낫소. 처속이 있다는 것이 물화의 구색을 맞추는 일과는 다른 것이오. 어찌 육공양을 받는 일이 전부라 하겠소. 지아비가 고황에 들어 혈농(血膿)이 흐르는 몸이 되었다 할지라도 종처를 입으로 핥고 피고름을 빨아 줄 사람은 종국에 가선 여편네뿐이오. 설령 방부라 하더라도 지아비가 죽고 난 뒤 그 소생을 맡아 키워 줄 사람도 제 여편네뿐이 아니겠소. 처속이란 망건과 같으므로 망건이 해지면 석숭(石崇)*이라도 가난해 보이게 마련이오. 우리 행중이 그런 걸 몰라서 한만(汗漫)히 입을 닥치고 있는 건 아닐 것이오. 마침 모인 김에 처속들을 맞아들일 공론들이나 해보시오.」

입이 빠르기로 한다면 강쇠나 김몽돌보다는 한 수 위인 곰배가 거웃에다 손을 집어넣어 스걱스걱 긁고 있다가 봉삼의 말이 흙 묻을까 냉큼 걷어 채면서,

「성님 입에서 그런 말씀 진작부터 나올 줄 알았소. 제가 지물도가 차인붙이에게 슬쩍 퉁겨 보았더니 동네 안침에 매구 뺨치는 매파가 살고 있다 합디다. 까짓것 국 한 국자 더 떠낸 셈 잡고 신발차나 듬뿍 찔러 주고 매파를 구워삶아 놓는다면 임시 궁색은 면할 정도로 계집을 들일 수 있지 않겠습니까.」

「말은 쉽게 하네만 뚜쟁이를 사이에 놓는다 하면 한둘은 인연을 맺어 줄 수 있겠지만, 그래 가지구서야 어느 세월에 온 행중이 부부 인연 맺게 되길 기다리겠는가.」

「아니, 그게 아니면 성님께선 대단한 묘책이라도 있으시단 말씀이오? 계집을 곡식 농사 하듯이 한꺼번에 몰아올 재간이라도 있으시단 말씀이오?」

「우리 같은 형편에 범절 있는 가문의 처자를 맞아들여 사당에 고천문(告天文)*을 올리고 해로동혈(偕老同穴)*하는 것도 아닌데, 매파나 중신애비를 넣어 가지고서는 어렵단 말이지.」

「그것이 어려우면 재주껏 하라 하지요. 정 급하면 절간에 가서 공양 할미라도 업어 오겠지요.」

두 사람이 숨바꿈으로 받고채는 수작을 가만히 듣고만 앉았던 김몽돌이 그때 불쑥,

「도붓쟁이들이 여편네를 얻는 방도란 소싯적부터 한미한 집안의

* 석숭 : 중국의 부자.
* 고천문 : 하느님께 아뢰는 글.
* 해로동혈 : 생사를 같이하자는 부부의 굳센 맹세를 이르는 말.

공방살이하는 과부를 동여 오는 일이 아니었소. 일변 매파를 풀어 초례 치르고 안해들을 맞아들이면서 가근방을 뒤져 과부를 찾는 일이 상책이오.」

「저마다 방도를 찾으라 해두면 행중의 기율이 해이해지게 마련일 뿐더러, 가근방에 좋지 못한 조명이라도 난다 하면 일껏 공력 들여 자리 잡은 보람도 없이 하루아침에 평강 저자에서 쫓겨나는 변을 당하지 않겠나.」

「그렇다면 상종이 잦은 본동이나 근동은 건드리지 말고 육십 리 바깥쪽의 과부만 업어 오면 좋겠지요. 계집들이란 당초에는 앙탈을 부리다가도 살송곳맛을 한번 보고 나면 정분이 저절로 생겨나기도 하고 팔자로 알기도 하여 남정네 따라 살게 마련입니다.」

그때, 불뚱이 잘 내는 곰배가 얼른 말을 가로채서,

「샌님께서는 불알 달고 나면서부터 도붓쟁이로 행세해 온 나보다도 풍속에 밝소이다그려.」

「그걸 내가 왜 모를까. 나도 도붓쟁이에게 계집을 뺏긴 사람인데.」

수작을 하다 보니 가슴이 뜨끔할 정도의 언사가 튀어나온지라, 잠시 자리가 거북해지고 말았다. 총중에서는 입이 무거운 편인 강쇠가 버성기는 자리를 견디기가 어려웠던지,

「시생이 이번에 회정하던 길에 솔모루 숫막에 앉았다가 옆 목로의 동무님들 얘기를 엿들은 게 있습니다.」

하고 부리부터 헐고 나서는 목소리를 낮추어,

「요사이 남양만으로 오른 되 사람 호상(胡商)들이나 왜국에서 잠입해 온 색상(色商)들이 밀통하는 사람들을 은밀히 풀어서 조선의 처자들을 사서는 저들의 나라로 데려가 창기로 팔아먹고 있다는 것입니다. 골자를 알고 보면 가슴을 칠 만큼 분통이 터지는 일입니다. 그놈의 상선이 발묘(拔錨)*할 적마다 이삼십 명의 처녀들을

몰래 태우고 있다는 것이지요. 우리가 너무 조급하게 굴 것이 아니라 행중 사람들을 풀어서 수소문해 보면 색상들과 밀통하고 있는 작자들을 만날 수도 있을 것입니다. 그 색상들을 추쇄하여 호망 치듯 일거에 덮치면 사지로 팔려 가는 처녀들을 구하고 우리 행중에서도 힘 덜 들이고 처속을 맞을 수 있겠지요. 색상들은 역률로 다스림을 받아야 하겠으니 억울하다 해도 관아에 발고치 못할 것이고, 처자들도 왜국으로 끌려가서 창기가 되느니보다 내 나라 사람의 안해가 되겠으니 그런 천행도 아닌 밤중에 찰시루떡이요, 우리 행중 역시 도랑 치고 가재 잡는 격이지요.」

「그 말이 그중 그럴듯하오. 그러나 밤에만 나다닌다는 색상들을 가려내기가 여간 어려운 일이 아닐 터인데?」

「과부 업어 오는 일인들 쉬운 일이 아니지 않습니까. 게다가 동티라도 났다 하면 온 행중이 학질을 앓는 꼴이 됩니다.」

뜨악한 낯빛을 짓고 있는 세 사람에게 강쇠는 아퀴 짓고 말자는 듯 언성을 높여서,

「우리 행중이 도합해서 서른이 넘소. 이 행중을 열흘 동안만 풀어서 수배한다면 저자에 잠복하고 있는 색상 한두 놈쯤이야 포망에 잡아넣을 수 있겠지요. 더욱이나 평강은 원산포와 서울 간의 길목이 아닙니까. 우리가 모르고 있어 그렇지 이 목쟁이로 색상들이 수없이 드나들고 있을 것입니다.」

「그러면 이번 원산 행보 다녀와선 행중을 풀어 색상이나 그들과 내통하고 있는 자들을 수소문하도록 하지. 그러나 그놈들도 모가지를 걸고 하는 장사라 세력들이 보통 아닐 거요. 내 듣기로는 궐자들 중에는 진수군(鎭守軍)에서 장번 군사(長番軍士)*로 역을 살

* 발묘 : 배가 떠남을 이르는 말.

* 장번 군사 : 궁중에서 장기간 유숙하며 교대하지 아니하고 근무하던 군사.

다 쫓겨난 퇴물도 있고 선창 어귀 군영에서 허드렛일하던 마디 굵고 억센 골격들도 있다고 들었소. 엄포를 놓다 안 되면 칼을 휘둘러 사지에 빠뜨린다니 유념해야 할 것이오.」

「궐놈들의 칼이 산멱통*에서 뒷덜미까지 뚫는다 하여도 곰배팔이도 아닌 우리가 당하고만 있겠습니까.」

말이 길다 보니 강쇠가 곰배를 타박하게 생겼는지라 자리가 버성기게 되었다. 소가지 있는 곰배가 가만히 듣고 있을 리가 없었다.

「아니, 강쇠, 자네가 여러 인총 중에서 나를 욕뵈는 게 아닌가?」

강쇠가 찔끔하여 당장 발명을 못하고 봉삼에게 눈짓하였다. 봉삼이 핀잔주기를,

「별것을 가지고 불뚱가지를 내는구먼. 가로 찢어진 입에서 나오는 말이 사뭇 곧을 수만은 없는 법이 아닌가. 그런 우스개로 한번 웃어야지, 아니면 우리가 언제 웃겠나.」

「우스개도 분수 나름이지, 내가 하치않게 보이는 게 뭐가 있다고 숱한 병신 두고 하필이면 곰배팔이를 들추는가?」

「어허, 이 사람, 그만 소증 풀고 고정하게.」

약차하면 오둠지진상을 하려고 대들 것만 같아 소매 잡아당겨 앉히느라고 모두들 진땀을 뺐다. 버성기는 자리도 풀 겸 강쇠가 어떤 도붓쟁이가 음분한 계집을 욕보인 이야기나 하겠다고 나섰다.

「옛날 양주 고을에 시골 저자를 돌며 건어물을 풀어먹이는 수완 좋은 도붓쟁이가 살았지 않겠나. 그러나 집구석에 있는 안해라는 계집은 원래 색을 몹시 밝히는 음분한 계집이었다네. 그 계집이 장삿길 나간 사이에 이웃 동네의 건달인 간부(姦夫)와 사통하고 있다는 것을 알았다네. 계집의 버릇을 단단히 고쳐야겠다고 마음

* 산멱통 : 살아 있는 동물의 목구멍.

먹었지. 도붓쟁이는 해 질 무렵이 되자, 여느 때처럼 치행하여 길을 떠나면서 한 장도막 뒤에나 돌아오겠다는 말을 남기고 길을 뜨지 않았겠나. 그러나 멀리 가지 않고 집 근처에 숨어서 계집의 거동을 엿보고 있었다네. 어둑발이 내리자 계집은 살쩍을 곱게 하고 나가더니 간부를 데리고 집으로 돌아오더라네. 삽짝을 단단히 잠그고 방으로 들어가더니 육허기를 채우기 시작하는데 갖은 희학질을 다 벌이더라네. 몇 합을 이루더니 연놈은 촛농처럼 늘어져서 잠이 들더라네. 도붓쟁이는 이 틈을 겨냥하고 있다가 바자를 뛰어넘어 부엌으로 숨어들었다네.」

「저런 놈이 있나. 봉노로 돌입해야지 부엌간엔 뭣 하러 들어간담.」

「까닭이 있었지. 부엌으로 들어간 도붓쟁이는 불씨를 일으켜 들기름을 끓여 보시기에 부어 들고 연놈이 널브러져 잠든 봉노로 살그머니 들어갔다네. 한잠에 떨어진 간부놈의 귓속으로 짤짤 끓고 있는 기름을 들이부었더니 간부는 끽소리 한 번 없이 그대로 식은 방귀를 뀌고 말았다네. 간부놈을 죽이고 난 도붓쟁이는 다시 바자를 뛰어넘어 밖으로 나가서 삽짝을 뒤흔들며 문을 따라고 소리를 질렀지. 고함 소리에 놀라 잠이 깬 계집이 듣자 하니 한 장도막 뒤에나 돌아오겠다던 제 서방이 그날로 회정한 것이 아니었겠나. 화들짝 놀라 곁에 누운 샛서방을 깨웠으나 이미 명이 끊어져 있었다네. 놀랄 틈도 없었고 잠시 지체할 겨를도 없었던 계집은 시체를 차렵이불에 둘둘 말아선 허둥지둥 시렁 위에다 올리고 나가서 떨리는 손으로 삽짝을 따주었다네. 방 안에 들어온 도붓쟁이는 곧장 잠잘 채비를 하면서 시렁 위의 이불을 내리라고 하지 않았겠나. 눈깔이 뒤집히게 놀란 계집이 곧장 새벽이 올 것이니 이불 내릴 것 없이 그냥 자자고 우기고 드는 것이었지. 그러나 도붓쟁이가 가만있을 리가 없었지. 벌떡 일어나서 시렁 위의 이불을 내리자니 죽은 송장이 나뒹굴지 않았겠나. 도붓쟁이가 놀라는 기색을 죄다 얼굴에 담고는, 네년이 샛서방과 색사를 즐기다가 이제 남의 서방까지 죽이게 되었으니 이런 몰매 때려죽일 년이 어디 있느냐고 갖은 야단을 다 떨었다네. 무두질해 놓은 낯짝으로 오줌을 설설 싸고 있던 계집이 하는 말이야 뻔하지 않았겠나. 죽을죄를 지었으니 한 번만 살려 달라고 했었지. 그러나 음분한 계집의 행실이란 한 번 살려 주어 봤자 또 그 짓이겠지. 그러나 도붓쟁이는 시키는 대로 해야만 용서받을 수 있을 것이고 자녀소(姿女沼)에 빠지는 신세를 면한다고 하였지. 계집이 그것을 마다하겠는가. 도붓쟁이는 계집에게 송장을 업고 십 리 밖에 있는 연못에다 송장을 버리고 오되 인기척이 나거든 지체 없이 되돌아오라고 하였다네. 계집에게 송장을 업혀 보낸 도붓쟁이는 집을 빠져나와 연못에 먼저 당도해 있었다네. 과연 얼마 있지 않아서 송장 업은 계집이 연못가에 당도하였지. 그때 도붓쟁이는 부싯깃을 치며 인기척을 하지 않았겠나. 기겁을 한 계집은 시체를 내려놓고 숨 들일 틈도 없이 되돌아설 수밖에 없었다네. 도붓쟁이가 재빨리 집으로 돌아가 있자니 전신에 땀이 노드린 듯한 계집이 집으로 들어서는 것이 아닌가. 그러나 새벽별이 뜨기 전으로 송장을 처치해야 하지 않았겠나. 연못에 던지기가 여의치 못하면 마을 뒷산 중턱에다 묻을 수밖에 없다고 하였지. 기진맥진한 계집이 뒷산으로 올라 송장을 마악 내려놓으려는 찰나 먼저 가 있던 도붓쟁이가 또한 인기척을 하니 계집은 또한 집으로 되돌아설 수밖에 없게 되었다네. 밤새껏 계집을 골탕먹이고 나니 기진한 계집의 형용은 말이 아니고 눈자위는 허공에 떴다네. 도붓쟁이가, 사람을 죽일 줄은 알아도 송장 치우는 솜씨는 왜 없느냐고 꾸짖고 난 다음 계집에게 방 안에 가만히 앉아 있으라 하고는 손수 송장을 메고 고을에서 세도깨나 부린다는 풍헌의 집으로 갔지 않았겠나. 꼭두새벽이라 풍헌의 집은 아직 대문을 열지 않고 있었는데 송장을 대문 앞에 세워 놓은 도붓쟁이는 난데없이 풍헌의 함자를 개 부르듯 하며 갖은 트집을 다 하니 언사에 방자하고 욕되기가 그지없었다네. 심지어는 풍헌의 대방마님 행실까지 흠담(欠談)하며 욕보이는지라 풍헌은 수하의 종복들을 불러 대문 밖에 있는 저놈을 아주 단매에 쳐죽이라고 추상같은 분부를 내렸지 않았겠나. 종복들도 듣자 하니 이런 야단은 만고에 없던 행사라 풍헌의 분부가 떨어지자마자 대문을 열고는 버티고 앉은 놈을 눈에 익힐 사이도 없이 매찜질을 하였다네. 종복들이 몸채로 들어와서 분부대로 단매에 궐놈을 요정 내고 말았다고 의기양양하였다네. 풍헌이 소증을 삭이고 난 뒤 생각하니 분김에 쳐 죽이라고 하긴 하였으나 종복들이 첫곧이듣고 분부대로 거행하여 살변을 일으키고 말았으니 난리는 크게 벌어진 셈이 되었다네. 설왕설래하는 중에 도붓쟁이가 우연히 지나는 체하다가 들어와선 어찌하시다가 살인을 하게 되었느냐고 얼굴에 근심을 가득 담고 물었지 않겠나. 풍헌은 도붓쟁이가 범백사에 신실한 사람인 데다 수완도 능하다는 걸 알고 있었다네. 어찌 되었든 신발차를 후하게 내릴 것이니 이 송장을 쥐도 새도 모르게 치워 달라고 매달렸지 않았겠나. 도붓쟁이가 그런 말씀 마시라고 할 때마다 신발차는 자꾸만 불어나 나중엔 기백 냥에 이르게 되었다네. 도붓쟁이는 방에 들어가서 수결한 어음표를 받아 몸에 단단히 단속하고 그날 밤 어둡기를 기다려 송장을 업고 간부의 집으로 찾아가 대문을 두드렸다네. 간부의 여편네는 자기의 서방이 천하에 몹쓸 건달 육객으로 밤에 나가 이튿날 밤에 와서 대문을 두드리니 여편네의 분기도 이제는 더 참을 수 없는 처지에 이른 셈이었지. 아무리 대문을 두드리고 발을 굴러도 대문을 따주지 않았다네. 이에 도붓쟁이는 죽은

자의 목소리를 흉내 내어 만약 대문을 따주지 않겠다면 이대로 목을 매어 자결하고 말겠다고 으름장을 놓았다네. 여편네는 건달들이 항용 지껄이는 소리로 알고 코대답도 않고 있었다네. 도붓쟁이는 송장이 입고 있는 도포의 콩소매에다 북어와 과일을 조금 넣은 뒤에 대문 도리*에다 목을 매어 두고 집으로 돌아갔다네. 간부의 여편네가 가만있자 하니 그토록 지랄 발광을 하던 서방이 잠자코 있은 지가 퍽 오래된지라 새벽까지 주저하다가 못 이기는 체하고 대문을 따주지 않았겠나. 그러나 이제 죽고 말리라던 제 서방이 대문 도리에 목을 매고 죽어 있더란 말일세. 하늘이 무너지는 것 같았겠지. 끌어안고 우는 중에 도포 자락 콩소매에 무엇이 들어 있다 싶어 뒤져 보았더니 북어와 과일이 나왔지 않았겠나. 남의 계집을 보러 나간 것이 아니고 제사에 쓰려고 제사 흥정까지 해온 줄 모르고 대문을 따주지 않았으니 목을 매겠다고 할 만하지 않았겠는가. 간부의 여편네는 넉장거리를 하는 것이었는데 그 대성통곡이 장례를 치를 동안 그칠 사이가 없었다 하네.」

처음에는 삐뚜름해서 멀찌막이 앉았던 곰배가 그때 다급하게 물었다.

「그렇다면 그 도붓쟁이의 계집은 어찌 되었나? 그만 칵 죽이고 말지. 그래, 제독만 주고 말았단 말이여?」

「그게 도붓쟁이들의 설움이 아니겠나. 계집을 죽이고 나면 어느 계집이 오쟁이 진 도붓쟁이에게 재취를 들겠는가. 가슴이 쓰리고 눈이 뒤집힌다 할지라도 참고 살아야지.」

「우리 중에 수완이 그만한 사람이 있다면 행중을 달포 안으로 짝지어 주지 않겠나.」

---

* 도리 : 서까래를 받치기 위하여 기둥 위에 건너지르는 나무.

18

발설은 천봉삼으로부터 비롯된 것이나 색상을 찾아내는 궁리에는 강쇠가 한몫할 것 같아 원산포 행보는 곰배가 도맡기로 작정들 하였다. 강쇠가 가근방 저자의 풍속에 밝은 몇 사람들에게 수소문하였더니 나루지기나 사공들을 찾아가서 덫을 놓아 보면 소득이 있을 것이란 얘기들이었다. 이튿날 첫새벽에 네 사람이 치행하여 대치나루로 떠났다. 계집들을 찾는 일이라 살같이 걸어서 발정 당일 저녁 이경쯤에 대치나루에 득달하였다. 배를 매고 한잠이 들었던 대치나루 사공은 갑자기 들이닥친 평강 행중에 무슨 변고 났다 싶어 웬일이냐고만 되씹어 물었다. 자초지종 얘기를 듣고 난 사공이 제정신을 못 차리고 여러 번 고갯짓을 하더니,

「요지간에 심메꾼 복색을 한 패거리들이 일순이 멀다 하고 나루를 건너다닌 일은 있었습지요.」

「산동 지경에서 심메꾼들이야 흔하게 볼 수 있는 사람들이 아닌가. 색상이 하필이면 심메꾼으로 변복하고 내왕할 까닭이 뭘까?」

「도부 다니는 행세를 하자면 임방에 추수전 바친 자문이며 임방의 상임(上任)을 좍 외워 바칠 줄도 알아야 하지 않겠습니까요. 그 위에 혹시 기찰에 물린다 할지라도 걸망을 멘 심메꾼들에게는 별로 까다롭게 굴지 않거든요.」

「그럴싸하네만, 그 많은 심메꾼들 사이에서 계집 도매(盜賣)하는 잡것들을 어떻게 가려낸단 말인가?」

「심메꾼들이 산동 지경 산속으로 심메 보러 한번 들어갔다 하면 눅게 잡아도 달포간은 세상 등지고 살아야 회정길에 오를까 말까 아닙니까. 회정할 때에는 다른 노정을 잡을 수도 있겠지요. 그런데 제가 본 그 심메꾼들은 이 서너 달 사이에 나루를 대여섯 번씩

이나 건너다녔단 말씀입지요. 저도 문득 이 심메꾼들이 심메 보러 들어가진 않고 왜 나룻목에서만 놀고 있는가 싶었으나 심상하게 보아 넘겼지요. 오늘 행수님께 말씀 듣고 나니 수상쩍다는 생각이 듭니다요.」

사공의 말이 외착 나지 않았다면 그 패거리들이 심메마니들이 아닐 것이고 하다못해 당화 패물이나 왜물 잡화를 내륙에다 풀어먹이는 잠상꾼 정도는 됨 직하여 강쇠가 다시 물었다.

「그렇다면 지금 그 패거리들이 회양 지경으로 나갔는가, 평강 지경으로 들어갔는가?」

「그건 제가 모르지요. 눈여겨보지 않았으나 자주 보았다는 기억밖에 없습니다.」

「그렇다면 무턱대고 여기서 기다린다는 것도 싱거운 일, 공연히 헛다리품만 팔았군.」

그때였다. 조 소사의 보교가 평강으로 내려갈 적에 교군 노릇을 하였던 일행 중의 동무님이 곁에 앉은 동무님에게 눈짓하면서,

「우리가 솔모루 숫막에서 잠시 보교를 내리고 중화 할 때 술청 목로에 둘러앉았던 심메꾼들 생각나지 않는가?」

「생각나는군. 우릴 보고 신연 행차의 내행이시냐고 꼬치꼬치 묻던 위인들 말하는 것 아닌가?」

「바로 그 위인들이여. 그놈들이 혹시 우리 뒤를 추쇄하는 깃득(衿得) 문서 지닌 추노객들이 아닌가 하여 행색들을 유심히 살폈었다네. 심메꾼들이란 게 심메 들기 전에는 부정 탄다 하여 중로에서 숫막에나 들르던가. 그 위에 손마디가 곱고 속살도 흰 신색이라 도대체 시골고라리 행색들이 아니었다네.」

「그놈들이라면 벌써 우릴 앞질러 산동 지경 깊숙이 올랐을 테지.」

「아닐세, 그놈들 술청에 죽치고 묵새기는 꼴이 누굴 기다리며 술

로 소일하고 있는 것 같기도 하였고, 노정이 조급해 보이는 축들로 보이지 않더라구.」

「자네 짐작이 옳다면 우리가 여기서 한번 기다려봄 직도 하지 않은가.」

심메마니라는 축들이 다시 나루에 나타나서 사공의 얼굴에 익다 하면 한번 기다려 볼 만한 가치는 있었다. 봉 대신 꿩이라고 색상이 아니라면 잠상꾼들이 틀림없을 것이니 둘 중에 한 가지는 맞겠다는 공론들이 돌았다. 한 닷새를 허송시키기로 작정하고 대치 나룻목을 지켜보기로 하였다. 그러나 그 패거리들을 만났던 곳이 솔모루이기 때문에 평강으로 해서 회양을 거치는 노정을 잡을 것인지, 아니면 고양(高陽) 벽제관(碧蹄館)으로 해서 곧장 원산포 대로로 빠질 것인지는 예상할 수 없는 일이었다. 그러나 위인들의 본색이 색상이나 잠상이라면 내왕이 잦고 기찰이 엄한 대로보다는 산동 지경의 산골을 헤맴 직하다는 짐작이 드는 것이었다.

그러나 행중이 사흘을 기다려도 패거리들은 나룻목에 코빼기도 내밀지 않았다. 모두들 사공에게 밥을 부쳐 먹으면서 끼니만 축내고 앉아 있기 진력이 나자 사공 대신 나루질을 해보기도 하고 산속을 뒤져 꿩을 잡아 꿩고기 추렴들을 하기도 하였다. 그간 원산포로 오르는 곰배 행중을 보내기도 하며 닷새째 되던 날 아침나절에 솔모루 숫막에서 본 그 심메꾼 셋이 나룻목에 나타났다. 게다가 촌생장인 듯하긴 하나 모색이며 육기가 동탕하게 생긴 댕기머리 처자(處子) 두 사람이 일행이었다. 그러나 나룻목에 앉아 배를 기다리는 동안 동행이 아닌 것처럼 먼발치로 떨어져 앉았다. 그러나 골자를 대강 짐작하고 있는 이쪽에서 보면 서로 눈짓까지 주고받는 것이 확실해 보였다. 강쇠가 사공에게 귓속말로 물었더니 두 장도막쯤 전에 건너갔던 심메꾼들이 틀림없다는 것이었다. 배를 갖다 대었더니 처자들은 다른 행객들과 뒤섞여 고물간 덕판으로 올랐고 심메꾼들은 이물간으로 가서 앉았다. 강쇠 일행도 물론 같이 배에 올랐다. 사앗대로 배를 밀어 강심에 띄우고 노질을 하던 사공이 처자들에게 물었다.

「모색을 보아하니 먼 길 행보 나선 내행들 같으신데 어디로 나들이시오?」

노깃에 감겨 넘어가는 물소리 때문에 묻는 말이 들리지 않았던지 처자들은 처음 대꾸가 없었다. 사공이 다시 묻자, 그중의 한 처자가 볼우물을 지을 듯 말 듯하면서,

「먼 길 행보는 아닙니다. 회양에 척간이 있어 그리로 길쌈 바라지를 가는 길이지요.」

「척간이 있어요? 나도 회양 내왕은 잦았던 터라 회양이라면 면이 익은 곳이요. 회양 뉘 댁이신데요?」

「워낙 한미한 집안이라 제가 말해도 모를 것입니다.」

「그래도 혹시 알고 있는 집안인지 모르지 않습니까. 말씀해 보슈?」

처음 대꾸하던 처자는 더 이상 말문을 닫아 버리었다. 그러나 자주 꼴뚜기를 진장 발라 구운 듯이 모색이 검게 탄 옆의 처자가 사공의 면판에 대고 입을 비쭉거리며 핀잔준다는 말이,

「남의 사정 물어 갖고 밥을 할 끼가 죽을 쑬 끼가. 도도 촘촘하게 물어 쌓네, 참말로.」

사투리가 서로 판이하니 노중에서 어쩌다 서로 작반하게 된 사이란 게 그로써 분명해졌다.

맞은편 곶머리에서 배에서 내리자마자 교군질 나갔던 동무가 심메꾼 한 사람을 잡고 구면이 아니냐고 반색을 하였다. 소매까지 잡아당기며 인사치레가 늘어진 동무를 보자 심메꾼은 뜨악해하는 기색이 완연하였다. 그러나 솔모루에서 자기들 먼저 수작을 트고자 하였으나 워낙 별미쩍게 굴던 기억은 오래되지 않아 생청을 내붙이고

돌아설 수는 없었던 모양이었다. 동무님이 묻기를,

「노형들은 어디로 가시오?」

「심메 나선 우리야 심산유곡밖에 또 어디 있겠소. 그런데 보교는 어디 두고 또 어느 곳으로 행보들이시오?」

「심산유곡을 지나가야 하는 것은 우리도 마찬가지입니다.」

심메꾼은 농을 하는 줄 알아 픽 웃음을 흘리고는 들메를 고치는 체하면서 나룻목에 서성거리는 옆의 일행과 처자들에게 눈짓을 하였다. 이때 동무님이 불쑥 퉁기기를,

「저 내행들과는 동행이신 모양인데, 우리 이러지 말고 작별할 길목까지 길동무해 가십시다.」

「처자들과 동행한 건 어찌 아셨소?」

「곧장 가지 않고 노형을 기다리고 서 있지 않소?」

「거 눈치들 한번 빠르시군. 사실 같은 동리의 처자들인데 안변 지경까지 간다기에 노중에서 작경(作梗)이나 만나 봉변하지 않을까 하여 우리가 돌보아 주기로 하였소.」

「그렇다면 아주 잘되었구려. 같이 풍상을 겪어야 할 터수에 우리도 마침 원산포까지 오르는 길이니 작반토록 하십시다. 노형 의향은 어떻소?」

「좋도록 하시구려.」

이쪽에서 염치 불고하고 끼어드는 게 귀찮아서인지, 아니면 작자들의 성깔이 무던해서인지는 몰라도 순순히 작반하기를 허락하였다. 물론 작반을 입낙한 이면에는 임시처변으로 대답해 두고 안변까지 오르는 중로에서 행중을 따돌리겠다는 속셈이거나 약차하면 엄포를 놓아서라도 행중 네 사람을 튀겨 버릴 작심에서였겠지만, 이쪽 행중 사람들도 생무지들이 아닌 이상 그 눈치를 모를 리 없었다. 그러나 안변 지경까지 길동무하자고 허두를 뗀 것은 행중 쪽의 위계였

다. 만약 안변 지경까지 작반하였다간 색상 패거리들의 근거지를 찾지 못할 것이었다. 그리고 이쪽이 노리고 있는 골자가 무엇인지도 당장 알아차릴 것이 분명하였다. 회양을 거쳐 철령을 넘어 고산(高山) 쉴 참에 이르기까지 패거리들은 쉴 참에서는 으레껏 쉬어 가자 하고 쉴 참이 아닌 곳에서도 처자들의 노독을 핑계하여 자꾸만 쉬어 가자고 하였다. 이쪽의 의중이 어디에 있는가를 점쳐 보자는 심산에서였다. 고산 쉴 참에서 강쇠가 더 이상 노량으로 걸을 수 없다 하여 심메꾼들에게 말했다.

「노형들과 더 이상 작반하였다가는 쇠푼으로 겨우 연명하는 우리들 밑전조차 놓아 버리겠소. 우리는 안변장 안날에는 대어 가야 할 판이니 이거 체면이 아니오만 우리 행중만 한 발 더 놓아야겠습니다.」

「그게 좋겠소. 우리도 살같이 비비고 걸어야 할 처지들인데 저 처자들 때문에 이 꼴이 되었소.」

여러 말 주고받을 것도 없이 일행이 먼저 쉴 참에서 일어서고 말았다.

행중 사람들이 작정하기로는 안변 지경까지 먼저 당도하여 장맞이하기 좋은 목에서 지키고 있다가 또한 우연히 만난 것처럼 하자는 것이었다. 그들이 딴 길이 아닌 안변 지경으로 오르리란 것은 하루 작반하는 중에 은자 몇 닢을 슬쩍 건네주고 두 처자에게서도 얻어들은 얘기였다. 두 처자는 그들의 주지(住址)를 소상하게 일러 주지는 않았으나 사지에 떨어지게 된 속사정들만은 얻어듣게 되었다. 근기 지경의 사투리를 쓰고 있는 처자는 남양만 어름의 어느 고을에 살았던 모양이었다. 처자는 그곳의 수자리를 살러 왔던 군정(軍丁)과 눈이 맞아 화닥닥 아이를 배고 말았다. 애를 배게 되자 우선 다급한 김에 지붕 용마루 위에 돋아난 들메밀을 한 바가지나 뜯어 삶아 먹고 애를 지우긴 하였는데 염장까지 뛰어나와 복통을 참아 넘기다가 염장꾼들에게 발각되어 동네에 소문이 짜하게 퍼지자 그만 색상들을 따라나서기로 작정한 터였다. 경상도 영양(英陽) 인근에 살았던 다른 처자는 송기죽과 장떡으로 십수 년을 넘기다 보니 항문이 찢어져 배꼽까지 올라올 판이라 육물을 실컷 먹여 주고 좋은 옷으로 치장하게 해준다는 도붓쟁이 하나를 만나 솔깃한 김에 병추기가 된 어미를 방구들에 뉘어 둔 채 여러 손을 거쳐 이제 색상들을 따라나서기에 이르렀다는 것이다.

안변 지경에 당도한 행중 사람들은 마침 장터 병문에서 잔술을 팔고 있는 해끔한 들병이 하나를 꼬드겼다. 군돈을 앞전으로 치르고 얹은머리를 풀어서 댕기머리로 변발을 시킨 다음 숨겨 두고 색상들이 나타나기를 기다렸다. 행중이 안변 지경에 당도한 지 이틀 뒤에 패거리들은 처자 다섯을 안동하고 나타났다. 처자 다섯을 앞세우고 빨랫줄 한 길이만 한 행보를 하고는 장터목으로 들어서는 패거리들을 발견하자 이번엔 강쇠가 앞으로 나섰다.

「아니, 노형들, 여기서 또 만났구려.」

면이 익다고는 하나, 비 오는 날 삽살개 만난 듯이 반갑지도 않은 위인들을 두 번씩이나 마주치게 된 데는 궐자들도 더 참을 수 없었던 모양이었다. 아주 못된 기색을 하고 비켜서려 하였다. 강쇠가 앞을 가로막으면서 난색을 짓는 것이었다.

「사실은 제가 무척 난처한 지경을 당하여 노형들을 장맞이하려고 꼭두새벽부터 목을 지키고 있었소이다.」

「우리가 무슨 꿀단지나 안고 다니는 사람들로 알고 있소? 얌통머리 없게 왜 자꾸 지다위하려 드는 거요?」

「지다위할 연유가 있어서가 아닙니까? 실답지 않게 생각 마시고 어디 내왕 뜸한 곳으로 가서 제 사정 얘기를 좀 들어주십시오.」

「작반하다 분수작별했으면 그만이지, 내게다 무슨 사정을 토파하려는 거요? 딱하기가 그런 사정이라면 임소나 객주를 찾아갈 일이란 건 삼척동자라도 알고 있는 일이 아니오?」

「임소에 가보라구요? 그랬다간 구천에 빠지고 맙니다. 그럴 사정이 못 되니 저리 좀 가십시다.」

마침 장터 윗녘에 시게전이 있고 시게전 위로 옹기전 골목이 있었다. 옹기전 뒤로 겨우 마소가 들락거릴 만한 고샅이 있어 내왕이 없는지라 강쇠는 버티기만 하는 색상을 무작정 끌고 들어갔다. 색상도 완력에는 행세깨나 하는 위인인지라 겁 없이 따라오긴 하였다.

「사실 나는 노형들이 산골의 처자들을 후려서 도매(盜賣)하는 색상들이란 걸 진작부터 알고 있었소이다.」

「헤, 참, 쇠똥에 미끄러져 개똥에 코 박을 일을 보았나? 누굴 잡고 허방에 빠뜨리려 드는가?」

궐자가 펄쩍 뛰고 나올 줄 십분 짐작했던 강쇠는 한 수 앞질러서,

「왜국의 색상들과 밀통하다 금란(禁亂)이 잡히면* 따로 결옥이 없어도 율에 따라 참수(斬首)당한다는 것을 난들 모를 리 있겠습니까. 그러나 제 처지가 워낙 위급하고 보니 마침 이틀 작반으로나마 면분이 생긴 노형과 부동(附同)*을 꾀하려는 것 아니겠소?」

「내게 부동을 빌 게 무어요? 행중의 짝패가 셋씩이나 되지 않았소.」

「사실은 어젯밤 제가 설레꾼들 꾐에 빠져 탄장(攤場)에 끼어들게 되었소이다.」

「그래서?」

「엿방망이판에서, 가근방 장거리를 돌던 늙은 도붓쟁이의 딸을 노

* 금란(이) 잡히다 : 금제(禁制)를 어긴 사람이 잡히다.
* 부동 : 줏대 없이 남의 의견에 따라 움직임.

름빚으로 떠맡게 되었구려. 달리 입체를 서줄 만한 동무도 없었던 지 도붓쟁이는 딸년을 내게 넘기고는 온다 간다 통기도 없이 훌쩍 안변 땅을 뜨고 말았구려. 처음엔 욱하는 김에 육허기나 채워 볼까 하고 덜컥 계집을 맡긴 하였습니다만, 하룻밤을 동품하고 나니 계집을 달고 다닐 형편이 아니었질 않겠소. 고향엔 처속이 있고 나 또한 색사와는 상극이외다. 고초가 눈앞에 닥쳤다 싶은데 마침 노형들이 생각나지 않겠소. 내 사정이 대단 딱하게 되었다고는 하나 명색 장사치로 계집을 공다지로 넘길 수는 없는 것, 헐가로 넘길 것이니 제발 데려가 주오. 다시 만난 인연으로 보아서도 사정을 들어주오.」

「심심소일로 듣자면 참말 같고 첫곧이듣자 한다면 거짓말 같소.」

「이런 복장 치고 자빠질 노릇이 있겠나. 내 언사에 어폐가 보이면 시재 당장 계집을 보여 드리면 되지 않겠소. 산골 계집치고는 흐벅진 살집에 견양이 그만하면 면추는 했더이다.」

이제 쇠잔하여 기력도 남을 따르지 못하고 셈이 어두워 흥정도 날쌔지 못해 타관을 떠도는 저승패 도붓쟁이들이 색전(索錢)의 마지막 수단으로 옛날 솜씨만을 믿어 투전판에 끼어들고 판돈과 노름빚에 궁해지면 아도물(阿堵物) 대신 계집을 넘기는 경우도 없지 않았기에 색상은 강쇠의 말을 믿고 말았다. 나중을 약조하고 색상이 자리를 뜨자 강쇠는 변복시킨 들병이와 동패가 기다리고 있는 숫막으로 돌아갔다. 그리고 어둑발이 내리기를 기다렸다.

이경(二更)쯤에 들병이를 안동하고 지소해 준 색상들의 둔소에 찾아갔을 때 강쇠는 또 한 번 놀랐다. 안변 관아 삼문 앞을 지나서 활한 바탕 상거로 담장을 끼고 따라 오르면 바로 관아의 뇌옥(牢獄) 뒤가 되었다. 색상들이 강쇠를 기다리고 있던 집은 뇌옥에 켜둔 횃불빛이 훤하게 바라보이는 낯선 여염집이었다.

그 집의 주인장이란 위인은 원래 안변 관아 목마장(牧馬場)의 쇄마(刷馬)*를 조련시키던 승발(承發)*로, 잠상꾼들에게 쇄마를 빼돌리다가 들통이 나서 역을 빼앗기고 물러난 다음, 뇌옥 뒤에다 자리를 잡았다. 평소 안면 있던 쇄장이들을 구워삶는 재간이 있어 자기 집에다 옥바라지하는 사람들을 불러들여 밥을 부쳐 먹게 하고 배자예채*나 헐장금(歇杖金)*을 중도에서 가로채 군돈을 챙기는 위인이었다. 강쇠가 들어선 곳이 그 집이었는데 산초기름 등잔이 타고 있는 봉노로 들어서자 낮에 보았던 색상이 나와 반기었다. 안동해 온 들병이에게 힐끗 시선을 돌리던 색상이 터놓고 물었다.

「구문은 얼마면 되겠소?」

색상은 등잔을 들어 계집의 모색을 살핀 뒤에 들병이에게 물었다.

「너 나를 따라가겠느냐? 여기 있는 도붓쟁이를 뒤따라 다녀 보았자 배를 주리고 찬비에 젖을 뿐이다. 이런 불흉년에 계림팔도 어디를 뒹굴어도 송기죽에 북덕무명으로 겨우 배꼽을 가리고 창자를 쥐어짜다가 까막까치 울부짖는 북망산 기슭에 버려질 것이 아니냐. 배불리 먹고 좋은 옷에 호강을 누린다면 너와 같은 못된 매골을 쓰고 나온 처자에게 그런 천행이 어디 있느냐.」

들병이가 그린 듯 토벽에 기대고 앉았다가 보일 듯 말 듯 고개를 끄덕이었다. 그러다가 기어드는 목소리로 묻기를,

「포촌(浦村)*에서 생장하여 선창 어귀 게막이나 염장 부엌간을 떠돌며 잔뼈가 굵어 갯가 물정밖엔 아는 것이 없습니다만, 세상에 그

---

* 쇄마 : 지방에 배치하여 관용(官用)으로 쓰던 말.
* 승발 : 지방 관아의 구실아치 밑에서 잡무를 맡아보던 사람.
* 배자예채 : 잡혀가는 죄인이 사령에게 뇌물로 주던 돈.
* 헐장금 : 장형(杖刑)을 행할 때, 아프지 않도록 헐하게 매를 쳐달라고 주는 돈.
* 포촌 : 갯가에 있는 마을.

런 무릉도원이 있기나 합니까…….」

「내가 너를 사지에다가 끌어 박겠느냐. 행려시(行旅屍)는 만들지 않겠으니 따라와 보아라. 그러나 작정한 연후에 행여 배심을 먹었다간 애매하게 화풀이를 당할 것이니, 그리 알아라. 내가 이래 봬도 가근방에서는 호가 난 중신애비다.」

「행여 제 근본을 들추어 정가하면 어떡하나요?」

「만에 하나 그런 일 없을 것이니 염려 놓아라.」

그때 색상은 뱃구레에 매었던 전대를 풀어 북덕무명 다섯 필 값을 내놓았다. 북덕무명 다섯 필 값이 아니라 한 필 값이라도 강쇠에겐 상관없는 일이었다. 그러나 당장 훌쩍 일어서는 것도 의심받을 일이라 부득부득 졸라서 반 필 값을 더 받아 내고서야 집을 나섰다. 숫막으로 돌아오니 동패들은 들메를 바싹 죄고 강쇠 오기만을 기다리고 있었다.

「거처(去處)를 탐지하였네. 눈치들을 보자 하니 첫닭 울기 전에 떠나서 아침나절에 원산 포구까지 댈 모양이야. 그런데 처자들이 몇이나 되는지 그걸 알 수 없었다네.」

듣고 있던 동무가 불쑥 내뱉기를,

「까짓것, 계집이 몇이면 어떤가. 단 한 사람을 건진다 한들 그것이 활인이 아닌가. 단 한 사람의 계집인들 왜구에게 아래품을 판다는 걸 생각하면 이가 갈리는 일이 아닌가.」

「그렇다면 우리 먼저 발행하여 목쟁이에서 매복하고 있다가 덮치는 것이 득책일세. 안변서 원산 포구로 오르는 길이 갈라졌다 합치는 목은 하나뿐이니 실수는 없을 것이야.」

「삼엄이 대단할 것인즉, 우리 넷 중 한둘은 모가지가 달아난다는 작정을 해야 할 것이네. 색상들이 요도를 다루는 솜씨가 생무지가 아닐세.」

「공론들만 하고 앉았을 텐가? 꿩 잡는 게 매지. 어서들 떠나세.」

안변 읍치에서 시오 리 상거에 덕원 읍치로 넘어가는 작은 고갯길이 있었다. 그 고갯길 초입에 작은 샛강이 가로지르고 있었는데 장마 지는 여름이 아닌 때에는 보통 징검다리로 건널 만한 곳이기도 하였다. 샛강을 건너면 다복솔이 빽빽하게 들어선 산협 길이 왼편으로 급히 꺾이면서 자드락길을 이루고 있었다. 강쇠 일행이 그 자드락길 초입에 이른 것은 밤이 삼경으로 접어들려는 시각이었다.

다복솔 숲에 몸을 숨기고 앉았으려니 길 맞은편의 길길이 자란 전나무 숲을 할퀴고 지나는 바람 소리가 을씨년스러웠다. 길 아래로 내려 깔린 냇가에 달빛이 번뜩이는데 먼 데 개 짖는 소리는 어느덧 멈추었다.

매복하고 기다린 지 한 식경이나 되었을까. 막불겅이라도 피워 파적을 하고 싶었으나 강쇠는 부싯돌도 치지 못하게 하였다. 기다리기가 진력나자 공연히 뱃속까지 허전해 오는데 희미한 밤빛 사이로 돌자갈이 서로 빗대이어 서걱이는 소리가 희미하게 들려왔다.

「쉿, 조용히들 하게.」

두 눈을 지릅뜨고 밤빛 속을 뚫어져라 바라보니 다복솔 키만 한 사람들이 냇가로 이어진 한길로 하나 둘 나타나기 시작하였다. 냇가에 닿자 잠시 머뭇거리더니 선머리에 선 자가 바지를 걷고 지체 없이 첨벙 여울 속으로 뛰어들었다. 어림으로 헤아려도 스물이 넘는 사람들이었다. 모두 남장한 선길장수들 복색이었다. 헛다리를 짚은 것이 아닌가 하여 가슴이 철렁 내려앉았으나 선머리에 선 두 사람과 뒤를 따르는 자들 세 사람을 제외하면 모두들 체수들이 고만고만한 지라 안심이 되었다.

여자 모두를 남장으로 변복시켰다는 생각 때문이었다. 선머리에 선 두 놈과 뒤쪽의 세 놈의 체수가 우람해 보이니 남자는 다섯뿐이었다. 샛강을 건넌 일행은 다시 신들메를 고치고 행구를 챙기느라 잠시 지체하였다. 여자들에겐 단단히 제독을 먹인 모양으로 그동안 귀엣말 한마디들도 없었다. 먼빛이라 딱 떨어지게 맞힐 수는 없었으나 끌려가는 처자들 모두가 스무 살 안팎의 햇것들이었다.

행중이 가뭇없이 숨어 있는 다복솔 숲 앞을 지나갈 제 세 사람은 괴춤에 찔러 둔 표창을 꺼내었고 한 사람은 허리춤에 차고 있던 혁편(革鞭)*을 꺼내 들었다. 그들이 저만치 빨랫줄 하나 길이만큼 지났을 때, 행중은 몸을 일으켜 일제히 표창을 날렸다. 뒤따르던 세 놈의 등때기에 표창이 꽂혀 나둥그러졌다. 처자들 입에서 일제히 비명 소리가 터져 나오며 길옆으로 흩어졌다.

선머리에서 이슬받이를 하던 두 놈이 금방 다급한 사태를 알아차리고 요도를 꺼내 들고 뒤쪽을 겨냥하는 순간, 다복솔 숲 속에서 두 장한이 벌떡 몸을 일으키고 있는 것이 보였다. 겁 없이 몸을 일으킨 두 장한은 그들이 건너온 달빛이 환한 샛강 가로 접어들더니 첨벙거리며 여울을 건너 냅다 뛰기 시작했다.

「저놈들 잡아라.」

두 색상의 입에서 거의 동시에 그런 고함 소리가 튀어나왔다. 색상들은 표창 맞은 일행 셋이 피를 흘리며 길섶을 기어 풀포기를 쥐어뜯고 있는 것도 아랑곳 않고 달아나는 두 장한의 뒤를 쫓고 있었다. 그때 처녀들 틈에 끼여 있던 들병이가 소리쳤다.

「모두들 풀 속으로 엎디어요. 꿈쩍했다간 우리 모두 죽습니다.」

이때 숲 속에 남아 있던 강쇠와 동무님이 설설 기고 있는 색상들을 다시 덮쳤다. 한 놈은 용하게 정통으로 멱을 잡아 절명하였지만 두 놈은 살아 있었다. 등에 표창을 꽂은 채 배밀이를 하고 있는 색상

* 혁편 : 가죽으로 만든 채찍.

들에게 다가가자 강쇠는 여러 말 할 것도 없이 발로 표창의 마구리*를 밟아 아예 요정을 내고 말았다.

「이놈들, 왜상들과 밀통하여 나라의 처자들을 팔다니, 백 번 죽어 싼 놈들이다.」

매에 쫓긴 꿩 모양으로 길가 풀숲에 머리를 박고 있던 처자들은 이제 혼백은 뜨고 등신만 남게 되었다. 강쇠가 소리쳤다.

「모두들 나를 따라오시오. 여기 남아 있다간 어느 구름에 채어 갈지 모릅니다.」

처자들이 하나 둘 풀숲에서 일어서기 시작하였다.

* 마구리 : 길쭉한 물건의 끝에 대는 물건.

객주 6

초 판 1쇄 발행일 • 1982년 11월 20일
개정판 1쇄 발행일 • 2003년 1월 15일
개정판 2쇄 발행일 • 2003년 1월 20일
지은이 • 김주영
펴낸이 • 임성규
펴낸곳 • 문이당

등록 • 1988. 11. 5. 제 1-832호
주소 • 서울시 성북구 동소문동 4가 111번지
전화 • 928-8741~3(영) 927-4991~2(편)
팩스 • 925-5406

홈페이지 http://www.munidang.com
전자우편 webmaster@munidang.com

ISBN 89-7456-204-9 03810
ISBN 89-7456-198-0 03810(전9권)

값은 표지 뒷면에 표시되어 있습니다.